Heath's Modern Language Series.

PETITE HISTOIRE

DE LA

LITTÉRATURE FRANÇAISE

DEPUIS LES ORIGINES JUSQU'A NOS JOURS

PAR

DELPHINE DUVAL

ANCIENNE PROFESSEUR DE FRANÇAIS À SMITH COLLEGE

D. C. HEATH & CO., PUBLISHERS
BOSTON   NEW YORK   CHICAGO

AVERTISSEMENT.

PIRON assistait un jour à une représentation dramatique et de temps en temps il saluait gracieusement les acteurs. Quelqu'un lui demanda : "Mais qui donc connaissez-vous sur la scène? Je ne connais personne, mais je salue d'anciennes connaissances dans les vers," répond le poète. Il se peut que mes lecteurs rencontrent aussi maintes connaissances dans les pages de cette *Petite Histoire*.

C'est surtout pour l'enseignement que j'ai fait ce livre ; et dans mon travail, je n'ai été guidée que par le souci d'être utile à l'élève, nullement par le désir de me faire une réputation littéraire. Dans ce but d'utilité, j'ai glané çà et là chez nos meilleurs littérateurs et critiques, ce qu'il y avait de meilleur en fait de connaissances et d'intérêt. Je n'ai pas hésité à copier le texte même lorsqu'il rendait mes idées mieux que je n'aurais pu le faire moi-même ; ce qui arrivait souvent. J'ai parfois cité le nom des auteurs, mais le plus souvent je les ai omis afin d'éviter la monotonie qui serait résultée d'une multiplicité de notes de références. Les principaux auteurs consultés sont : Demogeot, Nisard, Villemain, Sainte-Beuve, Schérer, Gaston Paris, Taine, Brunetière, Jules Lemaître et surtout Petit de Julleville à qui j'ai largement emprunté.

Je ne me dissimule aucunement les imperfections de cet exposé sommaire de notre littérature ; la sécheresse et les lacunes sont inséparables des abrégés. Je n'ai donné qu'une place très restreinte au vieux français, et j'ai passé sous silence des écrivains très distingués parce que leurs œuvres écrites en latin ou en provençal appartiennent plutôt à l'histoire de la littérature en France qu'à l'histoire de la littérature française. J'ai parlé plus longuement des vieux livres que des ouvrages récents, vu que les premiers sont très rares, tandis que les derniers sont aujourd'hui entre les mains de tout le monde, pour ainsi dire. J'ai omis, de propos délibéré, les résumés à la fin des époques, jugeant qu'il sera plus avantageux aux élèves de les faire eux-mêmes ; ce sera un petit travail personnel qui aura le double avantage d'être un exercice de composition française en même temps qu'un moyen d'acquérir des notions très nettes.

Si ce simple précis de notre littérature, preparé avec beaucoup de soin, inspire aux jeunes étudiants, à qui je le dédie, l'ambition de faire plus ample connaissance avec nos grands écrivains, s'il contribue à leur faire aimer davantage notre *douce* langue, je n'aurai pas travaillé en vain.

Sans vouloir rendre M. le professeur F. M. Warren de Cleveland, O., et Mme M. MacKaye de Cambridge, Mass., responsables en aucune façon de la médiocreté de cette œuvre, qu'ils me permettent de reconnaître ici les services importants qu'ils m'ont rendus, en me signalant des erreurs qui s'y étaient glissés et qui, grâce à eux, ne s'y trouvent plus.

D. D.

NORTHAMPTON, MASS., le 10 Mars 1893.

TABLE DES MATIÈRES.

PETITE HISTOIRE

DE LA

LITTÉRATURE FRANÇAISE.

PREMIÈRE ÉPOQUE.

ORIGINES DE DA LANGUE FRANÇAISE.

L'HISTOIRE de la littérature d'un peuple n'est au fond qu'une partie de son histoire générale ; mais c'est celle où se peignent le plus complètement son génie, son caractère, son esprit et ses mœurs. Toutefois, comme la langue est l'instrument de la littérature, il faut la connaître un peu, avant de parler des œuvres qu'elle a produites. Il faut donc voir d'où nous vient ce français dont nos poètes, nos historiens, nos orateurs ont fait un si merveilleux usage.

Celtes. — Aux temps les plus reculés où commence l'histoire de la Gaule, nous y trouvons les Celtes, plus communément désignés sous le nom de Gaulois. Par malheur, ils n'avaient pas d'écriture ; toute leur littérature hiératique était orale et confiée entièrement aux *druides*, caste sacerdotale, aussi bien que savante et littéraire. Lorsqu'au premier siècle avant l'ère chrétienne, les Romains, conduits par Jules César, firent la conquête de la Gaule, les druides et les bardes, qui par leurs chants entretenaient la haine contre ces étrangers, furent persécutés à outrance, et avec eux périt toute réminiscence de l'ancienne poésie gauloise.

Influence de la Conquête Romaine. — Une administration romaine fut imposée au pays vaincu ; des colons romains s'y fixèrent en grand nombre ; des écoles furent établies partout, et la diffusion du latin commença. Le christianisme qui pénétra en Gaule dès le premier siècle par les prêtres romains, ou du moins parlant latin, contribua beaucoup à propager cette langue parmi les masses. Au IVe siècle, la Gaule était le siège le plus florissant des lettres latines, et elle produisit des poètes et des orateurs qui se distinguèrent même à Rome. Cependant il serait erroné de croire que le latin devînt la langue *unique* des Gaulois ; les langues se perdent avec une difficulté extrême lorsqu'elles sont parlées par des masses d'hommes et sur un territoire d'une certaine étendue. Le celtique dédaigné, traqué, subsista encore longtemps dans les provinces isolées et dans les montagnes. D'autre part, si l'idiome des Romains était bien parlé dans les villes et par les classes instruites, il l'était très mal par le bas peuple et dans les campagnes éloignées des grands centres.

Germains et leur Influence. — Dans les IVe et Ve siècles, la Gaule fut inondée et bouleversée par un déluge de peuples scythiques et germaniques ; les uns ne faisaient que passer en ravageant ; les autres, comme les Francs, y restaient et finissaient en 486, par anéantir le pouvoir romain. Mais si les Romains, plus civilisés que les Gaulois, avaient imposé leur langue avec leur domination, il n'en fut pas de même des Germains : ces barbares vainqueurs durent apprendre le langage des vaincus, car c'est une loi à peu près constante, que lorsqu'un peuple conquiert et assujettit un autre peuple, le plus civilisé des deux impose sa langue au plus barbare. Cependant les Francs n'adoptèrent pas le dialecte des Gallo-Romains sans le corrompre encore davantage. Soumis à cette nouvelle épreuve, le latin succomba ; peu à peu il fut banni de l'usage vulgaire, quoique réservé encore aux actes publics ; recueilli par le clergé et dans les monastères il devint la langue savante.

Formation de la langue Romane. — Le peuple se fit lui-même sa langue ; et cette langue nouvelle, formée d'environ un millier de mots allemands latinisés, d'un très petit nombre de mots celtiques, mais dérivée surtout de l'idiome des Romains, reçut le nom de *roman-vulgaire* ou *lingua romana rustica*, source du français moderne.

On ne peut préciser à quelle époque le *roman* commença à se former ; les langues ne naissent pas, elles se transforment imperceptiblement de jour en jour. Les Bénédictins, auteurs des premiers volumes de *l'Histoire littéraire de la France*, n'hésitent pas à le reconnaître dès le VIe siècle ; "le VIe et le VIIe siècles, nous disent-ils, nous fournissent des *vestiges* de cette langue." Le plus ancien manuscrit que nous possédons du roman, les *Gloses de Reichenau*, remonte à 768 environ ; c'est un fragment de glossaire, qui donne en langue vulgaire l'explication de certains termes de la Bible ; il fut découvert en 1863 par M. Holtzmann à la bibliothèque de Reichenau. Il est certain toutefois que cette langue rustique que l'on n'écrivait pas, existait dans toutes les Gaules au VIIIe siècle. L'Eglise l'avait de bonne heure reconnue, car dès 813 les conciles de Tours et de Reims ordonnent aux évêques de faire traduire les écrits des Pères en *langue vulgaire*, et de prêcher en ce dialecte, "afin que tous puissent entendre les instructions que l'on fera ;" preuve certaine que cet idiome était déjà très répandu. Les célèbres serments de Strasbourg, échangés après la bataille de Fontanet en 841 entre Louis-le-Germanique et son frère Charles-le-Chauve, montrent également que le roman, dès lors, dominait dans les transactions publiques. Le voici tel que nous le trouvons chez Nithard, petit fils de Charlemagne, avec quelques corrections qui ont été introduites dans le texte manifestement incorrect, par les philologues modernes.

Serment de Louis-le-Germanique. — "Pro deo amur et pro christian poblo, et nostro commun salvament, d'ist di in avant, in quant deus savir et

podir me dunat, si salvarai eo cist meon fradre Karlo et in aiudha et in cad-
huna cosa, si cum om per dreit son fradra salvar dift, in o quid il mi altresi
fazet, et ab Ludher nul plaid nunqua prindrai, qui meon vol cist meon fradre
Karle in damno sit."

Traduction. — " Pour l'amour de Dieu, et pour le salut du peuple chrétien
et le nôtre, de ce jour en avant, en tant que Dieu savoir et pouvoir me
donne, si je sauverai ce mien frère Charles, et je lui serai en aide en chaque
chose, ainsi qu'on doit par la justice sauver son frère, en ce que lui à moi
aussi fera ; et avec Lothaire aucun arrangement je ne prendrai, qui, par ma
volonté porte préjudice à ce mien frère Charles."

DÉCLARATION DE L'ARMÉE DE CHARLES-LE-CHAUVE. — " Si Lodhuvigs
sagrament, que son fradre Karlo jurat, conservat, et Karlus meos sendra de sue
part lo franit, si io returnar non l'int pois, ne io ne nëuls, cui eo returnar int
pois, in nulla aiudha contra Lodhuwig nun li iv er.

Traduction. — " Si Louis tient le serment fait à son frère Charles, et que
Charles, mon seigneur, de son côté ne le tienne pas, si je ne puis l'en détourner, ni moi, ni aucun (de ceux) que j'en pourrai détourner, ne lui donnerons
aucune aide contre Louis."

Telle est la langue française dans le premier état où nous
puissions l'observer ; très différente assurément du français
d'aujourd'hui ; très voisine encore de ses sources latines, mais
toutefois déjà distincte et formée.

La *Cantilène de Sainte Eulalie* (vers 881) montre que l'idiome
vulgaire servait déjà d'interprète à la poésie. L'article, que les
Gaulois avaient abandonné en adoptant le latin, et qui est absent
des *serments*, reparaît ici pour la première fois ; les pronoms
personnels sujets ou compléments, souvent omis dans les *serments*,
sont ici presque toujours exprimés ; la construction s'éloigne
davantage de la latinité. Un progrès marqué s'est fait. Cette
cantilène commence ainsi :

" Buona pulcella fut Eulalia ; — bel auret corps, bellezour anima. — Voldrent la veintre li deo inimi ; — voldrent la faire d'aule servir. — Elle non
eskoltet les mals conselliers, — qu'elle deo raneiet chi maent sus en ciel, —
Ne por or ned argent ne paramenz, — por manatce regiel, ne preiement —
Niule cose non la pouret onque pleier, — la polle sempre non amast lo deo
menestier; " &c.

Traduction littérale. — " Bonne pucelle fut Eulalie; — Bel avait (le) corps, plus belle (l')âme. — Voulurent la vaincre les ennemis (de) Dieu; — Voulurent la faire diable servir. — Elle n'écouta les mauvais conseillers, — (Pour) qu'elle renie Dieu qui demeure haut au ciel, — Ni pour or, ni argent, ni parures, — Pour menaces royales, ni prières. — Nulle chose ne la put jamais plier, — La filette (à ce que) toujours n'aimât le service de Dieu;" &c.

Les *serments*, cette *cantilène* et un poème sur la vie de Saint Léger, sont tout ce que nous possédons en français d'antérieur authentiquement à l'an mil.

Division du roman. — A l'origine, la nouvelle langue est à peu près identique dans toute la France, et ne présente pendant longtemps que des nuances insensibles. Peu à peu des différences locales apparaissent. Au IXe siècle, la langue du Midi et celle du Nord ont des différences qui sont déjà très marquées ; ces différences allèrent s'accentuant par la suite et formèrent deux langues distinctes, auxquelles nous avons donné les noms de *langue d'oc* et *langue d'oïl;* chacune prenant son nom du mot qui exprimait l'affirmation.

Dans le Sud, la langue d'oc se développa et se polit plus rapidement que la langue d'oïl parlée dans le Nord ; les causes en sont apparentes. Les provinces méridionales, plus protégées, par leur position géographique, contre les invasions des barbares que les provinces septentrionales, étaient plus prospères; elles avaient conservé davantage la civilisation élégante et polie qu'elles avaient reçue d'abord des Grecs qui, dès le VIe siècle avant J. C., s'étaient établis dans le sud de la France et y avaient répandu leur civilisation et leur langue pendant plus de dix siècles ; et plus tard, celle des Romains. La langue subit ces influences, et le nouvel idiome y fut riche, doux, limpide et gracieux. Le Nord, étant plus accessible aux barbares, fut plus longtemps tourmenté par les guerres; le bouleversement y fut plus complet; les mœurs y étaient grossières, rudes, la vie sombre et pauvre, la nouvelle langue se développa moins

rapidement ; elle se ressentit de la désorganisation générale, et fut elle aussi pauvre, rude, dure. On peut prendre la Loire comme ligne de démarcation entre les deux idiomes.

La langue d'oïl, la seule qui nous occupe ici, se partagea, en se formant, en plusieurs dialectes : le bourguignon, le picard, le lorrain, le normand, tous assez différents les uns des autres, et qui eurent au début des droits égaux, ayant une origine commune également ancienne. Des causes politiques et historiques ont amené la prépondérance absolue du dialecte français proprement dit, qui était seulement à l'origine celui de l'Ile de France ; c'est-à-dire celui du roi et de la capitale ; puis, il est devenu seul maître et a fait tomber les autres dialectes au rang de vulgaires patois.

A la fin du XIe siècle, cette langue était déjà en mesure de suffire à l'éloquence qui enflamma le courage des croisés, à la chronique qui raconta leurs exploits, et à la poésie qui chanta leur valeur. Une influence glorieuse était réservée au français : les Normands le portèrent en Angleterre ; les Français en Italie, en Grèce, à Constantinople ; il devint la langue des cours, des savants et des écrivains, produisant au XIIe et au XIIIe siècle, une littérature que toute l'Europe civilisée a connue, admirée et imitée. Il faut faire honneur de cette popularité du français durant le moyen-âge, non-seulement à la haute valeur de ses écrivains et à la prépondérance politique de la noblesse française en Europe, mais encore, aux qualités de la langue elle-même. On sait les témoignages curieux de la préférence que les étrangers déclaraient dès lors pour notre idiome. Martino da Canale, historien italien, traduisit du latin en français son *Histoire de Venise,* disant que "La langue française cort le monde, et est plus délitable à lire et à oïr que nule autre." Brunetto Latino, maître du Dante, préfère écrire son *Trésor de Sapience* en français, parce que "la parleure est plus délitable et plus commune à toutes gens."

SECONDE ÉPOQUE.

XIe, XIIe ET XIIIe SIÈCLES.

Poésie Héroïque.

LE développement de la poésie précède, chez presque tous les peuples, celui de la prose ; c'est que la poésie vit surtout d'imagination, la prose de raison ; et dans les sociétés humaines comme chez les individus, l'imagination s'épanouit avant le développement complet de la raison. La poésie, en France, fut d'abord narrative. Les Germains avaient apporté en Gaule leur usage national de chanter les exploits guerriers ; l'Eglise sut de bonne heure tirer profit de cette coutume, en célébrant le baptême et les victoires de Clovis (483–511). Des poèmes courts et entraînants chantaient en latin ou en roman les faits d'armes des chefs illustres, et aux jours de bataille ils excitaient le courage des soldats qui les redisaient. Cette poésie reflète fidèlement les mœurs et les caractères de l'époque : la grandeur mêlée à la violence, l'esprit d'aventures, le mépris du danger et de la mort, la rudesse ; avec cela, la foi en Dieu, la loyauté et le dévouement absolu au suzerain, la fidélité au serment, en un mot l'*honneur*. A partir du Xe siècle on ne compose plus de chants nouveaux sur des évènements contemporains, mais les trouvères, poètes du Nord, qui ont conservé le dépôt de ces chants primitifs, coordonnent, amplifient cette vaste matière épique dispersée, flottante, et en composent nos *chansons de gestes*, c'est-à-dire des chansons de hauts faits.

Chansons de Gestes. — Nés des évènements, ces chants épiques prétendaient être véridiques, et ils l'étaient à l'origine, sauf

la déformation inévitable imposée à la vérité par la passion ; de
là le nom qu'ils prirent, *chansons de gestes* (du latin *gesta*,
"actions"), mais peu à peu la légende s'y mêla. Ces poèmes forment la partie la plus belle, la plus originale et la plus considérable de l'œuvre narrative des trouvères ; celle où la société
est dépeinte avec le plus de vie et de fidélité. Nous possédons environ cent *chansons de gestes*, fort inégales de mérite et
d'étendue ; les manuscrits qui les contiennent sont au nombre
de plus de huit cents, dont cinq cents environ se trouvent à
Paris. Les premières sont décasyllabiques, toujours divisées en
longues laisses ou couplets, d'un nombre indéfini de vers. Jusqu'à la fin de leur existence, elles furent chantées avec ou sans
accompagnement de musique. Chaque poème avait sa mélodie
spéciale. Pendant deux siècles, au moins, on les composa
uniquement pour les chanter, et c'est ainsi qu'elles se sont
d'abord répandues et conservées par la mémoire. Elles commencent ordinairement par ces mots : "Bonne chance seigneur,
plaist vos oïr ?" ou "Seigneur oïz une bele *chanson* et de mer-
veilleus pris ..."

Trouvères. — Les *trouvères* (trouveurs ou inventeurs) par-
couraient les châteaux et les cours : car les princes, les chevaliers, quand ils ne cultivaient pas eux-mêmes la poésie, se plai-
saient du moins à protéger les poètes. L'arrivée d'un trouvère
dans ces manoirs entourés de hautes murailles, où le seigneur vivait isolé avec sa famille, était une bonne fortune qu'on
accueillait avidement ; le baron, les écuyers, les dames se réunis-
saient dans la grande salle parée pour entendre les longs poèmes
qu'il avait composés ou appris. Alors se déployaient devant ces
auditeurs si bien disposés, mille récits intéressants et merveilleux, vrais ou imaginaires, dont la guerre et quelquefois l'amour
faisaient le sujet.

Sujets d'épopée. — La muse du Nord avait au moyen âge trois
sujets favoris : la *matière de France* qui a pour centre Charle-

magne ; la *matière de Bretagne* qui a pour centre Arthur roi de Galles ; la *matière de Rome la grant* qui embrasse l'antiquité ; elle n'en connaissait guère d'autres, comme le dit Jean Bodel d'Arras au XIIIe siècle : —

> « Ne sont que trois matières à nul homme entendant,
> De France, de Bretagne, et de Rome la grant. »

Les poètes avaient réuni dans une série d'épopées, les histoires plus ou moins fabuleuses d'un certain nombre de familles, et en avaient composé ce que nous appelons un *cycle*.

Cycle Carolingien ou Français.

Ce cycle est le premier en date et en mérite. Les *chansons de gestes* y appartiennent proprement, et elles peuvent se diviser en deux parties : l'épopée royale, et l'épopée féodale. La première qui est toute consacrée aux guerres nationales sous la conduite des rois et des princes, est antérieure au complet établissement de la féodalité ; la seconde a pour sujet les luttes entre la royauté et la féodalité.

Epopée royale. — Il était toujours resté dans l'imagination du peuple un souvenir d'admiration, confus il est vrai, mais profond et impérissable, de Charlemagne. Ses guerres, ses grandes entreprises, son couronnement mystérieux à Rome, sa cour magnifique à Aix-la-Chapelle, firent travailler les imaginations ; le grand roi ne tarda pas à devenir un personnage poétique et légendaire, en même temps que le héros d'une foule d'exploits qui lui sont antérieurs, ou qui suivirent son règne. Toutes les victoires de Charles Martel et de Pepin-le-Bref lui sont attribuées.

Le caractère de ce cycle est essentiellement religieux et guerrier ; il célèbre surtout la lutte des chrétiens contre les infidèles. Charlemagne y est le champion du christianisme, et c'est avec les Sarrasins que presque tous les poètes le mettent aux prises ;

ils transforment volontiers en Musulmans (synonyme de païens pour eux) tous les peuples qu'il combattit.

Les trois plus anciens poèmes du cycle français sont : la *Chanson de Roland ;* celle du *Roi Louis*, qui a son origine dans la victoire de Sénancourt, remportée en 880 par Louis III sur les Normands, changés ici en Sarrasins ; et le *Pèlerinage de Charlemagne*, qui doit probablement naissance aux rapports de l'empereur avec Aroun-al-Raschid.

Chanson de Roland. — La plus remarquable épopée de ce cycle, c'est la *Chanson de Roland*. Elle remonte sous sa forme primitive, jusqu'au temps de Louis-le-débonnaire (814–840) ; Le biographe de ce prince, connu sous le nom d'Astronomus, atteste que les héros qui périrent à Roncevaux étaient dès ce temps l'objet des chants du peuple ; et l'on sait que le jongleur Taillefer la chantait en allant au combat de Hastings (1066). La première rédaction écrite au début du XIe siècle fut d'abord attribuée au trouvère Théroulde, mais nous ne savons s'il en fut le rédacteur, ou simplement le copiste.

La *Chanson de Roland* a un fondement historique. Nous savons par la plume d'Eginhard, qu'en 778 Charlemagne fit une expédition en Espagne ; qu'à son retour, son arrière-garde, surprise dans les défilés des Pyrénées, à Roncevaux, fut taillée en pièces par les Montagnards gascons, et que Roland, préfet des marches de Bretagne, y périt. Cette défaite et cette mort n'avaient pas été vengées, mais la douleur et l'admiration opérèrent un prodige, et firent de ce désastre un chant de victoire. C'est un curieux exemple du travail de l'imagination populaire sur les faits réels. Nulle part cette puissance de transformation ne se montre avec plus d'ensemble et d'originalité. La poésie s'empara de ce sujet, et en moins de trois siècles elle en tira toute une épopée.

Analyse de la Chanson de Roland. — Marsile, roi d'Espagne, menacé dans Saragosse, envoie des députés à Charle-

magne pour lui demander la paix. L'empereur, sur l'avis de
Roland, charge Ganelon de porter sa réponse au Sarrazin.
Ganelon, irrité contre Roland, son beau-fils, qui lui a fait donner cette mission dangereuse, conspire sa mort avec Marsile, et
revient de son ambassade chargé de présents, prix de sa trahison ; il annonce au grand roi la soumission entière du roi
infidèle, et l'engage à repasser les monts, en laissant l'arrière-
garde sous les ordres de Roland. Charlemagne, malgré deux
songes sinistres, se met en route pour la France. Alors Marsile rassemble ses douze pairs, une armée nombreuse, et quand
il croit l'empereur déjà loin, vient assaillir l'arrière-garde
française, composée seulement de vingt mille hommes. Olivier,
du haut d'un puy, aperçoit les infidèles ; trois fois il presse
Roland de sonner du cor pour appeler son oncle à son
secours ; Roland s'obstine à refuser. Les Français, bénis par
l'archevêque Turpin, reçoivent bravement la bataille, et l'enga-
gent au cri de Monjoie. La mêlée est affreuse ; les exploits
sont innombrables ; Roland, Turpin, et Olivier se distinguent
entre tous. Ici tout est grandiose, et le champ de bataille et
les héros. Cette phalange indomptable, qui ne recule jamais,
jonche le sol de cadavres ; enfin Roland sonne du cor, et l'empereur, qui est à trente lieues, l'entend et revient en hâte sur
ses pas, malgré Ganelon qui veut l'en dissuader. Il est trop
tard, presque tous les chrétiens ont péri. Roland voit mourir
Olivier et lui fait ses adieux ; malgré ses propres blessures, il va
chercher les mourants et les apporte à Turpin gisant dans son
sang, pour qu'il les bénisse ; puis ayant recueilli le dernier sou-
pir de l'archevêque, et pendant que les païens fuient en enten-
dant les hautbois de Charlemagne, il essaie en vain de briser
son épée Durandal ; le roc se fend, mais l'acier résiste ; il suc-
combe enfin à l'épuisement, tourne la face du côté de l'Espagne,
place son épée sous lui pour la dérober aux ennemis, puis il
rend à Dieu son âme que les anges portent au ciel.

Le récit de sa mort est le morceau capital de l'œuvre ; en voici une traduction par M. Léon Gauthier :

" Roland sent que la mort l'entreprend, — Et qu'elle lui descend de la tête au cœur. — Il court se jeter sous un pin : — Sur l'herbe verte il se couche face contre terre ; — Il met sous lui son olifant et son épée, — Et se tourne la tête contre les païens. — Et pourquoi le fait-il ? Ah ! c'est qu'il veut — Faire dire à Charlemagne et à toute l'armée des Francs, — Le noble comte, qu'il est mort en conquérant. — . . . Il est là, au sommet d'un pic qui regarde l'Espagne ; — D'une main il frappe sa poitrine : ' *Mea culpa*, mon Dieu, et pardon au nom de ta puissance, — Pour mes péchés, pour les petits et pour les grands, — Pour tous ceux que j'ai faits depuis l'heure de ma naissance — Jusqu'à ce jour où je suis ainsi frappé.' — Il tend à Dieu le gant de sa main droite, — Et voici que les Anges du ciel s'abattent près de lui. — Il est là, gisant sous un pin, le comte Roland ; — . . . Il se prit alors à se souvenir de plusieurs choses : — De tous les pays qu'il a conquis, — Et de douce France, et des gens de sa famille, — Et de Charlemagne, son seigneur, qui l'a nourri ; — . . . Il ne peut s'empêcher d'en pleurer et de soupirer. — Mais il ne veut pas se mettre lui-même en oubli, — Et, de nouveau, réclame le pardon de Dieu : 'O notre vrai Père,' dit-il, 'qui jamais ne mentis, — Qui ressuscitas saint Lazarre d'entre les morts — Et défendis Daniel contre les lions, — Sauve, sauve mon âme et défends-la contre tous les périls, — A cause des péchés que j'ai faits en ma vie.' — Il a tendu à Dieu le gant de sa main droite ; — Saint Gabriel l'a reçu. — Alors sa tête s'est inclinée sur son bras, — Et il est allé, mains jointes, à sa fin. — Dieu lui envoie un de ses anges chérubins. — Saint Raphaël et saint Michel du Péril. — Saint Gabriel est venu avec eux. — Ils emportent l'âme du comte au paradis . . ."

Le trouble de la nature a annoncé en France la mort de Roland :

" Cependant en France il y a une merveilleuse tourmente : — Des tempêtes, du vent et du tonnerre, — . . . Et (rien n'est plus vrai) un tremblement de terre. — . . . A midi, il y a grandes ténèbres ; — Il ne fait clair que si le ciel se fend. — Tous ceux qui voient ces prodiges en sont dans l'épouvante, — Et plusieurs disent : 'C'est la fin du monde, — C'est la consommation du siècle.' — Non, non, ils se trompent : — C'est le grand deuil pour la mort de Roland ! "

Les Gascons, en réalité, restèrent impunis, mais dans notre poème Charlemagne repasse les monts, arrive, pleure son neveu, ensevelit les morts et les venge par la défaite de Marsile et la prise de Saragosse. La fiancée de Roland, la belle Aube, expire en apprenant sa mort. La veuve de Marsile, emmenée captive en France, reçoit le baptême. Le traître Ganelon est supplicié. Un ange apparaît à Charlemagne et l'appelle à de nouveaux combats.

Cette analyse sommaire fait voir l'unité du poème ; tout s'y tient et s'y enchaîne. La *Chanson de Roland* ne vaut certes pas l'Iliade par la forme, mais la pensée en est plus haute. Les points de comparaison abondent entre ces deux œuvres si iné- gales et si différentes. Comme l'Iliade, et l'Odyssée également, elle a toute la simplicité d'un monde naissant ; ses héros, comme ceux de la Grèce, sont naturels et sincères ; ils sont capables de fléchir, de pleurer, de tomber. Autre ressemblance, les mœurs des deux peuples ennemis sont analogues : mêmes vêtements, même armure, même façon de combattre et même langage semble-t-il. Rien ne ressemble plus à Homère encore que les descriptions de combats faites par notre poète : les épieux volent en tronçons, les écus sont fracassés et rompus, l'épée fend les casques, les cuirasses ; elle ne s'arrête pas à l'*auve* de la selle, elle coupe par la moitié et le cavalier et le cheval. Les coups sont surhumains, et on est tenté d'y croire pourtant, tant la candeur du poète est naïve. Il est cependant bien certain, mal- gré ces ressemblances, que le trouvère du XIe siècle ignorait l'œuvre homérique ; il ignorait aussi toute civilisation autre que la sienne ; mais partout où les passions sont semblables, les mœurs sont analogues.

Ce serait omettre un des traits essentiels de ces épopées pri- mitives, que de ne point faire observer le peu de place qu'y occupent les femmes. C'est à peine si, dans la *Chanson de Roland*, on entrevoit la tendre Aube, vers la fin.

Notre langue a eu le bonheur de produire à son début un exemple presque parfait d'épopée naïve et forte. L'idiome fran- çais est encore très pauvre, les mots s'y répètent nécessairement,

mais malgré l'insuffisance et l'infériorité du style, l'instinct de
l'art s'y trouve mêlé à l'inspiration native ; le ton en est héroïque,
et parfois d'une grandeur sublime dans sa simplicité.   Le plan est
simple, clair et bien ordonné ; les faits sont peu nombreux ; les
caractères peu variés, mais ils ont tous leur grandeur propre et
leur beauté.   Charlemagne y est représenté comme un vieillard
de deux cents ans à la barbe fleurie ; il est majestueux, quoi-·
qu'il soit accessible à la passion, à la douleur ; il s'irrite, il prie,
il *tombe en pâmoison ;* Roland, c'est la bravoure incarnée, excessive, mais sa foi sublime expie ses fautes ; Olivier joint au courage plus de circonspection ; Turpin est le prêtre soldat qui sert
son Dieu avec la parole et l'épée.   Un vif amour de la patrie
ramène constamment le nom de *douce France.*   La galanterie et
le comique n'y ont guère de place.   L'aristocratie féodale et
guerrière du XIe siècle est, dans cette épopée, peinte avec une
vie et une vérité admirables dans une suite de petits tableaux
animés, pathétiques, grandioses.   Jamais l'inspiration poétique
ne fut plus sincère, plus originale et plus vigoureuse.

La *Chanson de Roland* divisée en laisses monorimes d'inégale
longueur, est composée de 4,000 vers de dix syllabes, qui fut
d'abord le vers épique.   La rime est assonante, c'est-à-dire
que les vers de chaque *laisse,* ou couplet, se terminent tous par
la même voyelle accentuée, sans tenir compte des consonnes
qui suivent, ainsi *passage* assonne avec *aimable ; vie* avec *reïne.*
L'assonance n'est devenue insuffisante que du moment où les
poèmes ont cessé d'être chantés, et ont commencé à être lus.

Epopée féodale. — Les chansons de l'épopée féodale sont
consacrées aux luttes des barons contre la royauté, ou entre eux.
De bonne heure l'esprit féodal domine, et la résistance du fier
vassal contre son suzerain est représentée sous un jour glorieux
par les poètes.   Charlemagne lui-même y joue souvent un assez
triste rôle ; il n'est plus qu'un prince emporté, faible, timide,
crédule à l'excès, à qui les barons révoltés font souvent la loi.

Il porte ainsi la peine due à l'incapacité de ses successeurs auxquels les trouvères l'assimilent, pour mieux flatter les barons qui
écoutaient et récompensaient leurs chants. On ne flattait pas
davantage Charles Martel et Pepin, tous se ressemblent et n'ont
pas lieu de s'en applaudir. C'est dans cet esprit que sont
écrites les longues épopées du XIIe siècle et du XIIIe. Mais il
n'en est pas qui exprime d'une manière plus complète et plus
vraie les mœurs et le caractère de la classe féodale, que les
Lorrains, XIIe siècle, en cinq grandes chansons : l'esprit d'indépendance s'y déploie dans toute sa farouche fierté ; dans un
style mâle et rude, elle chante la lutte poursuivie entre plusieurs
générations de Lorrains et de Bordelais ; bien qu'elle soit d'une
allure historique, on n'a cependant pas encore réussi à lui trouver le moindre fondement dans l'histoire. Ce poème eut alors
une grande vogue ; il en existe plus de vingt manuscrits.

Presque toutes les chansons de ce cycle sont anonymes. A
partir du XIIIe siècle, la veine épique s'épuise ; les trouvères ne
font que se répéter ; ce sont toujours les mêmes données, les
mêmes développements ; mais avant de périr, l'épopée nationale
avait exercé une immense influence sur la poésie des nations
voisines, qui de bonne heure traduisirent nos chansons de gestes.
C'est en Italie surtout qu'elles eurent le plus d'imitateurs, en vers
et en prose : Pulci, Bojardo, Arioste prirent à leur tour ces imitations pour base de leurs poèmes célèbres.

CYCLE D'ARTHUR OU DE BRETAGNE.

La *matière de Bretagne*, quoique tirée d'un fond plus ancien
que la *matière de France*, ne fut exploitée que plus tard par les
trouvères. Les romans de ce cycle ont leur origine dans les
guerres de conquête de la Bretagne par les Saxons aux Ve et VIe
siècles, et ont pour centre Arthur, roi réel du pays de Galles, qui
vivait, croit-on, au VIe siècle, et qui défendit son petit royaume
avec plus de valeur que de succès contre les envahisseurs.

Il est curieux de suivre encore ici le travail de la crédulité
populaire autour d'un héros ; c'est étudier en quelque sorte,
l'histoire naturelle de l'imagination.   Les Bretons n'oublièrent
pas leur valeureux roi, sous la domination saxonne ; au contraire,
ils ne cessaient de célébrer les exploits d'Arthur, auxquels ils
commencèrent à mêler de vieilles traditions, en partie mythologiques.   Quand ils émigrèrent en Armorique, ils y apportèrent avec
leur langue, qui différait peu de celle des Gaulois, leurs souvenirs
et leurs légendes ; l'imagination poétique des Armoricains se
saisit de ces fictions, et Arthur devint le centre des contes et des
chants des bardes des deux côtés de la mer.   D'âge en âge, la
fantaisie des poètes grossit ces rêveries de mille inventions nouvelles ; mais toutes ces légendes demeurèrent inconnues à la
langue d'oïl jusqu'au XIIᵉ siècle.

Les premières traditions concernant Arthur se trouvent dans
une courte *Histoire des Bretons*, écrite en latin et attribuée à
Nennius, Xᵉ siècle, où les exploits de notre héros sont mêlées à
des fables païennes et à des légendes chrétiennes.   Geoffroy de
Monmouth, amplifia grandement Nennius dans les *Prophéties de
Merlin* (1135) également en latin, et dans son audacieuse mysti-
fication, l'*Historia regum Britanniae*, qu'il prétendait traduire
d'un livre gallois très ancien.   Il s'y donnait surtout libre carrière au sujet d'Arthur ; lui attribuait une naissance extraordinaire, et des exploits non moins merveilleux.   On s'empressa
de faire plusieurs traductions de ce livre en vers français ; celle
de Wace, appelée le *Brut* (1155) fait remonter l'origine des
rois de la Bretagne à Brutus, petit-fils d'Enée, et ajoute des traditions empruntées aux Bretons insulaires, comme celle de la
Table-Ronde.

Lais. — Ces compilations et ces traductions eurent un grand
succès parmi les lettrés, et attirèrent leur attention sur les fables
arthuriennes, mais ces ouvrages ne sont pas la source des romans
du cycle breton ; très peu d'écrivains les utilisèrent, surtout dans

les premiers temps ; les romans reposent sur les récits des conteurs et des chanteurs gallois et bretons qui furent les premiers à
introduire les fictions celtiques dans le monde roman.   Leurs
chants furent rédigés, dans de petites compositions narratives
appelées *lais*, et ce sont ces contes *bleus* minuscules, qui reliés
en chapelet ont constitué les plus anciens romans d'où est sortie
l'immense épopée arthurienne.

Divisions du Cycle Breton. — Les romans de ce cycle peuvent se diviser en trois groupes : ceux de *Tristan*, de la *Table-
Ronde*, et du *Saint-Graal*.   *Tristan* est un héros de la poésie
celtique, et originairement tout à fait étranger à la légende
d'Arthur ; son histoire paraît avoir des origines mythologiques, et
rappelle celle de Thésée.   La *Table-Ronae* était un ordre chevaleresque institué par Arthur : tous les membres étaient égaux et
s'asseyaient, sans distinction de rang, autour d'une table circulaire,
tandis qu'au moyen âge les tables étaient rectangulaires et
avaient un haut bout pour les convives d'honneur et un bas bout
pour ceux qu'on dédaignait.   Le *Saint-Graal* était le nom qu'on
donnait à une coupe dont le Sauveur, croyait-on, s'était servi
dans la dernière cène, et qui avait été apportée en Bretagne par
Joseph d'Arimathie ; ce vase s'était perdu, et ne devait être
retrouvé que par un chevalier parfaitement pur.   Cette légende
fut introduite plus tard que les autres.

Chrestien de Troyes et ses Œuvres. — Depuis la conquête
de l'Angleterre par les Normands (1066), les légendes arthuriennes étaient devenues très populaires dans ce pays ; des poètes insulaires avaient réuni ces récits épars en poèmes suivis ; un inconnu rima un *Lancelot*, Béroul et Thomas composèrent chacun un
Tristan.   Marie, fille de Louis VII et d'Eléonore, et qui fut élevée à la cour d'Angleterre après le mariage de sa mère avec Henri II, étant devenue comtesse de Champagne, proposa à Chrestien de Troyes de mettre en vers ces fables bretonnes et en vingt
ans, de 1170 à 1190, il composa six longs poèmes, où il a ra-

conté la plus grande partie de la légende d'Arthur et des épisodes innombrables qui s'y rattachent. Il se peut que notre poète n'ait jamais vu les poèmes anglo-normands, mais Marie lui a certainement fourni le fond et l'esprit de ses romans ; il nous le dit lui-même d'ailleurs.

Il est intéressant de comparer la poésie populaire des chanteurs avec la rédaction de Chrestien. C'est ainsi qu'on peut observer la dernière métamorphose de la tradition entre les mains de nos trouvères. Prenons pour sujet de comparaison le conte qui célèbre les aventures d'*Ivain* ou *Owen*, rédigé dans les premières années du XIIe siècle, il nous offre l'image de la société galloise à l'aurore de la chevalerie.

"L'empereur Arthur était à Caerléon-sur-Osk. Or, un jour, il était assis dans sa chambre, et avec lui se trouvait Owen, Kai, Guennivar et ses femmes travaillant à l'aiguille, près de la fenêtre ... Et l'on ne peut pas dire qu'il y eût un portier au palais d'Arthur, car il n'y en avait point, (ce qui était une marque d'hospitalité) ... Or l'empereur était assis au milieu de la chambre, dans un fauteuil de joncs verts, sur un tapis de drap aurore, et il s'accoudait sur un coussin de satin rouge. Et il dit : 'Si vous ne vous moquez pas de moi, seigneurs, je vais faire un somme, en attendant l'heure du repas, et vous pouvez conter des histoires et vous faire servir par Kai une cruche d'hydromel et quelques viandes.' Et l'empereur s'endormit." (*Traduction.*)

Le conteur gallois, comme on voit, prête à la cour d'Arthur une physionomie assez bourgeoisement pittoresque. Environ cinquante ans plus tard, Chrestien de Troyes traite le même sujet dans son *Ivain* et nous peint la même cour, mais sous des couleurs bien différentes. Il réunit autour d'Arthur la fleur des barons et des chevaliers de l'Europe ; tous ceux qui recherchent la gloire viennent à cette brillante cour, pour y recevoir des leçons de prouesse et de courtoisie, et avoir part aux riches présents du roi. Les chevaliers, au lieu de s'attabler autour d'une cruche d'hydromel, se répandent dans les salles dorées où les appellent les demoiselles de compagnie de la belle et fière Guenièvre ; celles-ci, à leur tour, dédaignent l'aiguille, ne savent

plus que sourire aux récits galants des chevaliers et s'intéresser
à leurs amours. Les deux poètes décrivent une fontaine merveilleuse, et ici encore le poète français déploie un luxe descrip-
tif inconnu au Gallois ; chez lui, le bassin est de l'or le plus fin
qui fut jamais à vendre, et le perron qui y conduit est d'éme-
raudes et orné d'un rubis

> " Plus flamboyant et plus vermeil
> Que n'est au matin le soleil."

Ses amplifications ont le même caractère ; l'auteur gallois dit :
" La dame consentit au départ d'*Owen*, mais cela lui fut bien
pénible." Chrestien brode là-dessus et en tire toute une tragédie.

Chrestien de Troyes est sans conteste l'auteur le plus remarquable de ce cycle ; il connaissait la poésie du Sud, et il est le
premier trouvère qui se soit servi de la versification provençale
dans ses poésies lyriques. Son grand mérite est dans la forme.
" Il prenait, dit un auteur du XIIIe siècle, le beau à pleines
mains, et n'a laissé après lui qu'à glaner." Il a souvent les défauts habituels au moyen âge : la banalité, la minutie, mais on
trouve des descriptions brillantes ; il a une grande délicatesse
d'expression, une grâce simple, une malice fine et ingénue.
Ses œuvres offrent le meilleur spécimen de la langue du XIIe siècle, et ses romans sont les représentants par excellence de
l'idéal de la haute société d'alors. Il eut un grand nombre
d'imitateurs.

Les romans de Chrestien de Troyes, les meilleurs de ce cycle,
sont : *Tristan, Erec, Cligès,* le *Conte de la Charrette,* ou *Lancelot,* ainsi nommé parce que Lancelot, pour suivre la reine
Guenièvre, fut obligé, contrairement aux lois chevaleresques,
de monter sur une charrette ; *Ivain* ou le *Chevalier au lion.*
C'est dans *Perceval* ou le *Conte du Graal* que le *graal* est mentionné pour la première fois ; mais Chrestien mourut avant de
finir cette œuvre, et il ne nous dit pas si le *graal* est d'origine

celtique ou chrétienne.   L'ouvrage fut continué par Gaucher
et terminé de différentes manières par Gerber de Montreuil et
par Menassier; le poème atteignit une longueur de 63,000
vers, et c'est entre leurs mains que le *graal* devint le " saint
graal," le vase sacré.

Caractère des Romans du Cycle Breton. — Avec ces romans
apparaissait un monde nouveau de pensées, de croyances et de
sentiments.   Ce qu'ils apportaient surtout et d'abord, c'était
une conception spéciale de l'amour.   La femme, qui avait gardé
une place assez restreinte dans les rudes épopées guerrières,
prenait une situation prépondérante et un empire sans borne.
Au sensualisme innocent et barbare des chansons de gestes, à la
galanterie provençale, ces contes opposaient un pur idéalisme.
L'amour, érigé en force ennoblissante, devait être la source des
vertus sociales; l'homme ne pouvait se rendre digne de l'objet
aimé que par le double exercice de l'héroïsme et de la courtoisie.
Le merveilleux est la seconde nouveauté qu'apportaient ces contes
celtiques : la féerie avec tous ses enchantements, ses sorciers, ses
griffons, ses châteaux tournants, ses forêts et ses palais enchantés
y jouait un grand rôle.   A ces éléments se mêlaient encore la
mythologie, le christianisme, le mysticisme ; mais tout se combine
et s'amalgame pour former de cet ensemble singulier, la plus
poétique et la plus curieuse des légendes.

Les romans de ce cycle sont les seules œuvres artistiques
qui se passent de l'unité d'action et d'intérêt ; ce qui les constitue, c'est *l'aventure*, c'est-à-dire une entreprise tentée par un
héros.   Plus d'intérêt général, collectif comme dans les chansons
de gestes : l'individu s'avance au premier plan ; ce n'est plus le
souci de sa patrie, de sa religion, de son devoir féodal qui le
pousse à agir : c'est l'aventure.   On se pique moins d'entretenir
le culte des souvenirs, que d'amuser la curiosité.

Les romans en prose du cycle breton supplantèrent les poèmes
dès le commencement du XIIIᵉ siècle ; ce succès était dû sur-

tout à leur excellente langue. Il se fit un nombre infini de compilations et d'imitations ; mais tous ces livres, qui forment ensemble une énorme collection, étaient terminés vers le milieu du XIIIe siècle. La vogue de ces romans, en vers et en prose, les fit traduire en différentes langues. Le plus grand mérite de ces contes aujourd'hui, est de nous représenter l'idéal social, moral et politique de la haute société d'alors ; idéal qui n'était pas sans avoir quelque influence sur la vie réelle, et qui en a exercé une bien grande sur la littérature. C'est à ces romans surtout, que remonte la teinte chevaleresque et galante, sous laquelle l'imagination s'est longtemps représenté le moyen âge.

Cycle Antique.

Ses Sources et son Caractère. — Les romans consacrés aux traditions de l'Antiquité sont les moins originaux de tous ceux que le moyen âge a produits ; ce ne sont pas ceux pourtant qui ont eu le moins de succès : on trouve dans nos bibliothèques au moins vingt-cinq manuscrits du seul roman de *Troie*. Le goût répandu dans le public pour les merveilleux récits que l'épopée nationale avait fait naître, engagea les clercs à mettre en langue vulgaire certaines parties de la littérature latine antique qui n'avait jamais cessé d'être lue et étudiée dans les écoles. Les aventures que ces œuvres contenaient semblèrent aux lettrés tout aussi surprenantes que celles que chantaient les jongleurs, et tout aussi capables de plaire ; ils s'efforcèrent donc, dès le XIIe siècle, de faire passer en français celles qui leur paraissaient devoir plaire davantage à ceux qui ignoraient le latin ; malheureusement ils s'adressèrent aux productions de la décadence gréco-romaine, plutôt qu'aux œuvres vraiment classiques. L'imagination de nos conteurs s'exerça bientôt sur les guerres de Troie, de Thèbes et de Rome, sur les grands exploits d'Alexandre ; mais les poètes naïfs, incapables de se figurer une civilisation autre que la leur, transformèrent les héros anciens en paladins du moyen âge, et prê-

tèrent leurs mœurs, leurs sentiments, leurs costumes, leur langage
et toutes leurs façons de vivre, à des héros, vieux de mille à deux
mille ans. On ignora de même toute chronologie, et on fit de
Virgile un précurseur du Sauveur, on le plaça au milieu des
prophètes ; plus tard on en fit un magicien ; Stace passait pour
être un des ancêtres du christianisme, et Lucain n'était pas moins
célèbre.

Romans du Cycle Antique. — On attribue à Benoît de
Sainte-More, XIIᵉ siècle, l'*Enéas*, d'après l'Enéïde de Virgile,
mais grandement travesti ; il l'orna à sa façon par des descriptions, des récits de combats dans le style du XIIᵉ siècle, et par
le détail moitié naïf, moitié puéril des amours d'Enée et de Lavi-
nie. Le *Roman de Troie* est l'ouvrage le plus considérable
de Benoît de Sainte More ; c'est, comme il nous le dit lui-même :

> "Une estoire riche et grans,
> Et de grant œuvre et de grans frais."

Il choisit probablement le sujet de Troie parce que tout le
moyen âge crut sérieusement que le premier fondateur de la
monarchie française était Francus, prétendu petit-fils de Priam,
sauvé du sac de Troie. Les personnages grecs et troyens, prodigieusement rapetissés, ressemblent beaucoup aux châtelains
du XIIᵉ siècle. A défaut d'originalité, le narrateur offre l'attrait d'une certaine naïveté piquante ; il a en outre inventé des
épisodes entiers pleins de charme, dont le meilleur est consacré aux amours de Troïlus et de Briséïde, qui a fourni le sujet
d'un poème à Boccace et d'une tragédie à Shakspeare.

De tous les héros de l'antiquité, nul ne prêtait plus à la transfi-
guration chevaleresque qu'Alexandre le Grand ; aussi les trouvères s'en saisirent et en agirent des plus librement avec lui.
Trois poètes contemporains, Lambert-li-Cors, Alexandre de Ber-
nay et Pierre de Saint-Cloud célébrèrent ensemble le héros macé-
donien dans le poème en grands vers d'*Alexandre le Grand* qui
parut vers 1180 ; le vers de douze syllabes, dont on s'était déjà

servi, y est employé avec une telle supériorité qu'il en a reçu et
gardé le nom d'*alexandrin*.   Alexandre ne se serait jamais reconnu dans ce roman ; il y est métamorphosé en modèle du roi
chevalier, porte l'oriflamme, est entouré de ses douze pairs et de
ses barons, cortège inévitable qu'on retrouve partout dans Charlemagne et Arthur ; il fait la conquête de Rome, et va en Orient
chercher deux statues d'or que son ami Arthur y a laissées.   Les
fées, les monstres, les mystères se multiplient quand il arrive aux
Indes ; il s'élance dans les airs, emporté par des griffons qu'il
dirige à son gré au moyen de morceaux de viande attachés au
bout d'une lance ; il comprend le langage des oiseaux ; il s'approche du soleil, mais contraint *par l'excès de la chaleur,* il redes-
cend et se plonge dans les abîmes de l'océan.   Partout il est
loyal, invincible ; on exalte surtout sa *largesse,* vertu chère entre
toutes aux trouvères et jongleurs.   Au XIIIe siècle, Alexandre
était devenu le héros d'une foule de romans.

Décadence de la Poésie épique. — Toute cette poésie épique
si riche et si féconde, devait enfin se tarir après avoir duré trois
siècles.   On peut résumer sa longue durée en trois périodes : la
première, qui va de la fin du XIe siècle jusqu'au milieu du XIIe
est toute héroïque ; la deuxième, du milieu du XIIe au milieu du
XIIIe environ, voit l'esprit héroïque et guerrier se tempérer, et
la chanson de gestes imiter désormais les romans de la Table-
Ronde ; du milieu du XIIIe siècle jusque vers le milieu du XIVe
s'étend la troisième, qu'on peut appeler la période lettrée.   Au
delà, jusqu'à la Renaissance, c'est la décadence.

ROMANS D'AVENTURE, OU DE CHEVALERIE.

A part les romans qui appartiennent aux trois cycles, il y en
eut un très grand nombre qu'on appelait *Contes* ou *Romans
d'aventure,* et qui étaient la lecture favorite de la noblesse dont
ils peignaient la vie et les mœurs chevaleresques.   Un de ces
livres était une richesse dans un château ; on le tenait religieuse-

ment sous clef ; on le lisait et on le relisait à haute voix durant
les longues soirées d'hiver.   Ces *romans* avaient différentes
sources ; les uns étaient fondés sur des sujets bretons, non rat-
tachés au cycle d'Arthur ; les autres sur des histoires byzantines
ou des traditions nationales ; quelques uns avaient rapport aux
évènements du temps ; il y en avait de comiques et de sérieux.
Les auteurs se préoccupaient moins de peindre les mœurs de la
société, que de multiplier en liberté les incidents et les péripéties.
Le fond de ces contes ne varie guère : ce sont en général les aventures de quelque amant en quête de sa dame, que lui disputent
mille ennuis et mille difficultés ; il la retrouve toujours, mais
seulement après d'innombrables incidents romanesques.   L'in-
vraisemblance en fait la principale beauté

Le plus joli des romans du XIIᵉ siècle est assurément celui
d'*Aucassin et Nicolette ;* l'auteur anonyme lui donne le nom de
chante-fable.   Comme les romans arabes, il est entremêlé de
chant ; la partie chantée est toujours indiquée par ces mots :
Or se cante, tandis que le récit en prose est ainsi annoncé : *Or
dient,* ou *content.*   Il est accompagné de la notation musicale
qui est très simple.   Aucassin, fils du comte de Beaucaire, aime
et veut épouser Nicolette, jeune Sarrasine.   Le comte s'oppose
au mariage ; mais après maintes aventures romanesques, Nicolette
qui s'est convertie au christianisme, se marie avec Aucassin et
devient comtesse de Beaucaire.   Cet ouvrage se distingue entre
tous les autres de cette époque, par l'originalité de ton, de manière
et de sentiment.   Voici un joli tableau des terreurs de l'héroïne
lorsqu'elle s'échappe d'un château où on la tenait prisonnière :

Elle regarda en bas et vit le fossé très profond et très escarpé et elle eut
grandement peur.   Hé Dieu ! fait-elle, douce créature, si je me laisse choir,
je me briserai le cou, et si je reste ici, on me prendra demain et on me brûlera
dans le feu.   Encore aimé-je mieux mourir ici que de me donner demain en
spectacle à tout le peuple.   Elle signa son visage, et se laissa glisser en bas
du fossé, et, quand elle fut au fond, ses beaux pieds et ses belles mains, qui
n'étaient pas accoutumés à être blessés, étaient brisés et écorchés, et le sang

en jaillit bien en douze places; et néanmoins elle ne sentit ni mal ni douleur pour la grande peur qu'elle avait; et si elle avait été en peine pour entrer, encore fut-elle en plus grand'peine pour sortir." (*Traduction.*)

Cependant à l'aide d'un pieu aiguisé, elle sort du fossé ; mais voici un autre péril : la forêt voisine où elle veut se cacher est pleine de bêtes féroces, elle hésite.

(A présent on chante.) "Nicolette au clair visage — A gravi le fossé, — Elle se prend à se désespérer, — Et à invoquer Jésus : — Père, roi de majesté, — Maintenant, ne sais-je de quel côté aller. — Si je vais au bois touffu, — Les loups me mangeront, — Les lions et les sangliers, — Dont il y a grand nombre; — Et si j'attends le jour clair, — Qu'on me puisse ici trouver, — Le feu sera allumé — Dont mon corps sera embrasé, — Mais, par le Dieu de majesté, — Encore aimé-je mieux beaucoup — Que les loups me mangent, — Les lions et les sangliers, — Plutôt que d'aller en la cité; — Je n'irai pas." (*Traduction.*)

POÉSIE LYRIQUE.

La poésie lyrique est sans contredit l'un des genres les plus féconds de notre ancienne littérature. On a longtemps cru que la langue d'oïl devait la chanson à la langue d'oc ; mais dès le XIIᵉ siècle elle florissait dans le nord de la France, en dehors de toute influence méridionale. Ces premières chansons ou *romances* de nos trouvères affectent même une forme dramatique et narrative inconnue au Midi : de là leur nom de *chansons d'histoire*. Elles nous exposent un petit tableau, ou bien elles racontent vivement une aventure romanesque, dont l'intrigue est simple et attachante, menée sans beaucoup d'art ni de vraisemblance, mais avec un charme inexprimable de naïveté et de passion. Elles sont en vers de huit ou de dix syllabes assonantes, se composent de plusieurs couplets munis d'un refrain qui, vaguement accommodé au sujet et souvent un peu étrange, leur donne encore plus de charme poétique.

Vers le milieu du XIIᵉ siècle, la chanson du Midi, toute de sentiment et de passion, pénétra dans le Nord et y fit des progrès rapides. Cette poésie des troubadours se distinguait par

une savante harmonie et une grande finesse d'expression ; par
des combinaisons multiples et compliquées, des coupes, des strophes, des cadences symétriques ; son grand art était là, dans
la forme.   En cherchant à l'imiter, la chanson française perdit
l'originalité de sa pensée et devint monotone ; une galanterie raffinée, la *courtoisie*, délicate dans l'expression, mais banale dans le
sentiment, fut le fond de la plupart de ces petits poèmes ; leur
forme variée, ingénieuse, en fit seule tout le mérite et en assura
la popularité.

PoÈTES LYRIQUES. — Les dernières années du XIIe siècle, virent fleurir des
chansonniers illustres, tels que le châtelain de **Coucy**, qui a écrit un grand
nombre de chansons tendres et mélancoliques, d'un rythme gracieux. Le
comte **Conon** ou **Quesnes de Béthune** a dans ses chansons une naïveté relevée
par l'esprit, la finesse et la verve poétique.   Il se distingua à la prise de Constantinople, et à sa mort un contemporain lui fit en deux vers une magnifique
oraison funèbre :

> " La terre fut pis en cet an :
> Car le vieux Quesnes était mort."

Il chanta la croisade comme il la fit, inspiré par le double sentiment de la
religion et de la chevalerie.

Le XIIIe siècle fut le siècle par excellence de la chanson, sous
toutes ses formes.   Nous connaissons les noms de près de deux
cents chansonniers appartenant à cette période, et nous possédons
plus de six cents chansons, quoiqu'il aît dû périr un grand
nombre de ces petits poèmes légers.

Genres de Chansons. — Dès le commencement il s'établit différents genres de chansons, tels que les *pastourelles*, peuplées de
chevaliers et de bergères de salon ; les *sirventes*, ou *sirventois*,
presque toujours agressifs ; les *jeux-partis* ou *tensons*, composés
de dialogues fictifs ou réels entre deux poètes qui soutenaient
deux opinions contraires sur quelque point délicat, ordinairement
une question de galanterie ; des deux parts on devait employer
des couplets exactement semblables de rime et de mesure.   Les
rotrouenges étaient des chansons à ritournelles réglées ; le *motet*

était un chant religieux à plusieurs parties, qui ressemblait à nos
trios et à nos *quatuors* d'opéra.

Puys. — Une preuve de la popularité des chansons, se trouve
dans le nombre et le succès des *Puys*, ces académies du moyen
âge auxquelles les poètes soumettaient leurs chansons pour obtenir,
à la suite de véritables concours, des couronnes et des récompenses. Arras avait un grand nombre de poètes, aussi le puy
d'Arras était le plus renommé ; cette ville, capitale de l'Artois,
était la résidence d'une noblesse élégante et d'une opulente
bourgeoisie, et tous se piquaient d'honorer la poésie. La chanson était cultivée par toutes les classes de la société.

Thibaut de Champagne (1201–1253). — Au premier rang
des trouvères du XIIIe siècle qui en compta tant, il faut placer
Thibaut comte de Champagne et roi de Navarre, célèbre aussi
par son amour plus ou moins authentique pour la reine Blanche
de Castille. Sa passion pour les vers, son talent dans la poésie
lyrique, lui ont fait donner le nom de *chansonnier*. Elevé dans
le Midi, mais passant la plus grande partie de sa vie parmi les
hommes du Nord, il mêla dans ses vers le génie des deux nations
et des deux langues : ils ont une tournure libre, hardie et élégante ; un rythme harmonieux. Il montra aussi plus d'originalité
que les autres. On a de lui environ soixante-quinze chansons.
Il blâma avec indignation et noblesse la croisade contre les
Albigeois.

Audefroy le Bâtard, de la ville d'Arras, auteur de chansons à la provençale,
voulut de plus imiter la romance du XIIe siècle, mais il substitua la rime variée
à l'assonance.

Adam de la Halle, également d'Arras, a composé des chansons, des jeux-
partis, des motets, des rondeaux ; ses pièces étaient surtout admirées pour la
musique pleine de grâce qu'il leur faisait, et qui est en partie conservée.

Poésie Didactique, Religieuse et Scientifique.

Comme l'histoire, la poésie didactique est sortie du monde des clercs pour pénétrer dans la société laïque. Elle servit longtemps avant la prose, qu'on n'apprit à manier que plus tard, à propager les préceptes de religion, de morale, les connaissances utiles et les découvertes de la science naissante. Cette poésie ne demandait pas beaucoup d'inspiration, aussi les poètes en ce genre sont très nombreux du XIIe siècle au XVe ; ils se sont hardiment exercés dans toutes les branches ; ils ont tout fait entrer dans leurs écrits didactiques, et tout s'est plié aux lois des vers. La seule énumération de leurs poèmes serait infinie.

La *Vie des Saints* offrait un vaste champ qui fut fort cultivé. Les poètes chantèrent tous les saints du calendrier, et nombre de ces légendes sont empreintes d'un mysticisme aventureux et rêveur qui leur donne un charme particulier. Les plus célèbres sont la *Vie de Saint Alexis*, du XIe siècle ; la *Vie de Saint Grégoire*, du XIIe siècle ; le *Voyage de St. Brendan au paradis terrestre*, aussi du XIIe siècle, est un récit semé d'aventures prodigieuses ; l'idée en est poétique, et plusieurs détails répondent à l'idée. Un trouvère nous conduit au purgatoire avec *St. Patrice*, un autre à l'enfer avec *St. Paul;* tous deux nous font pressentir, à travers leurs infirmes ébauches, la grande et sublime épopée de Dante. Une quantité infinie de poèmes célèbrent la Vierge, mais la perle de tous est celui du *Tombeur de Notre Dame*, où un moine bateleur fait ses tours les plus difficiles devant une image de Marie, qui par compassion essuie les sueurs du front de son serviteur. Cette candide naïveté est l'expression du temps.

On appelait *Lapidaires* des poèmes consacrés à la description des pierres précieuses et à l'énumération de leurs vertus talismaniques et curatives. Aux *Lapidaires* succédèrent les *Volucraires*, consacrés aux oiseaux ; les *Bestiaires*, à la description

morale et physique des animaux, et même des végétaux, inter-
prêtés comme figurant les enseignements chrétiens. Les plus
anciens de ces poèmes appartiennent au XIIe siècle. Dans
son *Bestiaire d'amour*, Richard de Furnival, XIIIe siècle,
détourne les histoires des bestiaires de leur sens pieux et les
interprète tout autrement, avec une ingéniosité tout à fait subtile ;
cette indication d'*amour* vient sans doute des réflexions galantes
dont il embellit sa zoologie. Mais le grand poème didactique
du XIIIe siècle est l'*Image du Monde*, dont le succès est consta-
té par soixante manuscrits ; c'est une encyclopédie où se trouve
condensée toute la science du temps.

Dans ces ouvrages, la théologie dogmatique et morale est partout irréprochable ; il n'en est pas de même de la science qui y
fait un terrible naufrage au milieu des traditions légendaires et
de toutes sortes d'inventions ingénieuses. Cependant tout n'est
pas à mépriser dans ces efforts du moyen âge pour répandre par
la poésie quelques notions de savoir. Ces livres ouvraient des
voies nouvelles aux intelligences, en même temps que les connaissances s'accroissaient par les voyages ; et les sciences sortaient
peu à peu de l'état d'enfance où elles étaient restées si longtemps ensevelies.

Poésie Satirique et Fableaux.

Saisir le côté ridicule des choses a toujours été le propre de
l'esprit français ; aussi dès le commencement, une vivacité
moqueuse, une raillerie satirique animent la langue de nos
trouvères. Dans plus d'une chanson de gestes, et dans plus
d'un roman héroïque, les scènes comiques contrastent avec les
sérieuses ; des romans entiers sont composés avec l'intention de
railler les œuvres les plus accréditées, comme le *Pèlerinage de
Charlemagne à Jérusalem ;* les *Vœux du Paon,* satire du
poème d'Alexandre.

Le moyen âge désignait sous le nom de fabliaux ou fableaux

de courts récits, faciles et populaires, où la gaieté domine. Ces
fableaux sont presque tous en vers de huit syllabes (c'était là
le vers burlesque), et rimés deux à deux. Ce genre a été d'une
richesse surprenante et les sujets en sont de diverses origines :
les livres saints, l'antiquité profane, la mythologie, les croisades,
les pèlerinages, les scènes de la vie journalière, tout a inspiré les
chanteurs. Le fableau dépeint vivement la société du temps,
mais souvent dans une sorte de caricature ; il attaque toutes
les classes de la société et tous les abus, rien n'est épargné : la
noblesse, le clergé, la dissolution des mœurs, la fraude, la violence, la rusticité, tout est passé par les verges d'une satire
impitoyable. . Comme rien n'est plus naturel que la mise en
scène des animaux pour représenter l'humanité, nos trouvères
se servirent souvent et de bonne heure de cette forme : le
loup, le lion, l'âne, le renard, tous devinrent une image vivante
des mœurs du temps, une satire fine et piquante de toute la
société humaine, mais surtout des nobles et du clergé. A l'idéal
présenté par les chansons de gestes, apothéose de l'aristocratie
féodale, on opposait la réalité par les fableaux ; ils exprimaient
l'opinion publique, de là, leur grande popularité.

Le Roman de Renart. — Nulle part l'esprit de malice des
poètes ne s'épanouit avec plus de verve et de liberté, que dans
le fameux *Roman de Renart;* ce long fableau que, pendant deux
siècles, toutes les nations de l'Europe redirent, et dont plusieurs
revendiquent aujourd'hui la forme primitive. Il est probable que
le grand nombre de fables dont il se compose ont vu le jour dans
diverses provinces du Nord. La plus ancienne rédaction connue
est en flamand, mais elle est dérivée, croit-on, d'un autre texte français original du XIe siècle, aujourd'hui perdu, et qui serait aussi
la source des rédactions latines et allemandes. Celle que nous
possédons fut écrite vers la fin du XIIe siècle, et se compose de
30,000 vers ; en y joignant les deux suites écrites aux XIIIe et
XIVe siècles, *Renart le Novel*, et *Renart le Contrefait*, nous avons
un poème de près de 100,000 vers.

Le sujet du *Roman de Renart* est la guerre ; c'est la lutte toujours renaissante entre le goupil et le loup.   Le goupil (du latin
vulpes) s'appelle *Renart,* un nom d'homme, mais qui grâce au
succès du poème, a fait substituer le nom propre au nom généri-
que de l'animal ; le loup s'appelle *Isengrin.*   Le renard person-
nifie la ruse, la malice, l'hypocrisie ; le loup, la force brutale, la
bêtise ; autour de ces deux principaux acteurs se groupent Noble
(le lion), Brun (l'ours), Bernard (l'âne), Tibert (le chat),
Chanteclair (le coq), etc.

Pour donner aux pièces détachées, dont le roman se compose,
une apparence d'unité, les arrangeurs ont placé en tête un récit
pseudo-biblique de la naissance des animaux, qui nous montre
Adam et Eve au bord de la mer, frappant tour à tour l'eau d'une
baguette ; les coups donnés par Eve font sortir des animaux mal-
faisants, tandis que de son côté Adam amène en compensation
des bêtes utiles et débonnaires.   Après cette introduction, les
personnages entrent en scène et leurs aventures se déroulent un
peu au hasard.   En voici les principaux traits :

Noble (le lion) tient une cour plénière pour juger Renart
accusé d'une foule de méfaits ; celui-ci n'a garde de comparaître ;
il joue mille méchants tours aux messagers qu'on lui envoie ; enfin
on réussit à l'emmener devant le tribunal, il est jugé et condamné à être pendu ; mais il obtient sa grâce en demandant à
prendre la croix contre les infidèles.   Une fois libre, il se
retranche dans son fort de Malpertuis, d'où il est inexpugnable.
Renart est tour à tour pèlerin, médecin, chevalier, jongleur,
empereur, toujours fripon ; il vit et meurt honoré dans son château.

La tendance de ce poème, c'est la négation de l'esprit chevaleresque, principe vital du moyen âge ; c'est la féodalité trans-
plantée dans le monde animal avec une mise en scène qui en
fait la plus malicieuse des parodies.

Les fableaux d'ailleurs ne sont pas tous satiriques ; il y en a
de très touchants, et même de dévots ; la plupart sont anonymes.

Le nom de *Bible* était souvent donné aux satires. **Guyot de Provins,**
XIIIe siècle, se vengea des mécomptes de la vie en dépréciant outre mesure
tout ce qu'il vit. Sa *Bible,* en 2,690 vers, est une critique amère du temps
et des mœurs de la société entière ; il est surtout sévère pour le clergé, quoiqu'il en fît partie ; c'est un misanthrope qui ne trouve rien de bon à son siècle,
comme l'indiquent les deux premiers vers de son poème :

> " Dou siècle puant et orrible
> M'estuet (me convient) commencier une bible."

Guyot n'est pas un rimeur vulgaire ; il a de la passion, de la verve et de
l'esprit, il a aussi des images et des expressions qui sont à lui.

Rutebeuf. — Le plus célèbre des poètes satiriques est *Rutebeuf,*
contemporain de St. Louis (1226-1270) ; sa fécondité est merveilleuse. Vilain d'origine, clerc par le savoir, sans métier, il fut
toujours pauvre : " sans cotte, sans vivres, sans lit ; toussant de
froid, bâillant de faim," nous dit-il. Il a ailleurs un mot d'une
tristesse ineffable :

> " L'espérance du lendemain,
> Ce sont mes fêtes."

Cependant au milieu de sa détresse, sa verve moqueuse et
mordante ne l'abandonne jamais. Sa pauvreté l'obligea à mettre
sa muse au service de tous ceux qui voulurent bien la rétribuer ;
de là, la variété de ses œuvres, où l'on trouve des chansons, des
fableaux, des hymnes religieux, des couplets bachiques, des
légendes édifiantes, et même un *miracle* dramatique. Ces pièces
si diverses, au nombre d'une soixantaine, sont fort inégales.
Son talent est avant tout satirique, il n'épargne personne. Son
Testament de l'âne est une piquante dérision de l'avidité des
gens d'Eglise ; le *Dit de l'herberie,* une parodie sur les charlatans.

Marie de France est une des rares femmes poètes du moyen
âge. "Marie ai nom, si sui de France." Voilà le plus clair ren-
seignement qu'elle nous donne sur elle-même. Il résulte d'après
des recherches récentes, qu'elle naquit en Normandie, bien
qu'elle vécût en Angleterre à la cour de Henri III (1216-1272).
Les fableaux de Marie ont quelque chose de la naïveté et de la

grâce de LaFontaine, sans en avoir l'intérêt dramatique.　Elle donna à son œuvre le titre d'*Isopet*, diminutif d'Esope, nom qui fut alors donné à tous les recueils de fables.　Ses quinze *lais* sont des légendes celtiques qu'elle s'est plu à rimer; la plupart sont remplis d'une mélancolie touchante.　Le plus célèbre est le *Lai du Chèvrefeuille*, ce symbole de l'amour fidèle.

Cume del chevrefoil esteit. — Ki a la codre se perneit. — Quant il est si laciez et pris, — Et tout entour le fust s'est mis, — Ensemble poient bien durer; — Mes ki puis les volt desevrer, — Li codres muert hastivement, — E li chevrefoils ensement.

Traduction. — Comme du chèvrefeuille était — Qui au coudrier se prenait. — Quand il est ainsi entrelacé et pris, — Et tout autour du bois s'est mis, — Ensemble ils peuvent bien durer; — Mais qui veut ensuite les séparer, — Le coudrier meurt hâtivement, — Et le chevrefeuille avec lui.

POÉSIE ALLÉGORIQUE.

L'imagination entourée de tant d'êtres fabuleux, de tant d'animaux parlants, ne tarda pas à personnifier les choses abstraites : les idées, les pensées, les passions, tout prit vie.　Le premier écrivain d'allégories connu est Raoul de Houdan, XIIIe siècle, qui écrivit le *Songe d'Enfer*, la *Voie du Paradis*.　Huon de Méru aussi du XIIIe siècle, raconte dans le *Tournoiement d'Antechrist*, un combat en Paradis, entre le Sauveur à la tête des vertus, et l'Antéchrist commandant les vices.　L'allégorie fut une riche veine que les trouvères exploitèrent à l'envi.

Roman de la Rose. — Un poème tout profane, délicatement alambiqué, coquettement paré, vint au XIIIe siècle, charmer les esprits et rejeter dans l'ombre la poésie chevaleresque ; ce poème fut le *Roman de la Rose*.　La poésie lyrique, descriptive, satirique, morale, plaisante, tous les genres se trouvent réunis dans cette célèbre allégorie, qui fut considérée comme le plus sublime effort de l'esprit humain, du moment qu'elle parut jusque dans le XVe siècle même.　Ce poème se compose de deux parties. Guillaume de Lorris, à qui revient l'honneur de l'invention, écrivit

la première vers 1237, à l'âge de vingt-cinq ans ; il mourut avant
de terminer son œuvre ; Jean de Meun la finit en ajoutant des
éléments étrangers au plan primitif.

Guillaume de Lorris avait voulu dépeindre, sous la forme
d'un songe, les peines et les douceurs de l'amour : un jeune
homme entre dans le jardin d'Amour qui le perce de cinq flèches ;
il y voit une rose brillante et parfumée ; cueillir cette rose, symbole de la personne aimée, devient son unique désir ; encouragé
par Bel-Accueil, il s'en approche, mais elle est gardée par Honte,
Peur, etc. ; enfin, après bien des péripéties, le héros est enfermé
dans une tour par Jalousie. L'amant au désespoir exhale ses
plaintes dans un monologue, et c'est au milieu de ce monologue
que Guillaume de Lorris s'arrête.

L'invention est naturellement refroidie par la multitude des
personnages allégoriques, mais sauf cette critique qui s'adresse au
genre en lui-même, c'est un des plus agréables ouvrages du
moyen âge. L'auteur, après avoir sagement construit son plan,
l'a exécuté avec discrétion et mesure, sans y rien admettre qui
fût étranger à l'œuvre. Il fait preuve d'adresse et de pénétration
dans l'emploi de l'allégorie ; les figures et les profils abstraits
qu'il dessine sont tirés de faits moraux fidèlement observés. Son
esprit est délicat et doux, plus ingénieux que savant, plus naïf que
hardi ; son style est élégant sans être affecté ; quelques unes de
ses pages sont citées parmi les meilleurs spécimens de notre
ancienne poésie.

Jean de Meun (1260–1320), érudit, philosophe, moraliste (parfois fort immoral), reprit ce poème environ quarante ans après,
et le Roman de la Rose, ce gracieux songe de Guillaume de
Lorris, devint entre les mains de son continuateur une vraie
encyclopédie. D'abord il semble n'y rien changer, il achève le
monologue de l'amant au milieu duquel le poème s'arrêtait ; il
reprend les mêmes personnages, met en jeu les mêmes ressorts,
mais il y fait entrer, sans plan ni méthode, son érudition, ses

opinions philosophiques, les incidents de sa vie, et l'histoire de toutes les passions humaines. Il est assez difficile d'analyser cette partie confuse du poème, mais ce qui en ressort distinctement, c'est une protestation contre l'esprit chevaleresque et religieux ; aussi souleva-t-il contre lui les champions de la religion, de la morale et de l'Etat ; il eut pour adversaires la sage Christine de Pisan, le pieux Gerson, chancelier de l'Université, et Martin le Franc, qui prit la défense des femmes attaquées par Jean de Meun et écrivit un des ouvrages les plus importants du XVe siècle, le *Champion des Dames.* Cela n'empêcha pas le poème d'avoir un succès sans précédent : il fut immédiatement traduit en hollandais ; Pétrarque le cite comme l'ouvrage le plus remarquable de la littérature française ; les copies en furent innombrables, et l'invention de l'imprimerie en multiplia les exemplaires à l'infini. En France, l'influence de ce livre domina toute la période qui suivit, et donna pour quelque temps à notre littérature une forme allégorique, un caractère prosaïque, positif et souvent pédant, qui enlève tout le charme à la plupart des poèmes des XIVe et XVe siècles. Le *Roman de la Rose* se compose en tout de 22,000 vers de huit syllabes.

L'ART DRAMATIQUE ET SON ORIGINE.

Le théâtre en France, comme en Grèce et chez la plupart des peuples, est né du culte et dans le sanctuaire. Dès l'origine du christianisme, un élément dramatique avait été mêlé à la liturgie faite surtout d'action, de mouvement, de dialogues. Vers le commencement du XIe siècle, cet élément dramatique se développa, et le *drame liturgique* fut créé. On désignait ainsi les representations figurées que le clergé donnait devant le peuple assemblé dans l'église, et qui rappelaient les principaux faits de l'histoire religieuse ; c'était souvent un tableau vivant : Daniel dans la fosse aux lions ; la crèche de Bethléem ; les rois mages, etc. En donnant lecture d'un sermon attribué à St. Augustin, et composé de prophéties messianiques, on faisait défiler devant les fidèles, des clercs revêtus de costumes plus ou moins convenables à chacun des personnages évoqués. Sous cette forme le drame était en prose et en latin comme l'office même, et on n'employait que les termes consacrés par l'Ecriture sainte et par le rituel ; peu à peu l'imagination et la fantaisie individuelle s'introduisirent avec les vers et la langue vulgaire. L'épître était quelquefois dite par deux clercs qui chantaient alternativement, l'un en latin, l'autre en français, la gloire du saint dont on célébrait la fête : c'est ce qu'on appelait *épîtres farcies,* du mélange des deux idiomes. Noël et Pâques étaient surtout les jours où ces jeux sacrés se déployaient avec le plus d'éclat. Au drame liturgique succéda enfin le drame profane, qui empruntait encore ses sujets à l'histoire sainte, mais dont le latin était expulsé et qui était joué par des acteurs laïques, hors de l'église, et sur la place publique. Le drame ainsi sécularisé apparaît pleinement constitué dès le XIIe siècle. Mais le clergé l'approuvait encore par sa présence, l'encourageait par ses largesses, contrôlait ses représentations et les faisait accorder avec l'office du jour, car elles ne se donnaient que le dimanche et les jours de fête, quelquefois la veille.

Le Mystère d'Adam. — Le plus ancien drame connu, écrit en français, est du XIIe siècle ; il est intitulé : *la Représentation d'Adam ;* son auteur est inconnu. L'œuvre contient trois parties distinctes : la chute originelle ; la mort d'Abel ; le défilé des prophètes. Cette pièce se jouait devant l'église, et l'acteur qui figurait Dieu rentrait dans le sanctuaire quand il n'était pas en scène. Le clergé prêtait ses tapisseries pour les décorations, ses chapes et ses aubes pour les costumes. Un *paradis terrestre* magnifiquement décoré était disposé sur le théâtre. Le drame s'ouvre par la tentation et la chute de nos premiers parents. Ici se trouve une scène très habilement conduite, où le démon cajole et séduit Eve en ces mots : —

Tu es faiblette et tendre chose — Et es plus fraîche que n'est rose. — Tu es
plus blanche que cristal, — Que neige qui tombe sur glace en vallon. — Le
Créateur fit un mauvais couple (de vous deux), — Tu es trop tendre et lui trop
dur. — Mais néanmoins tu es plus sage, — Et ton cœur est plein de grand
sens : — Pour cela, il fait bon s'adresser à toi." (*Traduction.*)

Après le tableau de la mort d'Abel, on voyait le défilé des
prophètes annonçant le salut du monde par la rédemption ;
chacun disait sa prophétie. Cette scène est pleine de grandeur.

Il y a un vrai mérite littéraire et poétique dans cette pièce ; un
certain art dramatique s'accuse dans la conduite de plusieurs
scènes et dans l'esquisse de quelques caractères qui sont des personnages déjà réels, vrais et vivants, et non plus de froides
abstractions. Le manuscrit du mystère d'*Adam* nous donne de
précieuses indications sur l'arrangement de la scène, des costumes, nous dit où les personnages doivent se placer, comment
ils doivent "donner la réplique, ni trop prompt, ni trop lent,"
les gestes qu'ils doivent faire, "lever la main quand ils parlent du
Paradis."

Progrès du Théâtre au XIIIe Siècle. — L'elan était donné
et le théâtre était fondé ; simple et naïf dans ses œuvres, magnifique dans ses décorations, pathétique et pieux dans ses sujets ;
il devint dès lors la distraction par excellence du peuple. Le
XIIIe siècle nous montre un grand progrès dans le théâtre. Il
ne nous reste que quatre ouvrages dramatiques de cette période,
mais ils sont probablement les débris d'une très riche floraison ;
car ils offrent entre eux une si étonnante variété, qu'on peut dire
que tous les genres existent, au moins en germes, dès cette
époque. Ces pièces sont : le *Jeu de Saint-Nicolas*, par Jean
Bodel ; le *Miracle de Théophile*, par Rutebeuf ; et deux pièces
comiques d'Adam de la Halle : le *Jeu de la Feuillée*, et *Robin
et Marion*. Les *mystères* étaient tirés des Saintes Ecritures ; les
miracles, de la vie des saints.

Le *Jeu de St.-Nicolas* est la mise en scène d'une légende qui raconte comment ce saint fait un miracle en faveur d'un " barbare " qui a mis sa confiance dans une de ses images ; mais Bodel développe ce thème avec une extrême liberté : le " barbare " devient un roi sarrasin, ce qui lui donne lieu d'introduire un tableau de chrétiens aux prises avec les infidèles dans la Terre-Sainte, en un temps où la croisade était dans toutes les âmes. Cette scène renferme des vers qui ne sont guère surpassés au moyen âge. L'invocation des chrétiens avant le combat est admirable par l'accent de la foi unie à la bravoure : —

" Saint Sépulcre, à l'aide ! Seigneurs, c'est l'heure de bien faire ! — Sarrasins et païens viennent pour vous détruire. — Voyez les armes reluire : tout mon cœur s'en éclaire. — Donc, faisons si bien que notre vaillance y éclate. — Contre chacun des nôtres, ils sont bien cent, je pense."

Un jeune nouveau chevalier continue : —

" Seigneurs, si je suis jeune, ne m'ayez pas en mépris ; — On a vu souvent grand cœur en petit corps. — Je frapperai celui-là, le plus fort ; je l'ai dès longtemps choisi ; — Sachez-le, je le tuerai, s'il ne me tue d'abord." (*Traduction.*)

Le *Miracle de Théophile* nous représente un prêtre ambitieux qui vend son âme au diable pour recouvrer une charge perdue ; il se repent de cette action et la Vierge Marie, à qui il a recours, lui obtient son pardon. Histoire très populaire au moyen âge, et que la poésie, la sculpture, la peinture, les vitraux ont popularisée. Ce petit drame de 666 vers, composé sans art, mais non sans vivacité, est plus sceptique que religieux ; Rutebeuf était hors de son domaine dans un tel sujet, et il l'a probablement écrit par commande de quelque confrérie.

Le *Jeu de la Feuillée*, ainsi nommé d'une tente de feuillage sous laquelle se passe l'action, est une vive et brillante satire dialoguée dans laquelle le poète introduit toute la ville d'Arras avec une finesse et une crudité aristophanesques. — Le *Jeu de Robin* est une charmante pastorale ; c'est le plus ancien de nos opéras comiques, et il ne semble pas trop défraîchi après six cents ans

Il renferme vingt-six morceaux qui se chantaient avec accompagnement de musique, qu'Adam de la Halle avait composés aussi bien que les vers.

L'Enseignement et l'Histoire.

Pendant que la langue française devenait plus souple et plus riche sous la main des trouvères, le latin continuait d'être la langue de l'Eglise et des écoles ; ces dernières étaient nombreuses partout, surtout en Normandie, mais Paris était le foyer où les étudiants de toute l'Europe accouraient pour écouter les maîtres les plus fameux. Au commencement du XIe siècle, c'est autour de Notre Dame que se groupaient ces nombreux écoliers ; bientôt ils se répandirent sur la montagne Sainte-Geneviève pour y entendre Guillaume de Champeaux, Roscelin de Compiègne, Pierre Abeilard, et Robert de Melun. Le quartier latin se peupla d'une foule de maîtres et d'écoliers. Sur la fin du XIIe siècle on y voit jusqu'à douze professeurs enseignant en même temps. C'étaient les éléments de l'Université ; elle ne devint un corps définitivement constitué qu'au commencement du XIIIe siècle.

L'Université. — Son enseignement n'avait pas de rival en Europe ; c'était le premier établissement de ce genre, et c'était le rendez-vous des plus grands esprits de tous les pays ; parmi les plus illustres nous y trouvons Jean de Salisbury, Roger Bacon, Brunetto Latino, le maître du grand Dante ; il en sortit des papes, des philosophes, des poètes. L'Université peuplait un tiers de la ville ; ce quartier latin, composé d'environ 12,000 personnes, avait ses mœurs, son caractère, sa physionomie, et cette milice tant soit peu tumultueuse, savait au besoin faire fléchir la ville aux volontés de l'institution. Les écoliers étaient pauvres pour la plupart ; un contemporain, Jean d'Anville, nous fait dans son poème latin *Architrenius* un pitoyable portrait de l'étudiant au XIIIe siècle.

> Sur son front se hérisse une ample chevelure
> Dont le peigne a longtemps négligé la culture;
> Jamais un doigt coquet, une attentive main
> Aux cheveux égarés n'a montré le chemin.
> *   *   *   *   *   *   *
> Le temps à son manteau suspend d'un doigt railleur
> La frange qu'oublia l'aiguille du tailleur."

La cuisine de l'étudiant ne valait pas mieux que sa toilette

> "Près du tison murmure un petit pot de terre
> Où nagent des pois secs, un oignon solitaire."

L'école de la Sorbonne, école théologique, fut fondée en 1252 par Robert de Sorbon, chapelain de Louis IX, pour les écoliers pauvres, et elle aussi fut bientôt célèbre ; mais nulle autre institution n'a joué un rôle aussi actif et aussi important que l'Université, non seulement dans l'histoire de l'esprit en France, mais encore dans la politique des rois, dans les luttes du clergé contre la cour de Rome et contre le pouvoir temporel. Des idées se développaient, des doctrines s'établissaient dans son sein qu'elle travaillait aussitôt à faire passer dans le monde extérieur. Personne n'ignore quelle a été aussi l'importance de ses travaux scientifiques.

L'Histoire dans les Cloîtres. — Dans chaque monastère de fondation royale, un religieux était chargé d'écrire les évènements du temps. A la mort du roi, chacun de ces ouvrages était examiné au chapitre assemblé ; on choisissait les meilleurs qui étaient ensuite déposés dans les archives du monastère. Au XIIe siècle, l'abbaye de St. Denis devint le centre de ces annales qui furent appelées *Grandes chroniques de St. Denis;* on y réunit en un corps d'histoire toutes les chroniques latines embrassant les siècles passés, et on les continua au fur et à mesure. En 1260, un auteur qui s'intitule *ménestrel du comte de Poitiers*, traduisit cette compilation en français. Sous une forme plus ample, elle fut traduite de nouveau du temps de Philippe III (1270–1285), et cette version devint la base des *Chroniques*

françaises de *St. Denis.* Ce sont là les premiers monuments de
notre histoire nationale. Les chroniques s'arrêtent à Louis XI
(1461–1483) ; avec ce roi, Commines commence l'histoire
proprement dite.

L'Histoire hors des Cloîtres. — La société laïque ne s'occupa guère de littérature sérieuse au moyen âge ; elle laissa cette
branche aux clercs, qui parlaient latin, nous l'avons vu. Cependant, dans les premières années du XIIIe siècle, un seigneur
français, qui avait pris part à la quatrième croisade, s'avisa d'en
écrire lui-même le récit en langue vulgaire ; ce fut **Geoffroy de
Villehardouin**, maréchal de Champagne, né vers 1160, et mort en
1213. Dans sa *Conquête de Constantinople*, il raconte cette
expédition extraordinaire dont le but était la délivrance de la
Terre-Sainte, et qui eut pour résultat la prise de Constantinople
et l'établissement d'un empire français en Orient.

Son récit forme 500 chapitres aussi courts que les laisses de
nos chansons de gestes ; l'ensemble se divise en deux parties
principales : la prise de Constantinople, et les guerres d'agrandis-
sement qui furent la conséquence de cette conquête. La franchise du chevalier, et la simplicité du chrétien, sont les deux
grands traits de Villehardouin. Il peint d'un mot et d'un trait
les hommes et les choses ; il nous entraîne, et on suit avec
intérêt tous les mouvements de l'armée, toutes les délibérations
des chefs, des " hauts hommes " ; on assiste aux querelles et
révoltes des seigneurs turbulents qui, éblouis par les richesses
qu'ils trouvent, sont insatiables. Villehardouin ne se montre
jamais lui-même, quoiqu'il fût une des hautes personnalités
de l'armée, un homme de tête et d'action ; sa grandeur est
simple, digne et fière ; il n'embarrasse jamais son récit de ses
réflexions personnelles ; il raconte une action héroïque comme il
l'a faite, simplement et sans y rien voir d'extraordinaire. Son
style est l'expression naïve et concise d'un esprit droit et robuste ;
il a une certaine rondeur militaire qui tient au caractère de

l'homme et à l'enfance de la langue ; ses phrases sont courtes, ses tournures vives, expressives, mais en même temps sa manière garde encore de l'âge précédent, quelque chose du ton épique. Son œuvre forme en quelque sorte la transition de l'épopée à l'histoire, par la grandeur du sujet, la naïveté de l'expression, et le caractère grave et religieux de l'auteur. Il inaugura brillamment pour la prose cette époque de progrès que le XIVe siècle continua à développer.

TROISIÈME ÉPOQUE.

QUATORZIÈME ET QUINZIÈME SIÈCLES.

Le XIVᵉ siècle ne fut guère propice aux lettres. Quand on se rappelle les règnes désastreux de Philippe de Valois, de Jean, de Charles VI, on s'explique que dans cette période d'anarchie, de guerres civiles, d'invasions étrangères, les arts se soient peu développés. De plus, la société, les idées, les institutions changent ; la langue elle-même, cette langue d'oïl si bien ordonnée, si ferme dans sa naïveté, qui avait suffi durant trois siècles à l'expression d'une littérature vaste et variée, commence à s'altérer ; elle oublie ou néglige ses propres règles, comme celle de la déclinaison à deux cas, qui faisait sa principale originalité ; et en attendant qu'elle acquière de nouvelles qualités et devienne le français moderne, elle traverse une période de transition et de confusion grammaticale. En se désorganisant toutefois, la langue s'enrichit, se développe, car c'est l'époque où les mots de formation dite *savante* commencent à entrer en foule dans notre vocabulaire. Dans cet état de désorganisation générale, il ne se produisit rien de grand ou d'original, pas plus dans la prose que dans la poésie. Le grand écrivain du siècle est son chroniqueur, Froissart.

Au XVᵉ siècle, les changements politiques, l'élévation du Tiers-Etat, les découvertes importantes préparent un grand mouvement dans les esprits ; et cette révolution qui ne doit s'opérer qu'au siècle suivant, se fait pressentir dans les écrits de cette époque qui sans être très favorable à la poésie et aux lettres, est cependant plus féconde en bons écrivains que le siècle précédent. Il produit deux vrais poètes, Charles d'Orléans et Villon ; une admirable comédie, *Pathelin ;* et un véritable historien, Commines.

Dernières Chansons de Gestes. — Avant d'expirer, les *chan-sons de gestes* traversent au XIVe siècle une dernière phase, celle des compilations et des amplifications ; on les remanie en prose et en vers ; au lieu de les chanter, on les lit et elles perdent ainsi leur dernier attrait.   Au siècle suivant, elles aboutissent aux romans chevaleresques ; ceux-ci multipliés par l'imprimerie, pénètrent dans les campagnes et deviennent la lecture favorite de tout ce qui sait lire.

Nouvelles. — Les fableaux subissent la même épreuve que les *chansons*, et sous le nom de *nouvelles* ne sont plus que des contes en prose, comme les *Cent nouvelles nouvelles*.   On ne fait plus de longs romans ; à l'imitation des Italiens, les conteurs dépensent leur verve en courts récits, pour la plupart satiriques et plus recommandables par le style que par la morale.   On tourne volontiers en ridicule tout ce qu'on a adoré dans les siècles précédents.

Le plus célèbre conteur du siècle est **Antoine de la Salle** (1398–1462).   Son *Petit Jean de Saintré,* satire des règlements de la chevalerie, marque bien les changements qui s'étaient produits dans les sentiments de la nation.   Ce roman en prose offre plus d'une page remplie de fines analyses et d'observations ingénieuses.   *Jean de Paris,* conte invraisemblable, est un roman de mœurs et une satire politique contre les Anglais, il est très piquant malgré quelque lenteurs.

La Poésie lyrique et les Poètes.

Au XIVe siècle la chanson perd beaucoup de son heureuse liberté et de sa grâce simple ; un art subtil et quintessencié raffine les formes anciennes, et les hérisse de difficultés aux dépens de la poésie et souvent du bon sens.   Aux rythmes libres et variés de l'âge précédent sans autres lois que celles du goût et de l'esprit du poète, succèdent les poèmes à formes fixes et arrêtées ; formes heureusement oubliées aujourd'hui, mais qui

régnèrent presque exclusivement dans la poésie jusqu'à la Renaissance. Le poète qui contribua le plus à accréditer ces nouvelles
formes, fut Guillaume de Machaut (1290-1377), qui fut également célèbre pour la musique de ses chansons.

Eustache Deschamps (1340-1410) est le plus célèbre poète de
son temps. Les malheurs de la France, l'oppression du pauvre
peuple par les grands, lui causent une poignante émotion qui se
réfléchit dans ses vers ; il y met de tristes pensées, des tableaux
lugubres qu'il exprime avec force. Son allégorie, en forme de
ballade, sur les impôts et les souffrances de la " gent menue " en
est un bon exemple :

" En un grant fouret et lée — N'a gaires que je cheminoye, — Où j'ai mainte
beste trouvée ; — Mais en un grant parc regardoye, — Ours, lyons et liepars
voye, — Loups et renards qui vont disant, — Au pauvre bestail qui s'effroye :
— Sa de l'argent ; sa de l'argent."

Chaque couplet se termine par ce même refrain : " sa de
l'argent   La fécondité de Deschamps est hors ligne ; il a laissé
80 virelais, 171 rondeaux, 1175 ballades, une farce, une moralité,
un long poème satirique et un *Art poétique* en prose. Très mêlé
aux évènement publics comme homme de guerre et comme di-
plomate, il a donné sur les faits, les hommes, les idées de son
temps, de nombreux renseignements qui sont très intéressants
pour l'historien.

Christine de Pisan (1363–1431), née à Venise, mais française par l'éducation et les sentiments, était la fille de Thomas
Pisan, astrologue de Charles V. Restée veuve et pauvre à l'âge
de 25 ans ; elle devança les mœurs de son temps, en écrivant
pour gagner son pain et celui de ses enfants ; et elle ennoblit sa
profession, parce qu'elle parla toujours selon sa conscience.
Avant de mourir, elle eut le bonheur de saluer les victoires de
Jeanne d'Arc, et s'écrie en les apprenant :

" Une fillette de seize ans — A qui armes ne sont pesans, — N'est-ce pas
chose fors nature ? — Et devant elle vont fuyans — Ses ennemis, et nul n'y
dure . . . N'apercevez-vous gent aveugle, — Que Dieu a icy la main mise ? "

Christine a fait un grand nombre de lais, de ballades, de rondeaux. Elle écrivait avec une extrême rapidité qui nécessitait des négligences ; c'est ce qui a nui a sa réputation d'écrivain dans la postérité. Ses principales œuvres sont : les *Cent Ballades, Proverbes Moraux; Livre du chemin de longue étude,* dirigé contre le *Roman de la Rose.*

Alain Chartier (1386–1449), né à Bayeux, fut secrétaire de Charles VII ; il était considéré par ses contemporains comme le plus beau génie de son siècle et fut surnommé le *Père de l'éloquence.* Il a déploré les désastres de sa patrie avec éloquence et chaleur. Son *Quadrilogue invectif* est un dialogue entre les trois Ordres de l'Etat et la France qui les conjure d'avoir pitié d'elle, et d'unir leurs efforts pour mettre fin à ses misères ; ce poème, publié au lendemain du traité de Troyes qui livrait la France aux Anglais, eut un grand retentissement dans toute la nation, parce que dans cette œuvre la patrie semblait avoir parlé par la bouche d'Alain Chartier. Le *Livre des quatre Dames* qui déplorent la perte de leurs amants à Azincourt est sa meilleure œuvre en vers. Ses poésies sont estimables pour la régularité de la versification, la pureté du langage et la facilité du rythme, mais elles sont monotones et froides. En prose, au contraire, il a trouvé quelquefois l'éloquence du style par la grandeur et la générosité des pensées.

Charles d'Orléans (1391–1465), père de Louis XII, est le dernier des trouvères, et le plus poli des poètes de bonne compagnie. Il tenait de sa mère, la belle et toute gracieuse Valentine de Milan, la finesse, l'esprit, la délicatesse des sentiments et la douceur d'expression. Prisonnier de guerre en Angleterre pendant 25 ans, il adoucit sa captivité par le culte de la poésie. De retour en France, il eut à Blois une cour brillante où tous les arts trouvèrent appui et faveur. Ses œuvres se composent de 400 rondeaux, 102 ballades, et 131 chansons qui n'ont pas beaucoup d'originalité, ni surtout de variété, mais infiniment de grâce et de finesse. Dans ses vers ingénieux et d'un tour facile nous avons l'épanouissement d'une âme douce, les saillies d'un bel esprit ; l'esprit se joue à la surface et le sentiment ne sort pas des profondeurs de l'âme ; il a des étincelles sans feu, de la sensibilité sans émotion ; en un mot, rien n'est viril dans Charles d'Orléans. On lui a reproché de n'avoir pas trouvé dans son âme un cri de douleur pour ses malheurs personnels et pour ceux de la France ; pendant sa longue captivité, il mentionne rarement la patrie absente. Il eut de l'or pour les parents de Jeanne d'Arc, il n'eut pas un hymne pour sa mémoire. Peut-être faut-il en accuser son cœur moins que sa poétique : une fois il essaya de monter à des sujets sérieux, composa un poème intitulé : *Complainte de la France*, et échoua complètement. Sa plus jolie pièce est le rondeau sur le retour du printemps si souvent cité :

> " Le temps a laissié son manteau
> De vent, de froidure et de pluye;
> Et s'est vestu de broderye,
> De soleil luiant, cler et beau.
> Il n'y a beste ne oiseau
> Qu'en son jargon ne chante ou crye.
> Le temps a laissié son manteau
> De vent, de froidure et de pluye.
>
>> Rivière, fontaine et ruisseau
>> Portent en livrée jolye
>> Gouttes d'argent d'orfavrerie
>> Chascun s'abille de nouveau.
>> Le temps a laissié son manteau."

Ce court morceau est simple, c'est son style net et précis qui en fait le prix : " c'est un petit joyau fait de matière très commune, mais admirablement ciselé."

Villon — François Moncorbier (1431-1484) emprunta son nom de Villon à un de ses protecteurs, Guillaume de Villon. Son origine et sa vie sont obscures. Espiègle, tapageur, libertin, larron, il passa sa vie entre le cabaret, la prison, la faim et la

potence, et n'échappa au gibet que par la faveur de Louis XI
qu'il avait appelé "bon roi"; cependant il fut toujours gai,
toujours railleur, toujours spirituel.   Ses œuvres ne ressemblent
en rien à celles de ses prédécesseurs, et elles rentreraient difficile-
ment dans aucune classification connue.   Il a de l'originalité
dans les idées comme dans le style, sans rien de convenu ni
d'apprêté; indépendant et naturel, il est tout entier dans ses
vers et ne chante rien d'étranger à lui-même; il nous raconte sa
vie, ses idées, ses émotions personnelles; il dit sa misère comme
sa joie, dans un langage qui est l'image fidèle de sa pensée et de
ses sentiments.   Villon est un homme de mauvaise compagnie, un
poète de bas étage, mais il est énergique et sincère; il a une profonde sensibilité, une vive imagination, de l'âme et de l'esprit;
et par ces qualités il laisse loin derrière lui tous les poètes de son
temps.   On ne peut l'absoudre de ses écarts, mais on peut le
plaindre; sa nature voulait une autre condition : gâté par les
"franches repues" des riches qu'il amusait, il ne savait endurer
la faim; la misère le perdit.   Dans son *Petit Testament*, il fait
une énumération bouffonne des legs qu'il donne à ses amis et à ses
ennemis.   Dans le *Grand Testament*, son œuvre la plus sérieuse,
il introduit sans ordre et au hasard de sa fantaisie des réflexions
personnelles sur toutes sortes de sujets : sur la vie humaine dont
il a vu le néant; sur la fuite des jours dont il a mesuré l'effrayante
rapidité; sur la mort, sur les hontes et les misères de sa propre
vie, sur sa jeunesse perdue et son avenir à jamais gâté.

> Bien sçay se j'eusse estudié
> Ou temps de ma jeunesse folle,
> Et à bonnes meurs dédié,
> J'eusse maison et couche molle !
> Mais quoi ? je fuyoye l'escolle,
> Comme faict le mauvays enfant . . .
> En escrivant cette parole,
> A peu que le cueur ne mè fend.

Triste ou gai, sévère ou railleur, quelque accent qu'il prenne, et quelque sentiment qu'il exprime, ils est toujours grand poète par la profondeur et la sincérité du sentiment, par la vigueur et la précision du style. Villon a imaginé la poésie moderne, en trouvant la poésie des sujets simples.

Il se fit durant cette période beaucoup de poésie religieuse et morale ; la vanité de la vie est le thème favori, et il trouve sa plus forte expression dans la peinture de la Danse Macabre placée au cimetière des Innocents, à Paris, en 1424. Cette curieuse fresque qui représentait des squelettes entraînant dans la danse des personnes de toutes conditions et de tout âge, était accompagnée de strophes alternant entre la Mort et ses victimes. Le succès en fut très grand, et elle fut imitée dans l'art et dans la poésie.

Le Théâtre.

Le XIVe siècle fut une époque féconde, sinon originale pour les *miracles ;* il nous en reste 43 qui tous, sauf un, appartiennent à un même genre, celui des *Miracles de Notre Dame ;* ils mettent en scène un évènement merveilleux produit par l'intervention de la Vierge Marie qui apparaît toujours à la fin pour secourir quiconque a mis en elle sa confiance. Dans presque toutes ces œuvres on trouve la même versification, le vers octosyllabique, et chaque couplet se termine par un vers de quatre syllabes qui rime avec celui du couplet suivant ; cette singulière disposition donne une cadence agréable au dialogue, et devait servir admirablement la mémoire des acteurs. Ces drames offrent un curieux mélange de mysticisme effréné et de réalisme brutal et souvent trivial ; les faits les plus merveilleux s'y déroulent d'une manière très prosaïque. Les titres de quelques-uns de ces *miracles* en indiquent assez le sujet.

Cy commence un miracle de Nostre Dame, comment un enfant resuscite entre les braz de sa mère, que l'en (on) voulait ardoir (bruler) pour ce qu'elle l'avait noié. — C'y commence un miracle de Nostre Dame d'Amis et d'Amille, lequel Amille tua ses deux enfants pour garir Amis son compaignon qui estait

mesel (lépreux) et depuis les resuscita Nostre Dame. — Cy commence un
miracle de N. Dame de Robert le Dyable, filz du duc de Normandie à qui il
fut enjoint pour ses meffaiz, que il feist le fol sans parler, et depuis ot (eut)
Nostre Seigneur mercy de li, et espousa la fille de l'empereur.

Les auteurs de *miracles* ont puisé à diverses sources : les évan-
giles apocryphes, les légendes des saints, les chansons de gestes,
les romans, et surtout les recueils latins d'aventures miraculeuses
ont inspiré tour à tour leur imagination.   Les personnages historiques se rencontrent avec d'autres qui sont purement fabuleux ;
les aventures et les hommes de toutes les époques sont représentés sous les traits qui convenaient à la société crédule du temps.
Une foule de détails précis et frappants, semés dans ces pièces,
sont le fruit d'une observation exacte, naturelle et vive, et nous
apprennent une foule de choses sur cette portion obscure et privée des existences humaines que les chroniqueurs du moyen âge
ne nous révèlent jamais.

Ce n'est qu'au XV siècle toutefois que le théâtre reçut son
plein développement : deux cent cinquante pièces constatent
sa popularité sans égale ; il fit partie pour ainsi dire des mœurs nationales et exerça une influence immense.   Les pièces religieuses
ou sérieuses s'appelaient *Mystères.*

Mystères. — Le mot *mystère*, au sens dramatique, n'est pas
très ancien dans notre langue.   Jusqu'à 1400, une œuvre dramatique était toujours appelée *jeu, miracle, vie* ou *histoire ;* au début
du XVᵉ siècle, le *mystère* désigna d'abord des représentations
figurées ou mimées, sortes de tableaux vivants par lesquels on célébrait à Paris et dans les grandes villes, les fêtes ou les entrées
royales et princières.   Ce n'est qu'au milieu du siècle, et surtout
depuis la vulgarisation de l'imprimerie, que le mot *mystère* a été employé pour désigner les pièces sérieuses de notre répertoire dramatique au moyen âge ; il nous en reste plus de soixante du XVᵉ siècle.
Ces jeux sacrés peuvent se diviser en trois cycles, d'après les
sujets traités : le cycle de l'*Ancien Testament,* le cycle du *Nouveau*

Testament, et celui *des Saints*. Sous le nom de *Mystère du Vieil Testament*, on a fondu ensemble dans la seconde moitié du siècle plusieurs pièces tirées de la Bible et qui se jouèrent jusqu'au milieu du XVIᵉ siècle.

Mystère de la Passion. — Parmi les mystères du Nouveau Testament, le plus célèbre et le meilleur est celui de la *Passion*, écrit vers 1450 par Arnoul Gréban ; il raconte en 34,574 vers toute l'histoire du Sauveur. Ce drame fut remanié et amplifié plusieurs fois, mais sous sa première forme il fut le drame par excellence, celui dont on ne se lassait jamais.

Le cycle des *Saints*, dans l'état actuel, comprend une quarantaine de mystères racontant la vie ou la mort d'un saint. Un très petit nombre de ces drames ne rentrent dans aucun cycle ; par exemple, le *Mystère du siège d'Orléans*, qui met en scène la délivrance de cette ville par Jeanne d'Arc ; le *Mystère de la destruction de Troie*, par Jacques Milet, en 1452, est le seul sujet emprunté à l'antiquité païenne, et il dut être peu goûté.

La langue et la versification de ces pièces sont généralement correctes, mais le style est diffus, prolixe et vulgaire, sauf en quelques endroits où l'on trouve des pages admirables et où de grandes idées religieuses sont exprimées d'une manière simple, vive et forte. Le talent ne manquait pas ; mais exclusivement préoccupé de l'effet à produire sur les spectateurs, les poètes se souciaient fort peu de bien écrire ; ils ne songeaient guère aux lecteurs qui pourraient voir un jour leur ouvrage, et ne s'embarrassaient pas davantage de mettre en jeu des passions contraires, des caractères opposés, de nouer et de dénouer ingénieusement une action. La fameuse règle des unités qui a été le sujet de tant de disputes au XVIIᵉ siècle était tout à fait inconnue à nos écrivains du moyen âge. Le drame pouvait embrasser une année ou mille, pouvait se passer dans un endroit ou vingt.

La scène où se jouaient les mystères était de plein pied ; seul le « Paradis » dominait tous les lieux terrestres ; à droite, l'Enfer était figuré par une gueule de dragon, qui s'ouvrait et se fermait pour livrer passage aux démons. Le décor ne changeait jamais ; l'action se transportait successivement aux divers lieux où elle était censée se passer ; ces lieux étaient représentés d'avance et simultanément, par des pans de murs percés de portes, par des pavillons ; trois arbres faisaient une forêt ; un fauteuil entre deux colonnes était un palais. | On arrivait ainsi à tout figurer en ne figurant rien complètement. Le nombre des acteurs était très grand, et leur jeu était la nature même ; les coups donnés et reçus n'étaient pas une feinte, comme en témoignent les chroniques du temps : "Un prêtre, lequel portait le personnage de Judas, pour ce qu'il pendit trop longuement, fut transi et quasi mort ; il fut hâtivement dépendu, et emporté pour le frotter de vinaigre." Le zèle des spectateurs n'était pas moins admirable : les journées ne suffisaient pas ; la nuit venue, on coupait l'action n'importe où, et on continuait le lendemain ou le dimanche suivant ; le drame durait plusieurs jours. A Valenciennes, le *Mystère de la Passion* dura 25 jours.

Le mystère du XVᵉ siècle est le grand, le suprême effort dramatique du moyen âge ; il a péché par deux excès : la diffusion du style, et l'abus du comique. La conception était véritablement grande, mais le génie des ouvriers demeura inférieure à l'entreprise : l'œuvre fut manquée. Le drame chrétien aspirant au plus haut, tomba au plus bas parce qu'on y fit entrer tous les éléments : fous, valets, mendiants, voleurs y conduisaient la Passion de l'Homme-Dieu ; anges et démons, rois et populace, toute la création fourmillait aux pieds du Créateur. Le poète, calquant la vie humaine, voulait que le spectateur passât du rire aux larmes, et de la pitié la plus poignante à l'hilarité la plus folle ; mais il arriva qu'après ne s'être amusé d'abord que du burlesque, on finit par s'amuser aussi du tragique ; ces drames tombèrent dans la grossièreté et produisirent le scandale. Il fallut que le Parlement de Paris interdît, en 1548, à la Confrérie de la Passion de donner des choses saintes en public "sous peine de hart" (pendaison).

La *Confrérie de la Passion* avait reçu de Charles VI en 1402 le monopole de la représentation des mystères à Paris ; elle jouit de ce monopole durant deux siècles, car après l'interdiction des pièces sacrées, elle donna des "pièces *licites, profanes* et *honnêtes.*" Plus tard, elle s'associa aux Clercs de la Basoche et aux Enfants sans souci. Paris n'était pas la seule ville où se donnaient les *mystères ;* on les jouait dans toutes les villes du royaume ; le goût du théâtre était si vif, que partout on s'imposait à l'envi la coûteuse entreprise de la représentation d'un de ses drames ; le clergé, les princes, les municipalités, les corporations fournissaient des acteurs à la pièce ; car ce n'est qu'au XVIᵉ siècle qu'il commença à y avoir des comédiens de profession. C'était surtout au peuple que le théâtre du moyen âge s'adressait et qu'il voulait plaire. Au point de vue politique et social, jamais la scène ne fut plus importante qu'à cette époque ; c'était le foyer de la vie publique ; à la fois tribunal et chaire, journal et tribune, elle sermonne, elle médit, elle harangue. Il faudrait remonter au siècle de Périclès pour retrouver l'image d'un théâtre aussi profondément mêlé à tous les incidents de la vie d'une époque et d'une société.

Le Théâtre Comique. — Le genre comique a toujours existé chez nous, nous l'avons déjà dit ; mais sur la scène, il ne s'est pleinement développé qu'au XVᵉ siècle, et se ramène à trois formes : les *Moralités*, les *Farces* et les *Soties.*

La *Moralité*, genre intermédiaire entre le *mystère* et la *farce*, est, comme son nom l'indique, une pièce à intention morale ou didactique. Elle revêt différentes formes ; il y en a de religieuses, de politiques, d'allégoriques et d'historiques ; c'est un genre mixte où le sérieux se mêle souvent au plaisant. Les *moralités* abondent en tableaux naïfs où se trouve exactement dépeinte la vie domestique ; elles opposent et rapprochent toutes les classes de la société, plus divisées alors qu'aujourd'hui. Parmi les soixante-cinq qui nous restent, mentionnons : les *Enfants de maintenant,* c'est-à-dire les enfants gâtés ; la *Condamnation des Banquets.*

La *Farce* ne se propose que d'exciter le rire par une satire joyeuse ; son domaine est illimité. Elle fait la parodie de la société entière ; met en scène et en action tous les travers, les ridicules, les petitesses de la vie privée et journalière. C'est un trésor pour la connaissance de la langue populaire du temps. Trois ou quatre personnages suffisent ordinairement à en soutenir le dialogue vif et l'action rapide ; l'esprit y abonde, mais l'art proprement dit en est absent. On n'écrivait pas toujours les farces, ainsi s'explique la perte d'un répertoire qui a dû être immense ; nous n'en possédons qu'environ cent cinquante. Quelquefois la *farce* se glissait dans la *moralité*, comme aujourd'hui le ballet dans l'opéra ; et la chanson, genre toujours populaire, se glissait à son tour dans la farce. Un grand nombre de ces pièces sont malheureusement gâtées par l'extrême licence du langage ; parmi celles qui échappent à ce reproche, nous avons : la farce du *Cuvier*, qui est une "farce très bonne et fort joyeuse" comme le déclare le titre, dans laquelle un mari malmené par sa femme prend sa revanche. C'est une des meilleures ; on y trouve des scènes d'un comique achevé et des dialogues de maître.

La *Farce de Maître Pathelin*, en 1600 vers et divisée en trois parties, est d'une tout autre importance ; c'est un joyau, et l'on peut dire, sans exagération, que c'est une comédie. Rien n'y est naïf, et la profondeur du comique est égale à l'habileté de la mise en scène. C'est assurément un des rares chefs-d'œuvre que nous ait laissés le moyen âge ; cependant l'auteur en est resté inconnu ; tout ce qu'on peut conjecturer, c'est que la date de sa composition appartient aux premières années du règne de Louis XI, vers 1465.

Analyse de la Farce de Maître Pathelin. — Au début de la pièce, Maître Pathelin, pauvre avocat sans pratique, mal vêtu et mal nourri, s'entretient tristement avec dame Guillemette, sa femme, de leur commune misère ; leurs habits montrent la corde, et pas d'argent pour en obtenir d'autres. La ruse doit donc y suppléer. Pathelin, pour avoir un habit, imagine d'aller circonvenir un marchand et de lui escroquer six aunes de drap. Il commence par louer pieusement le père défunt de M. Guillaume, il exalte sa probité en même temps qu'il met la griffe sur l'étoffe convoitée. "Il est bien attrapé" de tant admirer cette étoffe, il n'avait pas l'intention d'en acheter, il "avait mis à part quatre-vingts écus pour retraire une rente, il craint bien que le marchand n'en ait vingt ou trente" :

> . . . . . Car la couleur
> M'en plaist très tant, que c'est douleur.

On débat le prix qui est très élevé, car Guillaume est aussi fripon que Pathelin et il a soin de surfaire ; enfin on convient de la somme, mais un obstacle se présente, l'avocat n'a pas son argent sur lui et le marchand n'est pas d'humeur à donner à crédit sa marchandise. Après avoir employé la flatterie, l'avocat appelle à son aide la gourmandise ; il invite sa dupe à venir ce soir même se faire payer et manger d'une oie excellente "que sa femme rôtit." Guillaume hésite d'abord, puis finit par accepter et Pathelin s'esquive avec son drap. Quand le marchand se présente chez son débiteur, il trouve une femme en pleurs et qui le supplie de parler bas, parce que son mari est malade au lit depuis onze semaines, et sa mort ne tardera guère. Les cris de Pathelin, ses propos incohérents, l'artifice bien soutenu de la femme éloignent par deux fois le drapier confondu qui ne sait plus que croire. Il lui survient une autre affaire : son berger Agnelet lui tue ses moutons et les mange un à un, en prétendant qu'ils sont morts de la clavelée. Le marchand cite son berger devant le juge. Agnelet s'adresse à Pathelin pour le défendre contre son *doux maître ;* il lui promet de le bien payer, et l'avocat se charge de sa cause, à condition qu'il ne répondra que *bée* à toutes les questions du juge. Agnelet a très bien compris : désormais il bêlera pour toute réponse. Devant le tribu-

nal, le drapier explique son affaire en homme sensé, lorsque
tout à coup, il aperçoit Pathelin qui, simulant un grand mal de
dents, se cache la figure, tantôt avec la main, tantôt avec son
mouchoir ou sa toque, puis se laisse voir de temps en temps.
Alors Guillaume se trouble, son langage se confond, il mêle ensemble et les moutons et les six aunes de drap ; c'est un chaos
inintelligible. Le juge qui plus d'une fois a dit au malencon-
treux drapier :

> « Sus, revenons à nos moutons.
> Qu'en fut-il ? »

et qui s'est entendu répondre :

> « Il en prit six aunes de neuf francs, »

perd patience et le procès est facilement gagné par Agnelet que
son bêlement a fait passer pour idiot. Pathelin se débarrasse
du drapier en invoquant une ressemblance avec Jehan de Noyon.
Il s'agit maintenant de se faire payer du berger, et c'est ici
qu'arrive le meilleur de l'intrigue. "A trompeur, trompeur et
demi," c'est un proverbe connu, c'est aussi la moralité de cette
pièce : le fripon devient dupe à son tour. A toutes les félicita-
tions de Pathelin et à toutes ses demandes d'argent pour son sa-
laire, Agnelet ne répond que *bée*, comme il a répondu au juge et
l'avocat n'obtient rien.

Telle est cette farce de Pathelin ; le fond n'en est pas grand'-
chose, mais cette histoire, assez insignifiante en elle-même, est
mise en scène avec un véritable génie comique. Les caractères
y sont d'une touche franche et fine, les scènes bien liées et bien
conduites ; du premier vers au dernier la verve, la gaieté, l'esprit, le trait comique et la finesse d'observation ne tarissent pas.

M. Renan juge ainsi Pathelin : " C'est le chef-d'œuvre de cette
littérature essentiellement roturière, narquoise, immorale que
produisit la fin du moyen âge, et qui trouva dans Louis XI un
zélé protecteur et sa plus complète personnification."

La Sotie et les Sots. — Les *Fêtes des fous*, les *Fêtes de*

l'âne, ces saturnales qui jusqu'au milieu du XVe siècle désho-
norèrent les églises, malgré les anathèmes des papes, des conciles et des évêques, n'ont qu'un rapport très indirect avec les origines de notre théâtre comique. C'étaient des mascarades,
mais non des comédies. Toutefois il est un genre dont l'origine
peut être cherchée dans ces burlesque solennités, c'est la *sotie.*
On appelait ainsi toute pièce jouée par des *sots;* ces *sots* étaient
les anciens célébrants de la *Fêtes des Fous* jetés hors de l'Eglise,
et qui se rassemblaient sur la place publique pour y continuer la
fête. A la parodie de la hiérarchie et de la liturgie ecclésiastiques, ils firent succéder la parodie de la société tout entière.
Mis à l'abri des colères et des rancunes par leur chapeau de
folie, les *sots* se permirent de tout dire : les divers ordres de
l'Etat, la politique, la religion, les individus, rien n'était à l'abri
de leurs audacieuses bouffonneries. Louis XI qui n'aimait guère
ces libertés, menaça le *Prince des sots* de la *hart,* s'il ne s'abste-
nait de toucher aux vivants. Louis XII, au contraire, par humeur ou par politique, leur laissa une liberté absolue ; il savait
supporter lui-même, dit-on, les traits de leur satire, et les entendait en souriant le taxer d'avarice ; en revanche, il se servit de
leur verve caustique pour appeler à lui l'opinion publique. En
1512, Gringoire qui était *Mère Sotte,* composa et fit jouer le
Prince des Sots, violente attaque contre le pape Jules II, et plaidoyer en faveur de la politique agressive du roi au delà des Alpes.

La Basoche. — Les clercs du Parlement de Paris formaient
depuis l'an 1303 une corporation sous le nom de *Royaume de la
Basoche ;* cette société de protection mutuelle et d'amusements
communs célébrait des fêtes périodiques, auxquelles elle commença vers la fin du XIVe siècle, à mêler des représentations
dramatiques. Les Confrères de la Passion ayant le monopole
des *mystères,* les Basochiens jouaient surtout des *moralités* et des
farces, et se firent dans ces genres une grande renommée. Dans
leurs libres jeux ils attaquaient un peu tout le monde, mais sur-

tout les gens de leur ordre : juges et avocats, huissiers et procu-
reurs. C'est dans la société de ces joyeux compagnons que dut
naître *Pathelin*, dans lequel il n'est question que d'avocasserie,
de sentences, de chicane et de procès.

Toutes les œuvres comiques du moyen âge, sans exception, furent écrites en vers, quoique les auteurs ne fussent pas toujours
des poètes. Les moindres bateleurs n'auraient pas osé débiter
leur facéties sans y coudre la rime. Pas une ligne de prose, en
français, ne fut dite sur un théâtre avant la Renaissance.

Le moyen âge s'est peint dans ce vaste tableau de son théâtre ; l'histoire des mœurs et des idées d'alors n'a pas de source
plus abondante.

La Prose.

Joinville (1224–1317) avait passé sa jeunesse à la cour élégante
et polie de Thibaut IV, comte de Champagne. Elève des
troubadours, son style se ressent de cette éducation, par sa
grâce aimable, son tour enjoué. De 1304 à 1309, lorsqu'il
était déjà octogénaire, il écrivit son *Histoire de Saint-Louis*.
Il avait suivi ce roi dans sa première croisade, partagé ses
gloires et ses périls pendant six ans, et il peint avec amour
son grand caractère et ses hautes vertus. Joinville a, de commun
avec Villehardouin, le caractère du chevalier chrétien, le courage,
la droiture, les vertus de la chevalerie sans ses illusions, une foi
simple sans subtilité théologique ; sa morale, c'est la volonté
de Dieu qui châtie par les revers, et qui fait réussir ceux qu'il
veut aider. A l'art de peindre, il joint cette inimitable naïveté
qui ne lui fait oublier aucun détail, aucune parole ; ce sont les récits
d'un vieillard avec ses lenteurs et ses répétitions, mais il en résulte un tableau fidèle des mœurs et du temps. Ce qui se révèle
aussi constamment et sans qu'il s'en doute, c'est son propre
caractère aimable, sensible et enjoué ; une noble générosité qui
l'empêche de nommer " moult de gens de bobans (empanachés) "
qu'il a vus fuir dans la bataille, parce que " morts ils sont."

Le livre de Joinville se compose de deux parties : la première est un exposé "des bonnes paroles et des bons enseignements de Saint-Louis"; la seconde qui parle de "ses grands faits d'armes et de ses grandes chevaleries" est de beaucoup la partie la plus considérable. C'est une biographie plutôt qu'une histoire. Le style n'a pas non plus le tour concis et nerveux de celui de Villehardouin, mais il est plus abondant, plus facile et plus gracieux : la langue a fait des progrès, on voit qu'un siècle sépare les deux hommes. Joinville mourut agé de 93 ans; il avait vu les règnes de six rois.

Froissart (1335–1410). L'usage d'écrire des chroniques générales dans les cloîtres s'était un peu ralenti vers ce temps, mais il avait au contraire pris un grand accroissement dans les familles. Les seigneurs laïques se mirent à raconter ce qu'ils avaient vu : des rois, comme Charles V, faisaient écrire leur histoire; des personnages puissants faisaient voyager à leurs frais un clerc qui allait "enquérir pour eux de tous costez nouvelles," et qui pouvait à son retour les instruire et les amuser : Froissart fut un de ces clercs. Il naquit à Valenciennes, et son père, dit-on, était peintre d'armoiries. Il se fit homme d'église pour avoir un bénéfice, car ses goûts l'entraînaient dans le grand monde dont il avait les mœurs, et pour lequel il eut toujours le plus grand respect. Toute sa vie, il resta dans la dépendance d'illustres patrons. Actif, remuant, curieux, avide d'agitation et de spectacles nouveaux, il fit de longs voyages, qu'il appelle des *enquestes*, dans toute la France, l'Allemagne, les Pays Bas, l'Angleterre, l'Ecosse et l'Italie, et partout il observe, il interroge, il écoute; dans les intervalles que lui laissent tant de chevauchées, il rédige. C'est à bon droit qu'on l'a surnommé "le chevalier errant de l'histoire." Son livre est un vaste tableau plein de mouvement, brillant de couleurs, splendide de costumes : batailles, fêtes, tournois, sièges de villes, prises de châteaux, entrées de princes, assemblées solennelles, bals et habillements

de cour, toute la vie féodale et militaire du XIVe siècle s'y
trouve dans un admirable pêle-mêle.   Il n'omet rien de ce qui se
voit et se tait sur tout ce qui se juge.   Il fait agir ses personnages
et sans ajouter de réflexions à ses récits, il fait naître la sympathie
ou la haine, l'admiration ou l'effroi, par le spectacle vivant qu'il
met sous les yeux.   Froissart aime la vérité, on le voit dans les
détails frappants de naturel qu'il donne et qui ne s'inventent pas ;
et, s'il a fait une erreur, il ne craint pas de la corriger à l'endroit
même où il en est averti.   L'imperturbable simplicité avec
laquelle il enregistre tout est terrible pour les méchants.

Ses *Chroniques* s'arrêtent en 1400 et embrassent près de la
moitié du siècle.   Il ne faut pas juger cette œuvre comme on le ferait
d'une histoire, l'auteur pense peu et ne réfléchit jamais, il ne veut
que relater ; car vivre et raconter, c'est pour lui la même chose.
"Conter, dit M. Villemain, est tout le génie de Froissart, mais
il conte admirablement bien."

Les *Vraies Chroniques* de Jean le Bel, découvertes il y a une
trentaine d'années, et qui finissent en 1361, prouvent que Froissart
s'en est grandement inspiré et qu'il a même emprunté quelques
unes de ses plus belles pages à son devancier pour la composition
du premier volume de ses *Chroniques,* tandis que les trois autres
sont le fruit de ses observations et lui appartiennent en propre.
Cependant il faut rendre justice à notre auteur, il avoue en toute
sincérité ce qu'il a pris à Jean le Bel ; c'est même lui qui l'a mis
en lumière en le mentionnant dans son œuvre.

Froissart tient aussi une place honorable parmi les poètes ; lui-
même avait pour ses vers une prédilection assez naturelle.   Il offrit
à Richard II d'Angleterre un volume de ses poèmes, " Plaire bien
lui debvait, nous dit-il, car il était enluminé, escript, historié, et
couvert de velours à clous d'argent."   Il a laissé 12 lais, 37
ballades, 13 virelais, 103 rondeaux.   Les contemporains firent
plus de cas de ses vers que de ses écrits historiques.   Le même
esprit original qui a inspiré sa prose se retrouve, quoiqu'à un

moindre degré dans sa poésie, elle a un ton heureux et une naïveté charmante.

Georges Chastelain, et **Olivier de la Marche,** sont deux biographes des ducs de Bourgogne au XVe siècle, qui furent très admirés dans leur temps. Le premier est un témoin intelligent et ému des discordes intestines de cette époque ; le sentiment patriotique vibre à chaque page dans ses écrits ; il est très véridique et sa chronique est une des bonnes sources où peut puiser l'histoire, mais l'enflure de son style lasse le lecteur. La Marche se faisait honneur d'être le disciple de Chastelain ; il l'appelle un " suprême rhétoricien, son père en doctrine, en manière," mais il est plutôt de l'école de Froissart : il a sa manière nette et pittoresque. Parfois il cherche à imiter son " père en manière " et il devient fatigant, lourd ; mais du moment qu'il descend des hauteurs de la " suprême rhétorique " pour rentrer dans son naturel, il est vif, simple et aisé par le ton comme par la langue. Où Chastelain amplifie et déclame, de la Marche pense et raconte ; il ne démêle pas encore les secrets ressorts de la politique comme Commines le fera après lui, mais pour l'histoire des mœurs, c'est un narrateur exact et animé.

Commines (1447–1511). Le véritable honneur du XVe siècle est d'avoir produit Commines. Son éducation fut négligée ; il n'apprit pas le latin, ce qu'il regretta toujours ; mais c'est peut-être à cette circonstance qu'il doit sa gloire d'écrivain ; ignorant les anciens il ne pouvait les imiter, et dut se contenter des richesses acquises de la langue vulgaire qu'il sut employer avec le discernement d'un esprit supérieur. Doué d'une merveilleuse mémoire et d'un esprit naturel, il suppléa à cette ignorance première par la lecture de nombreux ouvrages français, par des voyages à l'étranger, par la pratique des hommes et des affaires, et par l'étude des langues modernes : il parlait l'italien, l'allemand et l'espagnol. D'abord écuyer de Philippe-le-Bon, duc de Bourgogne, puis chambellan de son fils, Charles-le-Téméraire, il quitta ce prince aventureux et emporté vers 1472, pour passer du côté de l'astucieux Louis XI, non par trahison, mais par sympathie ; ce nouveau patron convenait mieux à son humeur et au genre de son esprit. Ses *Mémoires* nous apprennent quel poste de confiance il occupa dans la redoutable intimité de ce roi soupçonneux ; ses services secrets et publics comme son confident et son conseiller ; ses disgrâces sous Charles VIII, son emprisonnement à Loches dans une de ces cages de fer imaginées par Louis XI ; sa rentrée en grâce ; la part qu'il prit aux guerres d'Italie, et ses dernières années sous le règne de Louis XII.

Commines n'écrit pas pour amuser, mais pour instruire. Ce qui le distingue, c'est la modération, le bons sens, la finesse à débrouiller les fils de la politique. Tout entier à l'étude des faits et des causes ; plein d'admiration pour l'intrigue qui réussit, il triomphe quand il suit trois ou quatre combinaisons politiques qui se trament en même temps ; il adore la diplomatie. Il semble impassible au milieu des intrigues et des perfidies des princes contemporains, et l'on sait si le vent était aux intrigues avec les Borgia, les Médicis et Machiavel en Italie ; Edouard IV et Richard III en Angleterre ; Ferdinand le catholique en Aragon, et Louis XI en France. Il ne paraît pas savoir qu'il y a des crimes politiques, et comme Catherine de Médicis plus tard, il semble moins choqué des mauvaises actions que des fautes. Cette insensibilité cependant n'est qu'apparente, elle tient à l'étendue et à la pénétration de son esprit qui aperçoit simultanément le dehors et le fond des choses et des hommes, et qui considère toujours les résultats. Son jugement est sain et droit, il sait indiquer nettement la ligne du devoir et s'élève jusqu'à l'éloquence par des considérations morales et religieuses ; sa foi naïve se montre partout, comme dans ces lignes : " Je seroye assez de l'opinion que Dieu donne le prince selon qu'il veut pugnir et chastier les subjectz, et aux princes les subjectz ou leurs couraiges disposéz envers lui, selon qu'il veut eslever ou

abaisser." Commines est aussi modeste que distingué, il se croit
sincèrement tel qu'il se donne ; "un homme qui n'a grant sens
naturel ne acquis, mais quelque peu d'expérience."

Mis en parallèle avec ses devanciers, Commines offre un grand
contraste : ce qui est éminent chez eux, est médiocre chez lui ;
en revanche il possède à un degré éminent des qualités dont ils
sont souvent dépourvus. Dans Froissart, Joinville, et même dans
Villehardouin, l'imagination domine ; ils racontent agréablement,
ils peignent vivement ce qu'ils sentent, ce qu'ils voient ; mais l'enchaînement des faits et le sens des évènements leur échappent.
Commines lui, ne se contente pas de voir, il veut comprendre ce
qu'il voit et mettre en lumière les leçons de l'expérience ; la
puissance de son génie est dans la pensée ; tout se tourne en réflexion et en appréciation sur les hommes et les évènements.
Les premiers historiens montrent le dessus des choses, Commines
le dessous ; c'est ce qui imprime à son livre un caractère très marqué d'utilité pratique, et en même temps, d'utilité philosophique ;
c'est par là, qu'il a créé l'histoire moderne et qu'il a mérité que
son livre fût appelé le *bréviaire des hommes d'Etat*. En le lisant,
on est frappé des progrès que la langue française a faits depuis
Froissart ; on y trouve moins de mots étrangers, moins de la-
tinismes ; la phrase a plus de variété, le langage simple et net
est plus concis, plus éloquent.

La littérature du moyen âge finit avec le XVe siècle, ou tout au
plus elle se prolonge avec peu d'éclat et d'originalité jusqu'aux
premières années du XVIe. L'inspiration propre au moyen âge
s'était tarie dès le XIVe siècle comme nous l'avons vu. Avec la
Renaissance commence vraiment une littérature nouvelle, qui
sans doute a ses racines dans celle qui l'a précédée, mais qui
toutefois s'en distingue et porte des fruits tout autres.

On ne peut plus aujourd'hui appeler le moyen âge un temps
de "tristes ténèbres" quand on considère la variété merveilleuse
de sa littérature qui se développa en prose comme en vers ; en

français et en provençal comme en latin. Toute cette richesse littéraire pourtant a été dédaignée, ou plutôt oubliée en France ; il n'y
a pas soixante ans qu'on s'occupe d'exhumer les œuvres qu'elle a
produites, et que l'on rend justice à ses qualités. Avant tout, il
faut reconnaître sa profonde originalité ; elle s'est développée librement, sans subir aucune influence étrangère, sans se modeler
sur les anciens ou sur les pays voisins ; c'est elle, au contraire,
qui a servi de modèle à plusieurs littératures, nées en partie de
l'imitation de la nôtre. Quoi qu'elle vaille, elle est elle-même.
Et certes, elle vaut beaucoup. Il faut également rendre justice
au profond sentiment religieux que respirent tant d'œuvres du
moyen âge. La foi en Dieu qui gouverne tout et en sa justice qui
ne permet pas au mal de prévaloir sur le bien : voilà la croyance
commune. Ces sentiments de foi pure et ardente auxquels s'u-
nissent ceux de dévouement à la France, à l'homme, abondent
surtout dans les Chansons de geste et les Romans d'aventure.

Aujourd'hui qu'une savante critique restitue les manuscrits
dans leur pureté primitive, on est étonné de la richesse des productions de cette longue période ; et à mesure que ce débrouille-
ment se fera, que cette littérature de nos aïeux sera mieux connue, plus étudiée, mieux on en sentira le vrai mérite.

QUATRIÈME ÉPOQUE.

SEIZIÈME SIÈCLE. — LA RENAISSANCE.

Aperçu sur le XVIᵉ siècle. — Deux grands faits dominent le
XVIᵉ siècle : l'étude de l'antiquité et la Réforme religieuse.
L'Italie nous avait devancés de près de deux siècles dans la connaissance de l'antiquité ; ses écrivains immortels, Dante, Pétrarque, Boccace avaient atteint depuis longtemps les sommets
du goût et de l'art dans leurs œuvres, quand l'Université de Paris
ne faisait qu'accueillir son premier professeur de grec, Grégoire de
Tiferno, en 1458. Cette renaissance transalpine ne fut connue
en France, que lorsque Charles VIII (1483–1498), Louis XII
(1498–1515) et François Iᵉʳ (1515–1547), voulant conquérir un
héritage douteux, envahirent tour à tour l'Italie. Ils parcouru-
rent plusieurs fois ce beau et riche pays ; leurs exploits ne nous
valurent pas un pouce de terrain, mais ils mirent la France en
contact avec cette brillante civilisation italienne ; les livres grecs
et latins pénétrèrent chez nous, et y furent étudiés avec avidité
par les érudits de toutes les classes. Cette étude renouvela et
enrichit le fonds littéraire de la nation, épura le goût par l'imitation des grands modèles et donna le sentiment de la forme qui
avait manqué au moyen âge ; elle exerça aussi une notable influence sur les idées et les sentiments des hommes de lettres.
Ce n'est pas ici le lieu d'entrer dans l'examen des causes
de la Réforme, il nous suffit de constater son influence sur
les lettres, et elle fut très grande. Loin de suspendre l'impulsion donnée à l'étude des classiques anciens, elle lui com-
muniqua une nouvelle force, en nous rendant l'intelligence de
l'antiquité chrétienne par l'étude des livres saints, par l'explica-

tion savante et familière de la parole de Dieu et de la doctrine des Pères. Les discussions que la Réforme suscita firent naître des idées nouvelles, ouvrirent des horizons nouveaux aux esprits, et firent contracter de salutaires habitudes de réflexion personnelle et de pensée libre. Cette union des deux antiquités a donné l'impulsion à tout le XVIe siècle.

A ces deux grandes influences s'en mêlaient encore bien d'autres : celle des patois et des dialectes provinciaux, très affaiblie mais cependant sensible dans le vocabulaire de beaucoup d'écrivains ; les emprunts faits aux langues étrangères, car les érudits en firent d'abord au latin et au grec ; les Italiens nombreux à la cour de François Ier, après l'alliance avec les Médicis, mirent à la mode un grand nombre d'expressions et de mots italiens ; plus tard nos rapports avec l'Espagne se firent aussi fortement sentir dans l'idiome français. Les grammairiens, sans principes sûrs, sans connaissance historique de la langue, entreprirent de la réformer, et sous ce prétexte apportèrent dans l'orthographe et la syntaxe un trouble profond. La langue manquait d'unité, elle variait d'un écrivain à l'autre ; la prononciation se modifiait également. Vauquelin de La Fresnaye écrit à la fin du siècle :

> "Car depuis quarante ans, desja quatre ou cinq fois
> La façon a changé de parler en françois."

Ce fut comme on voit une époque de transition et de rénovation dans l'histoire de notre langue et de notre littérature qu'il sera intéressant de suivre dans ses développements. C'est surtout pendant le règne de François Ier, surnommé le *Père des lettres*, que la Renaissance prit son essor. Epris de toute noble culture des arts et des sciences, il s'entoura de savants, de littérateurs et d'artistes. Il créa la première école laïque établie dans notre pays, qui fut dirigée par Budée, le plus savant helléniste de l'Europe, celui-là même qu'Erasme appelle le *prodige de la France*. Le collège posséda aussitôt des chaires d'hébreu, de

grec, de latin, de mathématiques, de médecine et de philosophie ;
admirable pêle-mêle de sciences d'une généreuse époque. Prima-
tice, Andrea del Sarto, Leonardo da Vinci, Benvenuto Cellini
introduisirent en France leurs arts, et Jean Cousin, inspiré par
eux, fonda l'école française de peinture.

On peut diviser le XVIe siècle en deux parties : la première
moitié où l'esprit du moyen âge cède sous la double pression de
la Renaissance littéraire et de la Réforme religieuse ; la seconde
dans laquelle les idées nouvelles revêtent des formes nouvelles.

PREMIÈRE PÉRIODE DE 1500 À 1549.

LA POÉSIE.

Villon avait été un grand poète, mais ses successeurs im-
médiats furent des pédants sans génie, qui prirent pour de la
poésie une versification ridicule en conséquence des difficultés dont
elle était hérissée. On admirait des vers comme ceux-ci que
Jean Molinet écrivait à sa propre gloire :

> " Moli*net n'est* sans bruyct, ne sans *nom non ;*
> Il a *son son,* et, comme tu *vois voix,*
> Son doux *plaid plaist* mieux que ne faict *ton ton,* " etc.

Le plus fameux parmi ces insipides versificateurs est Guillaume
Cretin ; Pasquier se plaignait d'avoir dans ses vers " trouvé prou
(beaucoup) de rime et équivoques, mais peu de raison." Le seul
qui mérite mention de ces *grands rhétoriqueurs,* ainsi qu'ils se
nommaient, est Jean Le Maire ; lui a au moins un sentiment assez
délicat du rythme et il ne fut pas inutile à ses successeurs.

Marot (Clément, 1495–1544). Enfin parut un vrai poète,
qui sembla un novateur parce qu'il essaya de ramener la poésie
au bon sens et au naturel. Valet de chambre de Marguerite
de Navarre pendant seize ans, et favori de François Ier, il
gagna dans le commerce de la cour le ton poli et délicat qui

distingue ses pensées et son langage. Il avait suivi le roi
dans les guerres d'Italie, avait été blessé et fait prisonnier à
Pavie ; revenu à Paris, il se rangea parmi les adhérents de la
Réforme, et dès lors sa carrière fut des plus orageuses. En
butte aux persécutions des rimeurs et de la Sorbonne ; il eut à
subir, malgré la protection du roi, deux emprisonnements, autant de fuites, et termina sa vie douloureusement dans l'exil,
l'isolement et la misère.

Le caractère de la poésie de Marot, c'est surtout la grâce et la
délicatesse. Personne n'avait encore donné à la poésie, ce
tour fin et spirituel qui distingue la sienne. Il y avait eu avant
lui de la naïveté, mais une naïveté simple et ignorante qui semblait
tenir surtout à l'enfance de la langue ; chez Marot, elle devient
de la grâce. Dans la raillerie, son ton n'est ni amer, ni emporté ;
il plaisante l'Eglise et le clergé en réformé mondain plutôt
qu'il ne les attaque en prédicateur fanatique. Il traduisit les psaumes en vers ; mais qu'est-ce qu'un style naïf et simple pour représenter la majesté des Ecritures, la hardiesse et la vivacité de
la poésie orientale ? Cette poésie nouvelle enchanta la France ;
roi, princes, courtisans, chacun avait son psaume de prédilection, et les graves accents de la muse hébraïque retentissaient
parmi les fêtes et les plaisirs de la cour. Comme c'était une
mode, on oubliait que c'était une hérésie ; mais la faveur des
psaumes fut de courte durée, car la Sorbonne les condamna.
Les grands sujets d'ailleurs ne convenaient ni au caractère, ni au
génie de Marot ; c'est dans la poésie légère qu'il excelle : l'aimable gaîté de ses chansons, la flatterie ingénieuse de ses épîtres,
et surtout les railleries fines et aimables de ses épigrammes, en
font le meilleur poète de l'époque. Les fableaux ne furent pas
non plus délaissés par lui, et La Fontaine lui-même, n'a pas surpassé l'excellent conte du *Rat et du Lion*. Personne n'a jamais
plus espièglement tourné une demande que Marot ne l'a fait dans
son épître au roi, où il se plaint d'avoir été volé par son valet de

Gascogne, et fait appel à la générosité du prince. Le portrait
qu'il fait du valet larron mérite surtout d'être cité :

> "Gourmand, ivrogne et assuré menteur,
> Pipeur, larron, jureur, blasphémateur,
> Sentant la hart à cent pas à la ronde,
> Au demeurant le meilleur fils du monde."

Marguerite de Navarre (1492–1549), sœur de François Ier, a
écrit des farces, des mystères, des épîtres, des poésies lyriques et
religieuses ; tous ces vers, assez médiocres, ont été recueillis sous
le titre de *Marguerite de la Marguerite,* jeu de mots sur la fleur
et la perle synonymes de son nom. Son *Heptaméron,* imité du
Décameron de Boccace, est un recueil de récits entremêlés d'entretiens et de proverbes populaires racontés avec une grâce exquise et un esprit charmant. Elle avait une grande influence
sur le roi, son frère, et en usa pour encourager les gens de
lettres ; elle favorisa ouvertement la Réforme que François Ier
avait laissée croître au sein même de sa cour, n'en comprenant
pas la portée politique ; quand il commença à persécuter les
réformés, elle continua à les protéger, et plusieurs lui durent la vie.

Saint-Gelais (1491–1558) était fils d'Octavien Saint-Gelais,
poète lui-même et traducteur de l'Enéide. Les agréments de sa
personne et de son esprit le firent bien venir à la cour ; il faisait des vers pour toutes les fêtes, n'y mettait guère de génie,
mais beaucoup d'à propos et de grâce. Il avait hérité de son
maître Marot, les dehors du style : la naïveté et la clarté du langage. Rien n'a survécu des rondeaux, quatrains, sixains de ce
poète si longtemps fêté ; comme le dit agréablement Pasquier,
les vers de Saint-Gelais étaient " de petites fleurs et non fruits
d'aucune durée." Il avait étudié en Italie, et en rapporta, pa-
raît-il, le *sonnet ;* ceux qu'il composa lui-même sont très médiocres, il est vrai, mais ils servirent au moins à faire connaître cette forme de poème qui devait avoir une telle fortune en
France.

Le Théâtre.

François Ier ne toléra pas la licence absolue dont les *Sots*
avaient joui sous Louis XII, et une censure vigilante et sévère sup-
prima leur audace.   Les *Mystères*, au contraire, furent représentés
avec un succès qui semblait croissant durant toute la première moitié
du XVIe siècle : les *Actes des Apôtres* étaient applaudis à Bourges
en 1536 et à Paris en 1541 ; le *Vieux Testament* était joué à Paris
en 1542 ; et la *Passion* à Valenciennes en 1547.   Non seulement
on représentait les mystères, mais on en écrivait de nouveaux ;
comme celui de *Marguerite*, et les douze mystères de *Notre-Dame
de Siesse* (1536–1550) par Jean Louvet.   Malgré ces apparences de
vie et d'éclat, ce genre allait périr.   En 1548, un arrêt du Parlement de Paris lui porta un premier coup en défendant à la *Confrérie de la Passion* de représenter des pièces sacrées.   Les
mystères interdits à Paris, ne firent plus que languir dans les
provinces.   Plusieurs causes réunies avaient conspiré à cette
disparition du drame pieux.   Aux graves défauts déjà signalés : la
faiblesse et la négligence du style, la prolixité dans les détails,
l'exagération dans l'emploi du comique, s'unirent les attaques
des protestants qui s'indignaient de voir la Bible altérée d'une
manière si audacieuse ; le dégoût des lettrés qui voulaient
substituer à tous les genres littéraires du moyen âge les genres et
les modèles classiques remis en honneur.   La Renaissance et la
Réforme, ennemies sur beaucoup de points, se prêtèrent la main
pour anéantir le théâtre religieux.

Les catholiques et les protestants se servirent de bonne heure
de la scène ; les uns pour défendre et propager leurs opinions ;
les autres, pour les attaquer.   Les lettrés s'enthousiasmèrent pour
le théâtre classique ; des pièces latines, surtout celles de Plaute
et de Térence étaient représentées dans les écoles ; l'*Electre* de
Sophocle fut traduite par Lazare de Baïf en 1537.   En même
temps les courtisans italiens introduisaient des drames italiens ;

Calandra de Bibbiena fut jouée à Lyon en 1548 en honneur de Catherine de Médicis.

Jean de Pontalais, un *enfant sans souci*, est l'auteur comique le plus souvent mentionné de 1512 à 1540 ; *Contredits de Songe-creux*, œuvre en vers et en prose qu'on lui attribue, est une satire de la société.

La Prose.

Il se fit durant cette période un grand nombre de versions en prose des classiques grecs et latins. Jacques Lefèvre tradui-sit d'abord les Evangiles, puis la Bible entière ; cette œuvre aida grandement la Réforme. Les deux grands écrivains en prose de la première moitié du XVIe siècle sont Calvin et Rabelais.

Calvin (Jean, 1509–1564), subit de bonne heure l'influence des doctrines de Luther. Raisonneur austère, inflexible dans sa pensée, net et subtil dans sa parole, il était fait pour devenir le chef d'un parti, et il continua en France l'œuvre commencée en Allemagne.

Calvin né à Noyon, fit ses premières études à Paris, puis son droit à Bourges ; à Orléans, il étudia le grec et la thé-ologie ; en 1534 il revint à Paris où il abjura le catholicisme et de ce moment il travailla sans relâche au progrès du protestantisme dont il formula les dogmes et les principes dans son livre de l'*Institution de la religion chrétienne*, écrit d'abord en latin, puis traduit en français par lui-même. Le style un peu froid se distingue par une gravité, une fermeté et une pré-cision de langage que la prose française n'avait encore jamais montrées dans un ouvrage de si longue haleine. Calvin n'avait alors que 26 ans. Il dédia son livre à François Ier ; la dédicace est un chef-d'œuvre où l'adresse et le raisonnement s'élèvent jus-qu'à l'éloquence. Il ne dissimule pas qu'il connaît les disposi-tions du roi au sujet du protestantisme, il énumère les principales objections faites contre la Réforme et il leur oppose d'habiles ré-

ponses, puis il invoque la justice du monarque dans un langage
d'une dignité impérieuse : "C'est votre office, Sire, de ne détourner
vos oreilles, ni votre courage d'une si juste cause, . . . cette pensée fait un vrai roy, s'il se reconnaît être vrai ministre de Dieu
au gouvernement de son royaume ; et, au contraire, celui qui ne
règne point à cette fin de servir à la gloire de Dieu, n'exerce pas
règne, mais brigandage."

Obligé de quitter la France, Calvin se réfugia à Genève qui
devint la Rome des huguenots ; là il exerça un pouvoir absolu et
même tyrannique.   Homme d'ordre et d'organisation, il voulait
constituer la Réforme et non la développer ; il accordait le libre
examen aux catholiques mais le refusait aux protestants.   Après
avoir commenté le *Traité de la Clémence* de Sénèque, il faisait
périr sur le bûcher Michel Servet qui niait le mystère de la
Trinité.

Si Luther avait créé la Réforme, Calvin en coordonna la doctrine dans l'*Institution de la religion chrétienne.*   Cet ouvrage
offrait trois grandes nouveautés : la matière même, la méthode et
la langue.   La matière, c'était la philosophie chrétienne affranchie de la théologie ; les vérités appartenant à ces deux sciences
n'y étaient pas mêlées, le plan en était méthodique ; le même ordre se faisait voir dans le langage, par la suite, la gradation et
l'exactitude des expressions.   C'était la première fois que les
Saintes Ecritures étaient dégagées des ténèbres dont les avait en-
veloppées le moyen-âge, et que la raison et la science rendaient
compte de la foi.   Que de vérités, que d'idées générales qui n'a-
vaient point encore pris place dans la pensée française, et quelle
nouveauté que la façon grave, forte et populaire avec laquelle
Calvin les présentait ! Il faut se figurer que trente ans avant l'apparition de son livre, il n'y avait en France, pour toute Bible,
qu'une sorte d'interprétation grossière, où la glose était mêlée au
texte, et qui faisait accorder la parole sacrée avec les abus de
l'Eglise romaine.   Les prédicateurs de la cour de Louis XII fai-

saient aller Caïn à la messe et payer les dîmes à Abel ; Abraham
et Isaac récitaient le *Pater noster* et l'*Ave* avant de se mettre au
lit, etc. Le style de Calvin est plus nerveux que coloré, il a plus
de mouvement que d'images, il est souvent triste et même amer ;
son objet n'est pas de plaire, mais de convaincre. Calvin ne séduit pas les cœurs comme Luther orateur et poète, mais il enlace
les esprits dans les replis serrés de son syllogisme ; et si l'on aime
sa parole nette et subtile, on admire encore plus la fermeté de
son caractère irréprochable, son courage, ses vertus privées, ce
sacrifice de la chair à la vie de l'esprit qui l'ont rendu capable de
gouverner les hommes.

Rabelais (1495–1553). Il est difficile de renfermer Rabelais
dans aucune classification, parce qu'il remplit tous les genres ; il
est à la fois érudit, philosophe, publiciste, romancier, satirique,
novateur dans toutes les directions de la pensée. Il naquit à Chi-
non, en Touraine, et on le trouve tour-à-tour moine cordelier,
prêtre séculier, étudiant à la faculté de médecine de Montpellier,
secrétaire d'ambassade à Rome, et enfin curé à Meudon,
près de Paris.

Le livre qui a fait la réputation de Rabelais : *La vie inestima-
ble de Gargantua et de Pantagruel,* est impossible à analyser.
C'est une œuvre inouïe, mêlée de science, d'obscurité, de comique, d'obscénité, d'éloquence et de haute fantaisie, qui ne
ressemble à rien, et dont on se demande après l'avoir lue, si
on l'a bien comprise. Mais si ce livre est souvent indéchif-
frable dans les détails, il est clair dans l'ensemble, et l'intention
en est manifeste. Lorsque Rabelais entreprend avec Panurge
ce long voyage à travers des terres inconnues, chaque fois qu'il
aborde quelque contrée nouvelle, ce pays imaginaire représente
quelque canton de la société humaine. Voilà le sens profond et
véritable de cet apparent dévergondage. Il n'est railleur et
enjoué qu'à la surface, au fond c'est un esprit sérieux, indigné
des abus dont il rit.

Sous des figures allégoriques, notre auteur fait la satire de toute
la société, mais il ne fait le portrait de personne. Il traite de
tout et semble se moquer de tout : éducation, politique, religion,
législation, tout y passe, et partout ses idées devancent son siècle.
Il a entrevu toutes les réformes modernes : liberté politique et
religieuse, destruction des privilèges, perfectionnement de la procédure, organisation des finances.   Son traité d'éducation à propos
de son jeune héros, le gigantesque Gargantua, est prodigieux
pour son siècle ; il y fait une part considérable, excessive peut-
être, à la gymnastique, en réaction contre le système du moyen
âge qui proscrivait les exercices du corps aux clercs ; il veut encore que son élève soit initié à la vie réelle et pratique, qu'il
connaisse le monde enfin et toutes ses conditions ; idées si
nouvelles alors.   En somme, *Gargantua* est une œuvre toute
pénétrée de passion pour la justice, la vérité et la tolérance.
Rabelais ne peut pas être mis au premier rang parmi les hommes
de génie par quiconque ne sépare pas la supériorité intellectuelle
de la supériorité morale ; de grands défauts l'en écartent : le
plus grand est cette partie immonde de ses œuvres que rien ne
justifie. Selon La Bruyère, il est "tantôt un mets des plus
délicats, tantôt le charme de la canaille." Peu d'écrivains ont
plus fait pour enrichir la langue que Rabelais ; il y a versé une
foule d'expressions et de tours qui y sont demeurés.

Contes. — Le *Pantagruel* produisit de nombreuses imitations et de nombreuses parodies, de peu de valeur cependant ;
mais son influence se fait sentir chez plusieurs auteurs du temps,
surtout chez Despériers et Noël du Fail.

Bonaventure Despériers, né vers 1500, mort en 1544, fut secrétaire de Marguerite de Navarre. Il écrivit un étrange petit livre : *La Cymbale du Monde,*
suite de dialogues assez décousus, où il se montre hostile à toute religion ré-
vélée ; par là, il scandalisa catholiques et protestants et perdit la protection de
Marguerite. Ses *Nouvelles récréations et Joyeux Devis*, recueil de 139 contes
tirés en partie de farces et de fableaux français, forment une causerie fine et
abondante à propos du plus léger sujet.

Noël du Fail, (1520–1591), magistrat de Rouen, écrivit un grand nombre de contes. Les *Propos rustiques et facétieux*, sont des conversations de paysans; les *Baliverneries* décrivent la vie et les coutumes bretonnes; les *Contes et discours d'Eutrapel* sont des dialogues satiriques entre trois personnes sur la vie du temps.

Les ouvrages historiques aussi bien que les chroniques de cette période ont peu de valeur. On ne sait à qui attribuer *la Joyeuse, plaisante et récréative histoire du gentil seigneur Bayart, composée par le loyal serviteur;* le trop modeste auteur de cette petite biographie est sans doute un secrétaire ou un écuyer du "chevalier sans peur et sans reproches." La simplicité, le naturel et l'agrément de la narration rappellent Joinville.

Romans. — Le XVIe siècle vit, en France, le commencement du roman moderne. Les romans de chevalerie qui s'étaient lentement changés en *romans d'aventures,* trouvent leur plein développement dans l'*Amadis de Gaule,* traduit de Montalvo et ses successeurs; cette version commencée vers 1540 fut terminée par Herberay des Essarts vers 1548 pour François Ier. Des aventures extraordinaires et merveilleuses de chevaliers, des conversations galantes et l'amour en forment le fond.

Les premiers traités de grammaire et de langue se firent durant cette première moitié du siècle.

SECONDE PÉRIODE, DE 1550 À 1600.

Pendant cette période, il s'opère un changement complet dans la prose et dans la poésie par l'étude des classiques; non seulement les formes d'expression revêtent des tournures nouvelles, mais on rompt entièrement avec le moyen âge dont on dédaigne les écrivains.

LA POÉSIE.

La Pléïade et son Œuvre. — **Ronsard** (Pierre, 1524–1585) page des fils de François Ier et plus tard de Jacques Stuart, roi d'Ecosse, passa plusieurs années à voyager en Europe. A vingt ans, il revint à Paris. Frappé d'une surdité précoce, il renonça à

la cour, "Car," dit Claude Binet, son biographe, "à la cour,
mieux vaut estre muet que sourd"; il s'enferma au collège de
Coquerel, alors sous la direction du savant Daurat, et là, avec ses
amis Antoine de Baïf et Remi Belleau, il étudia pendant cinq
ans la philosophie et les sciences, mais surtout le grec et le latin.
Plus tard Joachim Du Bellay, Etienne Jodelle, et Ponthus de
Thyard se joignirent à eux.   Cette petite troupe de poètes qui
reconnaissait Ronsard comme chef, s'intitula d'abord la *Brigade*,
puis la *Pléiade*, en souvenir de la Pléiade alexandrine qui avait
fleuri sous les Ptolomées.   Mus par une noble ambition, ces
jeunes gens formèrent et mûrirent le plan d'une vaste réforme
poétique.   Pour atteindre ce but, ils entreprirent premièrement,
de créer une langue poétique tout à fait distincte de celle de la
prose; deuxièmement, d'introduire dans la littérature française
les différents genres qui lui manquaient, comme la tragédie, la
comédie, la poésie épique et l'ode; troisièmement, d'enrichir la
versification par des rimes fortes et sonores; quatrièmement, de
faire entrer la mythologie dans la poésie.   La devise de la
Pléiade fut : "enrichissons le français avec les dépouilles des
anciens."   Du Bellay se chargea d'écrire le manifeste de la
nouvelle école, et en 1549, deux mois après l'édit du Parlement
contre les mystères, parut sa *Défense et illustration de la langue
française.*

Trois sentiments distincts avaient inspiré la *Défense* dont
l'influence a été si considérable : l'amour de la langue française,
le mépris de son ancienne poésie, et l'admiration enthousiaste
de l'antiquité.   Ce manifeste est un vigoureux écrit; il y a peu
d'ordre dans la forme, mais la langue en est ferme, le ton vif et
naturel, la pensée complète; Du Bellay y dit tout ce qu'il avait
à dire hors de son lieu ou en son lieu.   Le caractère de cette poésie
qu'il désire pour la France est indiqué avec une justesse admirable.   Il recommande l'étude et l'imitation de l'antiquité dans la
peinture de la vie humaine et dans l'expression des vérités géné-

rales, là où les anciens ont surtout excellé. "Sachez lecteurs, dit-il, que celui sera véritablement le poète que je cherche en nostre langue, qui me fera indigner, apayser, jesouyr, douloir, aymer, hayr, admirer, estonner, bref, qui tiendra la bride de mes affections, me tournant çà et là à son plaisir." C'est l'image même de la haute poésie et le portrait de nos grands poètes. L'idéal de Du Bellay n'est donc pas comme on l'a cru souvent, une imitation savante et glacée des anciens, mais une poésie vivante et jeune, originale et personnelle. Ses paroles sont du plus grand prix, et ses idées sont justes et élevées.

Presque aussitôt après la *Défense* parurent les premières odes de Ronsard, imitées de Pindare et d'Horace. Notre poète devint aussitôt l'objet d'une idolâtrie dont rien aujourd'hui ne peut donner une idée : il fut le miracle du siècle. Les rois et les princes rivalisèrent à le combler de bienfaits. On le faisait l'égal d'Homère et de Virgile ; et c'était là l'opinion des esprits les plus judicieux, de Montaigne surtout qui quoique doutant de tout ne doutait pas de l'immortalité de Ronsard. Elizabeth et Marie Stuart tombèrent d'accord pour l'admirer, la première payant ses éloges d'un diamant. Le Tasse, venu à Paris, s'estimait heureux de lui être présenté et d'obtenir son approbation pour les premiers chants de la *Jérusalem délivrée*. Pardonnons-lui donc, si sur la foi de ses contemporains, il a trop cru à son génie et à son immortalité. "Vous êtes mes sujets, je suis seul votre roi," dit-il quelque part. Sa verve féconde dura jusqu'à sa mort. Mentionnons les *Amours de Cassandre*, d'après Pétrarque ; le *Bocage royal;* les *Hymnes;* les *Discours, sur les misères de ce temps,* dirigés contre les Protestants. Jaloux de donner un poème épique à son siècle, il publia en 1572, les premiers chants de sa *Franciade*, mais il sentit l'inanité de cette tentative et l'œuvre resta inachevée. Ronsard mourut à 60 ans, entouré d'une gloire immense ; mais cette réputation sans égale fut sans lendemain : Malherbe commença l'attaque contre lui, et Boileau porta les derniers coups dans ces vers : —

> " Ronsard, qui le suivit (Marot), par une autre méthode.
> Réglant tout, brouilla tout, fit un art à sa mode,
> Et toutefois longtemps eut un heureux destin.
> Mais sa Muse, en français parlant grec et latin,
> Vit, dans l'âge suivant, par un retour grotesque,
> Tomber de ses grands mots le faste pédantesque."

Ce n'est qu'au début de notre siècle que Ronsard a retrouvé des admirateurs qui lui ont rendu le rang qui lui appartenait comme grand poète ; à Sainte-Beuve est dû l'honneur d'avoir commencé cette œuvre de réhabilitation.

Dans son immense activité et son ambition démesurée, Ronsard avait voulu tout renouveler : la langue et les rythmes, l'inspiration et les genres poétiques. A l'exception de la tragédie et de la comédie, il ressucita tous les autres genres. Il a imité l'antiquité, souvent d'une façon très heureuse. Il a multiplié, assoupli, varié à l'infini les rythmes poétiques ; c'est là son grand mérite. Dans la grande poésie et dans le style élevé, l'inspiration lui manque, il est froid et pénible ; dans l'ode légère et courte, il est fréquemment parfait ; son goût exquis d'artiste et sa langue harmonieuse le servent là merveilleusement. Il semble impossible de parler de ses poésies sans citer cette strophe si connue de l'ode *à Cassandre :*

> " Mignonne, allons voir si la rose
> Qui ce matin avait déclose
> Sa robe de pourpre au soleil,
> A point perdu cette vêprée,
> Les plis de sa robe pourprée
> Et son teint au vôtre pareil."

En résumé, Ronsard est un grand poète. Quelles que soient ses erreurs, il mérite sa place dans l'histoire de la poésie. Sa passion pour l'antiquité a été d'un bon exemple ; il porta les esprits à des études fécondes, où l'on devait prendre le goût d'ouvrages meilleurs que les siens.

Autres poëtes de la Pléïade. — Du Bellay (1525–1560) qui
dans sa *Défense* avait donné le signal de la réforme poétique
joignit l'exemple au précepte.   Il fut, après Ronsard, le meilleur poëte de la Pléïade ; quelques unes de ses pièces ont une
grâce charmante ; surtout la *Villanelle du Vanneur de blé.*

Il excellait à traduire l'émotion dans une forme à la fois exquise et simple.   Le sonnet suivant, écrit à Rome, met en lumières
ces qualités de Du Bellay :

> "Heureux qui, comme Ulysse, a fait un beau voyage,
> Ou comme cestuy-là qui conquit la toison,
> Et puis est retourné, plein d'usage et raison,
> Vivre entre ses parens, le reste de son âge !
>
> Quand revoirai-je, hélas ! de mon pauvre village
> Fumer la cheminée, et en quelle saison
> Revoirai-je le clos de ma pauvre maison,
> Qui m'est une province et beaucoup davantage !
>
> Plus me plaist le sejour qu'ont basty mes ayeulx,
> Que des palais romains le front audacieux ;
> Plus que le marbre dur me plaist l'ardoise fine,
>
> Plus mon Loyre gaulois que le Tybre latin,
> Plus mon petit Lyré que le mont Palatin,
> Et, plus que l'air marin, la doulceur Angevine."

Il savait aussi décocher l'épigramme, témoins ces vers également composés à Rome où il passa quatre ans dans un ennui
mortel :

> " Je n'escris de l'honneur, n'en voyant point icy ;
> Je n'escris d'amitié, ne trouvant que feintise,
> Je n'escris de vertu, n'en trouvant point aussi ;
> Je n'escris de sçavoir, entre des gens d'Eglise."

Les *Antiquités de Rome,* recueil de sonnets, furent traduits
par Spencer (1591) ; les *Jeux rustiques* sont de petits poèmes
champêtres d'un style familier quoique toujours savant ; les
Regrets, série de sonnets où il note ses impressions personnelles,
sont pour la plupart, des petits chefs-d'œuvre par l'énergie de
l'expression, la vivacité et la franchise du style.   Il n'avait que

trente-cinq ans lorsqu'il mourut, mais ses contemporains l'avaient
déjà surnommé l'*Ovide français*.

Belleau (Remi, 1528-1577) est une des plus gracieuses figures
de ce groupe poétique. Il n'a pas visé haut et s'est contenté
d'exprimer ce qu'il a senti ; il n'a rien créé, rien inventé, il
n'a fait que peindre ; Ronsard l'appelait *le peintre de la nature*.
Son meilleur ouvrage est la *Bergerie*, où il a fait entrer, en les
rattachant par un fil léger, toutes sortes de poèmes.

Baïf (Antoine de, 1532–1589) était un esprit novateur et plein
d'initiatives plus ou moins heureuses. Il chercha à introduire
dans notre poésie le système de versification des Grecs et des
Romains, et voulut simplifier l'orthographe française. Il rédigea,
et fit approuver par Charles IX les statuts d'une académie de poésie et de musique qui subsista dix ans ; la guerre civile y mit fin.
Son meilleur ouvrage, les *Mimes*, est un recueil de fables, d'apo-
logues, de proverbes et de maximes ; les petits récits gais ou
touchants y abondent ; Baïf y montre du bon sens, de l'esprit,
de la facilité et une morale douce et humaine. Il ne soigne pas
toujours assez son style.

Thiard (Ponthus de, 1521–1605) évêque de Châlons, est le
dernier poète lyrique de la Pléïade. Ses vers sont froids et durs.

La réforme littéraire que la Pléïade avait voulu effectuer ne
pouvait pas réussir, parce qu'un idiome ne s'impose pas en un
jour ; néanmoins sa tentative a été salutaire. La langue y a beaucoup gagné, la langue poétique surtout qui en a reçu une forme
rigoureuse et pure, et si cette école n'a pas laissé d'œuvres
vraiment supérieures, elle a ouvert la voie aux productions classiques du siècle suivant.

Parmi les imitateurs de la Pléïade mentionnons : **Olivier de Magny** (1529–
1561), secrétaire de Henri II, auteur d'odes et de sonnets gracieux, mais sans
force. **Louise Labé** (1526–1566) de Lyon, était le centre d'une société littéraire ; tous les poètes de son temps l'ont chantée. Elle a écrit des sonnets
où les pensées valent plus que la forme, et une allégorie en prose, les *Débats de*

la folie et de l'amour. **Amadis Jamyn** (1530–1593), l'élève favori de Ronsard, écrivit un poème sur la chasse pour Charles IX, ainsi que des odes, des élégies, des sonnets. **Desportes** (1546–1606) très en faveur auprès de Henri II qui lui avait donné quatre abbayes, employa généreusement sa grande fortune à protéger les hommes de lettres. De bonne heure il avait fait connaissance avec la poésie italienne, et il entreprit d'en transporter toute la fleur en France. En 1604, il publia *les Rencontres des Muses de France et d'Italie,* recueil de sonnets dont un grand nombre n'étaient que des traductions. Ses dernières poésies sont édifiantes mais médiocres; aussi Malherbe lui disait-il brutalement lorsqu'il voulait retarder le dîner pour lui dire ses vers : "Votre potage vaut mieux que vos psaumes." **Vauquelin de La Fresnaye** (1536–1606) était magistrat à Caen. Sa première œuvre fut les *Foresteries,* idylles champêtres où il décrit la Normandie; elles furent suivies par des *Satires* d'après Horace; il introduisit en France les satires comme genre littéraire. *L'Art Poétique* est un code littéraire un peu confus, mais ingénieux des doctrines de la Pléiade; il y ajoute son expérience personnelle et son savoir.

Poètes protestants. — Du Bartas (1544–1590).

Il se forma, loin de la Pléiade et de Paris, un poète qui tout en croyant aider au succès de la réforme poétique, a contribué plus que tout autre à en compromettre le succès, ce fut le seigneur Du Bartas, noble Gascon de la religion réformée. Sous prétexte que la langue était encore dans son enfance, il s'arrogea le droit de la manier à son goût; il se vante de faire "quelques verbes des noms"; par exemple de *limaçon limaçonner;* de *dédale dédaler:* ou bien il répète la première syllabe de certains mots pour en augmenter l'éclat ou la force : *pétiller* ne peignant pas assez vivement à son gré le bruit et les étincelles du feu, il en fait *pé-pétiller;* il ne suffit pas à Nérée d'être *flottant,* il devient *flo-flottant.* En dépit de ses travers et de ses interminables descriptions, ses coreligionnaires essayèrent de l'opposer à Ronsard lorsque parut en 1579 son principal ouvrage : *La Semaine ou la Création en sept journées,* poème épique en sept chants, et vaste encyclopédie où dans un cadre biblique l'auteur déploie ses connaissances scientifiques puisées en grande partie dans l'*Histoire naturelle* de Pline l'Ancien; ce livre eut trente éditions et fut traduit dans toutes les

langues; il a agi sur Moore, Milton et Byron. Du Bartas explique ainsi son ouvrage : "C'est une œuvre qui n'est pas purement épique ou héroïque, ains (mais) en partie panégyrique, en
partie prophétique, en partie didascalique ; icy je narre simplement l'histoire, là j'esmeu les affections ; icy j'invoque Dieu, là
je lui ren graces ; icy je chante un hymne, j'instruy les hommes
en bonnes mœurs, là en piété ; icy je discours des choses
naturelles ; et là je loue les bons esprits." On a dit avec esprit, que
"c'est la création du monde racontée par un Gascon." Ses autres
œuvres sont *Judith*, *Uranie*, les *Neuf Muses*, et *le Triomphe
de la foi*. Du Bartas mérite de la considération par l'élévation
soutenue de ses sentiments et ses efforts constants vers la grandeur.
Il a du feu, une verve parfois éloquente et beaucoup d'imagination ; mais peu d'art, nul goût et un style emphatique, heurté,
souvent barbare.

D'Aubigné (Agrippa, 1551-1630), grand-père de Mme de
Maintenon, est un poète bien plus remarquable que Du Bartas.
Il appartenait à une famille noble et puissante de la Saintonge.
A l'âge de huit ans, comme il traversait un jour Amboise avec son
père, celui-ci lui montra les têtes exposées des conjurés protestants[1] et lui fit jurer de les venger. Après de très fortes
études, il entra au service des princes huguenots et ne cessa de
guerroyer pour son parti qu'à la fin des guerres civiles. A l'âge
de soixante-dix ans il fut condamné à mort pour la quatrième
fois ; il échappa encore et se réfugia à Génève où il mourut âgé
de soixante-dix-huit ans. Un tel homme devait avoir quelque
chose d'intéressant à dire, et il le dit dans les *Mémoires* de sa vie
racontée à ses enfants. Ses œuvres sont considérables ; il a
écrit des sonnets, des stances et autres poésies légères où il
imite Ronsard, moins le goût. Son œuvre capitale, les *Tragi-*

---

[1] La *Conjuration d'Amboise* éclata le 15 Mars 1560 et fut promptement ré
primée par des exécutions sanglantes.

ques, poème en neuf mille vers et divisé en sept chants, ne fut
publiée qu'en 1616 ; il y avait travaillé pendant quarante ans au
hasard de sa vie orageuse et vagabonde, à cheval, en voyage, au
camp ; le plan se ressent de ces interruptions ; les parties n'en
sont pas fondues, mais il y en a d'admirables. Les titres des
chants nous en disent assez l'idée principale : *Misères ; Princes ;
Chambre dorée* (la grande chambre du Parlement): *Feux ; Fers ;
Vengeances ; Jugement dernier.* Cette satire politique et religieuse, mélange incohérent de mythologie, d'allégorie, de théologie, abonde en beaux vers. Il ne faut pas demander au poète
sectaire l'impartialité si rare alors ; lui-même avoue qu'il écrit
pour satisfaire " sa haine partisane " ; mais cette réserve faite, il
faut admirer sa puissance d'imagination extraordinaire, son inspiration ardente et la richesse de ses images. Son style est
souvent emphatique, tendu, mais c'est en le comparant à celui de
Du Bartas qu'on apprend à distinguer l'emphase éloquente de
l'emphase creuse. Au contraire de ses contemporains adorateurs
de la forme, d'Aubigné s'attache à la pensée ; sa langue rude
comme sa profession, revêt quelquefois l'expression biblique, et
rappelle Ezéchiel plutôt que l'esprit d'Horace ; elle est belle aussi
quand la pensée dissipant les nuages d'une expression laborieuse
et triste, éclate tout-à-coup comme un glaive qui sort du four-
reau. Avec quel enthousiasme et quelle grandeur il glorifie les
martyrs étouffés dans les flammes du bûcher !

> " Les cendres des brûlés sont précieuses graines,
> Qui, après les hivers noirs d'orages et de pleurs,
> Ouvrent, au doux printemps, d'un million de fleurs
> Le baume salutaire, et sont nouvelles plantes,
> Au milieu des parvis de Sion florissantes.
> Tant de sang que les rois épanchent à ruisseaux,
> S'exhale en douce pluie et en fontaines d'eaux,
> Qui, coulantes aux pieds de ces plantes divines,
> Donnent de prendre vie et de croître aux racines."

LE THÉÂTRE.

La révolution poétique ne fut pas moins grande au théâtre qu'ailleurs. Du Bellay, dans son *Manifeste*, avait parlé avec le plus grand dédain des moralités et des farces ; il avait fait appel aux novateurs pour restaurer en France le théâtre en "son ancienne dignité." Ce dédain était partagé par la Pléiade sincèrement persuadée que tout ce qui l'avait précédée en France était de nulle valeur.

Jodelle (1532–1573) le plus jeune membre de la Pléiade, prit pour lui l'invitation de Du Bellay et fut le premier qui hasarda sur la scène le genre antique. A dix-neuf ans, il composa une *Cléopâtre* qui fut représentée par lui-même et ses amis en présence de Henri II et de toute la cour ; elle eut un succès prodigieux, quoiqu'elle ne fût qu'un calque inanimé de la tragédie grecque. Dans l'enthousiasme du succès, les amis de Jodelle lui offrirent le bouc de l'antiquité, et leurs ennemis les accusèrent d'avoir sacrifié l'animal à la mode des païens. Ronsard protesta contre cette calomnie ridicule :

> "Deux ou trois ensemble en riant ont poussé
> Le père du troupeau à long poil herissé.
> Il venait à grands pas, ayant la barbe peinte ;
> D'un chapelet de fleurs la teste il avait ceinte,
> Le bouquet sur l'oreille, et bien fier se sentoit
> De quoi telle jeunesse ainsy le présentoit.
> Puis il fut rejetté pour chose méprisée,
> Après qu'il eust servi d'une longue risée,
> Et non sacrifié . . ."

La *Cléopâtre* de Jodelle est une œuvre fort médiocre ; il n'y manque rien de ce qui pouvait s'emprunter à l'antiquité ; on y trouve une rigoureuse observation des unités, la narration substituée à l'action, et le dialogue au spectacle, des chœurs, peu de personnages, une action simple et un effort soutenu vers le vers noble, mais nulle invention dans les caractères, dans les

situations et dans la conduite du drame.   Toutefois, cette pièce
de peu de mérite est importante dans l'histoire de la littérature : c'est une œuvre d'initiative, elle annonce la tragédie
classique.

L'autre tragédie de Jodelle, *Didon se sacrifiant,* offre les mêmes
caractères de froideur et de monotonie, mais avec plus de bonnes
parties.   Il y a plus d'originalité dans la comédie de l'*Abbé Eugène;*
les seules choses qui la distinguent des farces, c'est la nouvelle
division en cinq actes et une versification plus soignée.   Jodelle
était doué d'une grande facilité ; il prodigua son esprit en pièces
fugitives qu'il ne se donnait point la peine de recueillir.   Il mourut à quarante et un ans, pauvre, usé, aigri par la misère.

Garnier (Robert, 1545–1590) qui lui succéda n'a pas montré
un talent plus véritablement dramatique dans les sept tragédies
qu'il a composées, mais il est souvent très grand poète. *Sédécie
ou les Juives,* tragédie biblique, sur la prise de Jérusalem par
Nabuchodonosor, est de beaucoup sa meilleure œuvre ; on y
trouve un certain mouvement dramatique et des caractères bien
dessinés, un style vigoureux et gracieux en même temps.   Dans
Bradamante, imitée de l'Arioste, il a créé un genre nouveau : la
tragi-comédie.

Le vrai génie dramatique a manqué à la Renaissance ; elle a
produit beaucoup de beaux vers, mais pas une seule belle tragédie.
La science du théâtre, l'art de construire une pièce animée, intéressante, de développer une situation dramatique par la lutte de
caractères opposés ou de passions contraires, fait totalement
défaut.

La comédie nouvelle se sépara moins brusquement de la farce
du moyen âge : elle parut la régulariser plutôt que la supplanter.
Elle s'appuya aussi de l'exemple des comédies italiennes. **Jean
de la Taille** (1540–1608) dans ses *Corrivaux,* comédie en prose,
suivit les traces de l'Arioste. **Larivey** (1550–1612), qui mérite,
après l'auteur de Pathelin, d'être regardé comme le meilleur

poète comique de notre vieux théâtre, déclara ouvertement l'intention d'imiter les poètes comiques de l'Italie, et il le fit souvent avec succès. A part une immoralité grossière, les comédies de cette époque ne manquent pas de mérite et d'agrément. Un vers de huit syllabes coulant et rapide, un dialogue vif et facile, des mots plaisants et malins y rachètent l'uniformité des plans, la confusion des scènes, la trivialité des personnages, et les rendent infiniment supérieures aux tragédies du même temps.

Il n'y a probablement qu'un très petit nombre des pièces du XVIe siècle qui furent jouées en public, beaucoup ne furent jamais représentées.

Tous les genres poétiques furent essayés durant ce siècle, sinon toujours avec succès, du moins avec enthousiasme. La poésie s'était enhardie aux grandes idées, aux œuvres puissantes, il restait au XVIIe siècle à compléter l'œuvre.

La Prose. Morale et Philosophie.

Amyot (1513–93). L'étude passionnée de l'antiquité grecque et romaine ne tarda pas à produire des fruits plus durables. Amyot comprit que le moyen le plus puissant et le plus efficace d'enrichir l'idiome français, c'était de verser pour ainsi dire dans notre langue, le recueil le plus complet des idées, des mœurs, des hommes et des choses de l'antiquité. Il le fit en traduisant en français les œuvres de Plutarque, cet homme supérieur qui avait recueilli tous les souvenirs de la Grèce et de Rome. On sent quel intérêt dut produire la lecture de ce répertoire de l'antiquité : ses grands hommes dans les *Vies ;* ses philosophies, ses religions, ses mœurs, sa vie domestique dans les *Œuvres Morales.* Amyot ne pouvait faire un choix plus approprié au besoin de l'époque, car aucun auteur dans l'antiquité n'a plus exprimé d'idées générales que Plutarque. Son influence, qui fut grande sur l'esprit et les idées, fut aussi fâcheuse à de certains points de vue : elle porta les hommes à placer leur idéal dans les sociétés antiques qui ne sauraient en aucune façon servir de modèles à nos Etats modernes. Comme historien et comme moraliste Plutarque touche à tout ; aussi la lecture de ses œuvres fut-elle une école de morale presque autant qu'une école de langage.

Cette traduction célèbre est moins une version qu'une création originale ; le style d'Amyot, qui abonde en idiotismes, a enrichi notre langue d'une foule de mots et de tournures, et par la constante comparaison du grec avec le français, il a montré quels guides nous devions suivre. Le sentiment de cette acquisition fut si vif, que Montaigne put dire au nom de tous ses contemporains : " Nous aultres ignorants estions perdus si ce livre ne nous eust relevés du bourbier ; sa merci (grâce à lui) nous osons à cette heure et parler et escrire ; les dames en régentent les maistres d'eschole : c'est notre bréviaire."

La gloire de cet évènement à la fois politique et littéraire appartenait au fils d'un boucher de Melun. La tradition raconte qu'Amyot vint très jeune à Paris, qu'il fut le domestique des écoliers du Collège de Navarre, et qu'il étudiait la nuit à la lueur des charbons embrasés. Quoi qu'il en soit, ses succès et son mérite le firent successivement professeur de grec et de latin à l'université de Bourges, précepteur des fils de Henri II, aumônier de Charles IX, et évêque d'Auxerre. Il avait commencé par traduire deux romans grecs : les *Amours de Théagène et Chariclée*, et *Daphnis et Chloé*. C'est le seul écrivain que des traductions aient conduit à la gloire.

Montaigne (1533–92) naquit en Périgord, au château qui porte son nom. Toute son enfance se passa dans une atmosphère de liberté et de bonheur ; son père le faisait réveiller au son de la musique, ses études se firent en jouant et il apprit le latin comme sa langue maternelle, par la conversation ; il étudia aussi le grec, le droit et acquit une grande érudition. Il lisait assidûment Sénèque et Plutarque, mais c'est le Plutarque d'Amyot qu'il préférait ; il nous avoue ingénument qu'il n'a " quasi d'intelligence du grec," et ailleurs il ajoute : " Je ne me prends guère aux Grecs, parce que mon jugement ne se satisfait pas d'une moyenne intelligence."

C'est en se nourrissant d'antiquité que son imagination prenait l'essor, et il écrivait comme au hasard, sans plan ni méthode, les chapitres de ses immortels *Essais.* " C'est ici, dit-il, au lecteur, un livre de bonne foy. . . je veux qu'on m'y veoye en ma façon simple, naturelle, et ordinaire, sans estude et artifice ; car c'est moy que je peinds."

En effet, Montaigne est tout entier dans son œuvre, et son caractère, tel qu'il nous le montre, est un mélange de paresse et d'activité, de bonhomie et de finesse, d'ouverture et de prudence, de franchise et de souplesse. Voilà quels dons naturels et quelle disposition admirable Montaigne apportait à ses *Essais,* où il a constamment en vue un seul sujet : l'homme qu'il nous peint, nous montre, nous explique, sans cesse ; cet homme, c'est luimême, ou plutôt, c'est nous, c'est l'homme tel qu'il fut, tel qu'il sera toujours ; et c'est là le secret de l'immortalité de son ouvrage.

Les *Essais* ont toute la grâce d'une fantaisie et toute la profondeur d'une étude ; tout le charme d'une conversation et toute la valeur d'un traité scientifique. A cette peinture de lui-même, Montaigne rattache naturellement et sans y songer toutes sortes de questions. Il écrit tour à tour sur la poésie, la médecine, l'histoire naturelle, la politique, les religions, la morale ; il s'intéresse à toutes les idées. Il raconte sa propre vie, mais sans suite, en commençant par le milieu ; ses commerces, surtout sa liaison avec La Boétie. Il se contredit sans cesse et n'en a nul souci. Les sujets de ses chapitres sont tantôt un axiome de morale, tantôt une vertu, une passion, une coutume ; tout s'entasse sans ordre. Il a peint lui-même ce caprice de son esprit : "A mesure que mes rêveries se présentent, je les entasse." Toutefois à travers ce désordre et ces détours, son système se

laisse entrevoir : c'est une sorte de quiétisme religieux et politi·
que ; c'est l'indépendance de l'homme, la liberté du philosophe
et l'affranchissement de la morale, avec la soumission du citoyen
et du laïque : " Pourquoi changer les cultes et les gouvernements ? " dit-il. Point de vue égoïste, qui en condamnant toute
innovation, autoriserait l'immobilité de la civilisation.

Dans ce temps-là, où les affirmations violentes s'établissaient par
le fer et le feu ; où en politique, en religion, en littérature, chacun
disait : " Je sais tout," Montaigne opposait le doute à cette confiance présomptueuse et prenait pour devise : " *Que sais-je ?* "
Il cherche toujours par sa modération, à concilier toutes les contradictions. Son plus grand tort est d'acheminer les âmes à la
paix par l'indifférence.

Le trait qui brille du plus vif éclat chez lui, c'est l'imagination,
et Voltaire disait avec raison : " Ce n'est pas le langage de Montaigne, c'est son imagination qu'il faut regretter." Il a manié la
langue avec une force et une souplesse inconnues avant lui ; nul
n'a écrit comme lui, ni mieux que lui ; nul n'a possédé à un si
haut degré le bonheur dans le choix des mots, le pittoresque
dans l'image. Il a certainement beaucoup ajouté à la richesse
de la langue et de l'esprit français, par la multitude infinie de
pensées très déliées et de nuances très subtiles qu'il a le premier
su exprimer. Sa popularité est l'ouvrage du temps, car il ne fut
connu que de quelques esprits de choix de son époque ; son siècle
ne comprit pas son système d'insouciance hardie et profonde.
Les esprits enflammés de passions n'étaient guère disposés à
accepter les idées libérales du philosophe. De Thou disait de
lui : "C'est un homme d'une liberté ingénue que ses *Essais*
immortaliseront dans la postérité la plus reculée." De Thou
avait raison : peu d'auteurs, depuis trois siècles, ont eu plus de
lecteurs en France, et des lecteurs plus amis de l'écrivain.

Boétie (Étienne de la, 1530-1563). Nous ne pouvons passer
sous silence l'homme qui a inspiré à Montaigne une si belle page

sur l'amitié. L'éducation de la Boétie fut tout l'opposé de celle
de son ami, elle fut très sévère. Tout pénétré des écrivains
grecs et latins, républicain de cœur et d'esprit, il composa à dix-
huit ans son *Discours sur la servitude volontaire*, attaque
énergique et éloquente contre le despotisme royal. Cette
attaque lui fut inspirée par la vue des atrocités commises à Bor-
deau, au nom de la royauté, lors de la révolte des habitants
contre l'impôt du sel. Dans ce discours où il épanche sa douleur patriotique, on croirait lire, suivant la belle expression de
M. Villemain, "un manuscrit antique trouvé dans les ruines de
Rome, sous la statue brisée du plus jeune des Gracques"; c'est
bien en effet l'éloquence d'un tribun honnête homme et de race
patricienne, qui s'indigne sincèrement de l'oppression et de
l'abaissement du peuple. Toute sérieuse que soit l'œuvre, la
jeunesse de l'auteur se trahit par une confiance naïve en des
moyens impraticables, et par l'illusion d'une âme candide. Il
composa aussi des poèmes français et latins, et fit des traductions du grec.

Charron (1541–1603), disciple, ou plutôt plagiaire de Montaigne, était
un esprit aussi méthodique, aussi régulier, que le génie de l'autre était libre et
capricieux; même en copiant son maître il ne lui ressemble pas; grave, com-
passé, il n'a ni son originalité de génie, ni sa vivacité d'expression. Dans son
traité *de la Sagesse*, il dépasse de fort loin le scepticisme de Montaigne, tout
en faisant profession d'orthodoxie.

Ramus, ou Pierre de la Ramée (1510–72), qui avait gardé les troupeaux
pendant son enfance, s'éleva par la force de son esprit à une haute position.
Il enseigna avec éclat la philosophie qu'il tenta d'émanciper des entraves de la
dialectique. Son traité sur la logique est le premier ouvrage de philosophie
publié en français.

PAMPHLETS, MÉMOIRES ET CRITIQUES.

Les passions du siècle créèrent un genre littéraire inconnu à
l'antiquité: le pamphlet. Le pamphlet remplaça le discours.
Son caractère est l'à-propos; il naît et meurt au gré des
circonstances. Il est de tous les genres de littérature, et prend

toutes les formes et tous les tons : manifestes, remonstrances, conseils. Chaque jour, et à chaque évènement, mille pamphlets éclataient ; les passions et les intérêts s'y montraient avec une vivacité et une fécondité qui prouvent l'ardeur des esprits et nous révèlent la véritable physionomie des factions rivales, politiques et religieuses. D'abord, ils furent sérieux, comme *l'Apologie d'Hérodote* de Henri Etienne ; les *Réclamations contre les tyrans,* c'est-à-dire les rois, par Sanguet, et où la langue et le style sont ceux de l'érudition. Mais peu à peu, le pamphlet perdit de sa dignité, il devint agressif, personnel et souvent grossier. Tous les partis y déchargeaient leurs haines et leurs vengeances. Les titres de quelques-unes de ces productions peuvent fournir une idée du contenu : *Epître au tigre de France,* ce tigre est le cardinal de Lorraine ; *Actions et déportements de la reine Catherine de Médicis ; Vie et faits de Henri III, où sont consignés les trahisons, perfidies, cruautés, sacrilèges et hontes de cet hypocrite et apostat.*

Le dépouillement de ces pièces atteste un notable progrès dans la langue, amené par le désir d'être lu et par le besoin d'être compris de tous et de persuader.

La Satire Ménippée — L'ouvrage le plus renommé dans ce genre, celui qui exerça une influence plus décisive sur l'opinion publique, fut la *Satire Ménippée.*

Après la mort de Henri III, la *Ligue,* parti ultra-catholique, voulait placer sur le trône le duc de Mayenne, de la maison de Lorraine ; dans ce but, elle n'hésita pas à appeler l'Espagne à son secours contre le huguenot Henri IV (de Navarre), le roi légitime. Les Etats généraux convoqués à Paris en février 1593 pour donner un roi à la France avaient échoué misérablement. En présence de ce péril éminent, tout ce que la bourgeoisie renfermait d'hommes éclairés et de bons citoyens se serrèrent autour de Henri IV qui avait abjuré le protestantisme au mois de juillet de la même année ; ce parti fut celui des *Politiques.* Aux attaques

furieuses des prédicateurs de la Ligue, les Politiques répondirent
par la *Satire Ménippée* qui parut en 1594. Œuvre nationale et
éminemment sensée, elle révéla les intrigues des ligueurs et porta
un coup mortel aux prétentions espagnoles ou lorraines ; elle
acheva ce que la politique de Henri IV, aussi bien que ses succès
militaires avaient commencé, elle anéantit la Ligue en l'enseve-
lissant dans le ridicule.

La *Ménippée* fut écrite par sept bourgeois pacifiques et lettrés, qui ne demandaient rien pour eux-mêmes et n'avaient
d'autre zèle que celui du bien public : Pierre-Le-Roy, chanoine
de Rouen, qui eut l'idée et donna le plan de la satire ; Jacques
Gillot, chanoine de la Sainte Chapelle ; Passerat, poète d'un
talent fin et piquant, érudit, et professeur de philosophie au
Collège de France ; Gilles Durand, jurisconsulte et aussi poète ;
le médecin Florent Chrétien, qui avait été précepteur de Henri
IV ; l'érudit et caustique avocat Rapin ; et Pierre Pithou, jurisconsulte profond, qui sut dégager et affermir l'Église gallicane.

Cette satire fut appelée *Ménippée*, en mémoire du cynique Mé-
nippe, célèbre au IIIe siècle avant J. C. pour ses amères railleries.
Elle commence par mettre en scène deux charlatans qui représentent les partis espagnol et lorrain ; ils débitent le *Catholicon
d'Espagne*, drogue merveilleuse avec laquelle on peut à loisir com-
mettre tous les crimes et toutes les bassesses, elle "n'est pas
comme le catholicon de Rome qui n'a d'autre effet que d'édi-
fier les âmes et n'est bon qu'aux Politiques." Le second acte
parodie une séance d'ouverture des États de la Ligue, où le
clergé paraît en habits sacerdotaux, les uns portant des épées
les autres des lances, ceux-ci morion en tête, ceux-là revêtus de
cottes de mailles. Rien de plus amusant que leurs discours.
Le duc de Mayenne est le premier à prendre la parole, mais
une force invisible brouille ses idées et lui fait avouer tout ce
qu'il voudrait le plus cacher. Il croit parler de son dévouement
à Dieu et à la Sainte Ligue, un démon malin change sa phrase

et il s'écrie qu'il a toujours sacrifié la cause de Dieu à ses intérêts et à sa conservation ; la religion est le moyen, la couronne le
but.   En même temps comme il ne sent pas quelle substitution
de langage se fait dans sa bouche, il garde sa contenance héroïque
de spadassin, et fait l'aveu de son égoïsme et de ses passions
sur un grand ton de dévouement et de solennité.   Même naïveté
involontaire dans les autres orateurs ; chacun découvre sa pensée,
et tous les faux prétextes de bien public et d'intérêt religieux
sont enlevés pour laisser voir à nu les ressorts réels qui mettent
en jeu tous les acteurs du drame : l'ambition, la cupidité, la vengeance.   Alors commence une scène inexprimable de confusion.
Le calme se rétablit enfin, et d'Aubray prend la parole ; il représente le Tiers Etat.   Jusqu'alors la Ménippée est une ironie admirable ; maintenant elle devient noble et éloquente.   La harangue
d'Aubray qui termine la satire est un modèle de bon sens, de
dialectique et d'éloquence qui est souvent sublime à force de
naturel.

Les auteurs firent si bien sentir à tous l'odieux et le ridicule
des prétentions des Ligueurs, qu'ils les réduisirent à l'impuissance, et leur parti fut anéanti.   Ce qui fait que la Ménippée est
plus qu'un pamphlet, plus qu'une satire, c'est que sous les traits
de chaque acteur, elle montre et fait ressortir les passions éter-
nelles de l'humanité.

Le XVIe siècle abonde en *Mémoires* curieux et intéressants,
mais sans grand mérite littéraire.   Cette période si pleine de
mouvement produisait le besoin de raconter.   Il nous reste vingt-
six ouvrages de ce genre écrits dans la seconde moitié du siècle,
par des contemporains, qui presque tous ont pris part aux affaires
qu'ils racontent.

Brantôme et Montluc, tous deux Gascons, ont décrit d'une
manière remarquable les évènements.   Le premier est un courtisan dénué de toute morale, indifférent au vice et à la vertu, il ne
dissimule rien et n'exagère rien.   Il est impartial par vice.   Le

second est un catholique ardent, un soldat fanatique, et ce sont ses passions qui font l'intérêt de ses *Commentaires*. Il est incomparable pour les descriptions de batailles et les harangues militaires. Il se signala par ses cruautés contre les protestants, et sa plume qui est d'acier comme son épée et son âme, raconte ses atroces exécutions avec verve ; personne n'a tué " les ennemis de Dieu " plus vertueusement ; son seul regret est de n'en pas avoir tué davantage.

Le brave et irréprochable **La Noue** (1531–1591) fut surnommé le *Bayard des Huguenots*. " C'est un grand homme de guerre, disait Henri IV, et encore plus un grand homme de bien." Ses *Mémoires* font autant d'honneur à son esprit droit et élevé, qu'à ses sentiments profondément religieux. Son langage est nerveux, précis, et coloré.

Marguerite de Valois, première femme de Henri IV, couronne pour ainsi dire la collection, par son esprit, sa finesse d'observation, sa grâce égoïste et légère. Elle ne parle guère que d'elle-même dans ses Mémoires ; le *moi* y domine, mais elle a le génie de nous intéresser à ce *moi* et de nous le faire aimer. Sous le rapport du style, ses mémoires sont supérieurs à ceux de son temps ; le tour de la langue est vif et aisé, l'expression délicate, piquante et fine. Elle forme la transition entre le XVe et le XVIIe siècle, entre Christine de Pisan et Mme de Sévigné.

Les lettres de Henri IV tiennent une place très honorable dans la littérature française ; rien n'égale la vivacité des tours, ni l'originalité de l'expression dans sa correspondance personnelle. Ses lettres politiques sont concises et fines comme ses harangues ; celles qu'il écrivait aux femmes sont des chefs-d'œuvre de grâce, de sentiment et de délicatesse.

Fauchet (Claude, 1530–1601), historiographe de Henri IV, créa la critique littéraire et historique en France dans ses *Antiquités gauloises et françaises*. Dans le *Recueil de l'origine de la langue et de la poésie françaises*, il prouve que le français est dérivé du latin ; il donne des notes littéraires et des extraits de manuscrits de 127 poètes français antérieurs à l'an 1300.

Pasquier (Etienne, 1529–1615) montre son amour patriotique par le soin qu'il met à débrouiller les origines de notre histoire politique et littéraire dans ses *Recherches de la France ;* il explique une foule de points jusque là obscurs relatifs à nos vieilles institutions, nos lois, nos mœurs et notre langue.

Etienne (Henri, 1532-1598) le troisième d'une illustre dynas-tie de savants imprimeurs-libraires, publia lui-même 170 éditions d'auteurs en diverses langues, spécialement d'auteurs grecs, et rendit aux études antiques un service inappréciable en publiant à ses propres frais le vaste répertoire intitulé, *Trésor de la langue grecque.* Dans le *Traité de la conformité du français avec le grec*, il affirme à tort la parenté de notre langue avec celle de Demosthène. Les *Deux dialogues du nouveau langage italianisé* sont une virulente satire contre l'influence italienne de la cour, et ils portèrent un premier coup au travers public qui s'attachait à travestir la langue et les manières à la mode d'au delà des Alpes. Dans *Le Projet ; De la précellence du langage français*, il cherche à démontrer l'infériorité de la langue italienne. Les innombrables faits qu'il a rassemblés concernant le vocabulaire et la syntaxe de ses contemporains, font de lui un guide indispensable pour la connaissance approfondie du français au XVIe siècle. Jeté au milieu d'une époque où les uns n'admiraient que les langues anciennes, tandis que d'autres affectaient de ne reconnaître qu'à l'italien la qualité de langage civilisé, poétique, harmonieux, Etienne s'est dégagé hardiment de tous les préjugés du pédantisme et de la mode ; il a su défendre contre tous la cause du français, et en montrer l'originalité, la souplesse et l'abondance ; et par là, il a préparé la royauté que notre idiome a exercée au siècle suivant.

Il se fit pendant cette période un grand nombre de livres sur la grammaire, la langue, l'agriculture, la médecine, etc., et beau-coup de traductions de romans grecs, espagnols, et italiens.

On voit par cet aperçu, qu'au XVIe siècle tout le champ de la pensée avait été défriché : le passé avait été exhumé par l'étude de l'antiquité ; le présent avait été raconté dans les Mémoires ; l'avenir avait inquiété les esprits et on avait tenté des réformes civiles et religieuses. La Renaissance n'avait pas été l'indépendance absolue, l'originalité entière et native, mais une originalité qui tout en n'osant s'affranchir entièrement des modèles anciens, se manifestait cependant par la combinaison piquante du motif antique avec une interprétation et un accommodement modernes. Le XVIIe siècle devait accomplir les réformes commencées par son prédécesseur dans toutes les directions de la pensée.

CINQUIÈME ÉPOQUE.

DIX-SEPTIÈME SIÈCLE.

DE 1601 À 1630 (AVANT CORNEILLE).

État de la littérature. — Les deux grands mouvements du
siècle précédent, la réforme religieuse et la renaissance des lettres antiques, se réglèrent enfin et firent succéder la discipline à
l'anarchie, dans le monde politique comme dans le monde littéraire.   Henri IV, par sa sage administration, mit les factions
hors de cause ; il établit et maintint l'indépendance et l'unité
du pays.   Malherbe fit pour la langue ce que le roi avait fait pour
le pays, il en établit l'indépendance.   Au début du "grand siècle," de ce siècle si classique, la littérature était encore hésitante ;
elle n'avait pas de caractère précis.   La société, de son côté,
était envahie par la subtilité italienne et l'emphase espagnole qui
s'étaient introduites à la suite des guerres et des reines étrangères ; la langue et l'esprit français étaient, pour ainsi dire, sub-
mergés par les idées, les formes et les mots des nations voisines.
Ce mauvais goût, d'ailleurs, n'existait pas seulement en France
au commencement du siècle, il florissait dans toute l'Europe.
Partout on faisait consister la principale beauté du style dans
l'affectation : en Angleterre régnait *l'euphuisme ;* en Espagne, le
cultisme que nous nommons le *gongorisme,* du nom de son in-
venteur, Gongora ; en Italie, Marini donnait les plus beaux modèles de langage alambiqué, qui s'est appelé de lui le *marinisme,*
où il faisait scintiller les pensées brillantes ou *concetti.*   Marini et
Perez, ce dernier disciple de Gongora, vinrent en France ; on
leur fit fête à la cour et un grand nombre de nos écrivains
s'égarèrent sur les pas de ces faux maîtres.   L'intérêt est de

voir comment le génie national se dégagea peu à peu de ces éléments hétérogènes qui le polirent, il est vrai, mais qui alors menaçaient de l'engloutir ; et comment il en sortit, toujours aussi sensé, aussi judicieux et fin, mais plus noble, plus éloquent et plus harmonieux.

Les Poètes. Tentative de Réforme Littéraire.

Malherbe (François de, 1555–1628). Boileau, dans son *Art Poétique*, salue ainsi l'avènement de Malherbe :

> " Enfin Malherbe vint, et, le premier en France,
> Fit sentir dans les vers une juste cadence,
> D'un mot mis en sa place enseigna le pouvoir,
> Et réduisit la muse aux règles du devoir.
> Par ce sage écrivain la langue réparée
> N'offrit plus rien de rude à l'oreille épurée."

Il s'agissait de rendre à l'esprit français son indépendance, de le délivrer de la superstition de l'antique aussi bien que de la livrée des modernes. Il fallait donner à notre langue, déjà puissante et plus riche même qu'elle ne fut ensuite, plus de discipline et de régularité ; établir la clarté, la netteté du tour, la construction logique des mots et des idées qui faisait souvent défaut. Il fallait rendre la poésie populaire ; trouver pour un pays encore partagé en classes, une langue qui ne fut ni au dessous de la délicatesse des classes élevées, ni au dessus de l'intelligence de la foule ; un idiome enfin commun à la cour, à la ville et au peuple. Après cette réforme générale, il fallait créer la critique de détail, et en quelque sorte, inventer le goût, cette qualité qui ne se définit pas, mais qui existe toutefois. Pour opérer cette transformation, des théories, des règles eussent été trop peu, il fallait consacrer le nouveau mouvement par des modèles. Tout cela fut l'œuvre de Malherbe, et c'est le sentiment de la nécessité comme de la grandeur de l'entreprise qui fait dire à Boileau avec un accent si vrai : " Enfin Malherbe vint ! "

Le caractère, l'âge, le génie particulier de Malherbe convenaient admirablement à ce rôle de réformateur qu'il exerça
pendant vingt ans. Il était réformateur par vocation, d'un
caractère peu facile et partant apte à dominer, d'un esprit
quelque peu étroit, court de vues, mais juste et sûr de soi. Vif,
passionné, d'une netteté de langage qui ne souffrait aucune
obscurité ; il s'enorgueillissait d'être appelé *le tyran des mots et
des syllabes.* Le culte de la langue fut sa religion, il la prêchait
encore au lit de mort à sa garde-malade. Il donna des règles à
ce qu'on avait le plus méconnu au XVIe siècle : la correction
dans le langage, la régularité dans la poésie.

Les premières poésies de Malherbe sont assez médiocres et
remplies des défauts qu'il attaqua lui-même plus tard. Son génie
se révéla pour la première fois dans les immortelles *Stances à
Du Périer sur la mort de sa fille*, composées entre 1601 et 1605.
Henri IV ayant entendu parler de Malherbe, le persuada de
quitter Caen, sa ville natale, pour venir s'établir à Paris, où pendant près de vingt-cinq ans il célébra en vers les grandes actions
et les succès du Béarnais, puis ceux de Louis XIII et de Richelieu ; son talent hautain, solennel et majestueux le rendait fort
propre à ce rôle. L'autorité de ses exemples, son crédit à la
cour, la décision de son esprit, lui firent bientôt des disciples.
Ce fut une nouvelle brigade qui déclara la guerre à celle de Ronsard. Malherbe attaqua d'abord l'imitation matérielle et servile
de l'antiquité, et prit pour devise : " *Abstiens-toi* " ; indiquant en
même temps de quelle manière on pouvait et devait imiter les
anciens. La beauté d'une pièce de vers consistait, à ses yeux,
dans le choix d'un petit nombre d'idées sensées, très générales,
rendues avec force, précision et harmonie. A ces changements
dans le fond même de la poésie, répondirent autant de changements dans la langue. Ronsard avait enseigné qu'il existe une
langue poétique, et raillé ces versificateurs " qui pensent avoir
accompli je ne sais quoi de grand quand ils ont rimé de la

prose en vers." Malherbe voulut au contraire que le poète s'ex-
primât simplement, sans tours hardis, sans figures outrées ; il
rejeta toute cette langue gréco-latine de la Pléïade, proscrivit les
patois gascons, italiens et espagnols ; il répudia également la cour
et le collège, la mode et l'érudition. Comme Molière plus tard, il
trouvait dans le peuple de Paris, la bonne langue *qui n'est pas
sujette aux variations de la mode.*

Dans la critique qu'il fit des vers de Ronsard et de Desportes,
il les biffa presque tous ; son exemplaire de Ronsard est perdu,
mais celui de Desportes annoté de la main de Malherbe existe
encore, et il n'y va pas de main morte : "Cette sottise est non-
pareille," dit-il d'un passage ; " Cette phrase est latine" ou bien
"Sot et lourd " d'un autre. La guerre que Malherbe fit à cette
corruption primitive de la langue fut impitoyable. Il n'en laissa
rien échapper ; mauvaises métaphores, pensées incomplètes, dis-
parates, redondantes, brillantes sans solidité, épithètes banales,
rien ne trouva grâce. Mais il ne lui suffisait pas de critiquer les
autres, il sut joindre l'exemple au précepte. Les innovations les
plus formelles de Malherbe portèrent sur la versification. Il
proscrivit l'hïatus (rencontre de deux voyelles dont l'une finit un
mot et l'autre commence le mot qui suit) ; l'enjambement (rejet
au vers suivant d'un ou plusieurs mots qui complètent le sens du
premier vers) ; la césure (repos ménagé dans un vers pour en
régler la cadence) dégagée du sens ; la rime ou faible ou trop
facile qui ne satisfait pas à la fois l'œil et l'oreille. Grammairien
plutôt que poète, il apportait un soin minutieux dans le travail de
la versification : on dit qu'il gâtait souvent une rame de papier
pour faire et refaire une stance. On a calculé que pendant les
onze années les plus fécondes de sa vie, il n'a composé, en
moyenne, que trente-trois vers par an ; mais ses exemples étaient
la sanction de ses doctrines. C'est un bel exemple que celui de
cet homme, grand poète presque par devoir ; s'attachant pour
l'exemple à un genre où ne le portait ni son imagination, ni son

humeur, mais soutenu contre les difficultés de sa tâche par le
sentiment qu'elle était nécessaire.   Malherbe a manqué d'imagination ; il a surtout manqué de sentiment et de spontanéité ; il
est plus judicieux que fécond, plus sage qu'ingénieux ; son
invention consiste à choisir, mais comme il choisit bien, et
quelle précision, quelle clarté de style, quel rythme harmonieux !
Dans son œuvre peu étendue, tout n'est pas parfait, mais un
petit nombre de pièces sont d'une beauté achevée ; de belles
odes, d'admirables stances, et certaines périphrases de Psaumes
sont des modèles de poésie et de langage.   Quand on lit Malherbe, on serait tenté de croire ses vers écrits d'hier, tant ce style
noble et précis a conservé sa fraîcheur et sa pureté, et nous
admirons encore aujourd'hui ce que nos pères admiraient, il y a
près de trois siècles.

   L'influence de Malherbe a-t-elle été heureuse de tous points ?
Nous ne le croyons pas.   Par sa sévérité et sa correction, il a
contribué plus que tout autre à établir notre style classique en
vers, mais il a fait perdre à la langue de la littérature beaucoup
de cette fantaisie, de cet abandon, et de cette liberté d'allure qui
faisaient son charme.   La poésie lyrique qui veut avant tout la
hardiesse et la libre expression, et qui avait jusqu'alors compté
de brillants représentants en France, se trouva entravée par ces
préceptes.   Après Malherbe et ses élèves, elle languit près de
deux siècles et ne reprend vie qu'avec André Chénier.   Mais dans
un ordre plus général, tous les écrivains ont profité des leçons de
Malherbe.   "Malherbe, disait Jean Louis de Balzac, nous a appris ce que c'est que d'écrire purement et avec un soin scrupu-
leux.   Il nous a appris que dans les pensées, le choix est le
principe même de l'éloquence."

   École de Malherbe. — **Racan** (1589-1670). **Maynard** (1582–
1646).   Les plus distingués parmi les poètes qui travaillèrent
sous la direction de Malherbe sont le marquis de Racan et le président Maynard.   Le premier surpassa son maître autant par le

sentiment et la grâce, qu'il lui est inférieur pour la correction et la
régularité.　C'est un poète nonchalant, un rêveur incapable
d'une attention soutenue et de forte méditation.　Sans Malherbe,
Racan entraîné par sa verve eût improvisé toute sa vie des vers
éphémères ; au lieu qu'il a laissé quelques pages fortement pensées et très purement écrites.　Au milieu d'une société peu naïve, il a conservé l'intelligence et l'amour de la campagne.　Dans
ses *Bergeries*, interminable drame champêtre vide de tout intérêt
dramatique, il est souvent faux et maniéré lorsqu'il fait parler ses
ennuyeux bergers de convention, mais il est noble et touchant
et tout à fait poète lorsqu'il célèbre la douceur de la vie des
champs.　Un souffle virgilien semble alors avoir passé dans ses
vers.　Ses *Bergeries* mirent ce genre à la mode.

Il ne faut demander à Maynard ni la veine fluide, ni l'harmonieuse mollesse de Racan, mais en retour, il est châtié, nerveux,
élégant et clair.　Il fit des sonnets, des épigrammes et un poème
pastoral, *Philandre*.　Il est piquant et spirituel au sens le plus
moderne du mot ; ses vers semblent écrits d'hier.

Les dissidents. — L'autorité de Malherbe toutefois, ne s'établit pas sans résistance.　"Tout reconnut ses lois," dit Boileau ;
mais cela n'est vrai que de la postérité du poète ; sa discipline
parut intolérable à beaucoup de ses contemporains ; et dans la
première moitié du siècle, un groupe de poètes resta attaché
à l'époque précédente et refusa de se soumettre à l'autorité du
réformateur ; mais nul autant que Régnier.

Régnier (Mathurin, 1573–1613), doué d'un talent original,
sut, tout en imitant Horace et Juvénal dans ses seize *Satires*, imiter avec indépendance et conserver la verve gauloise de Villon
et de Marot dont il procède.　D'un caractère doux, indépendant et mesuré, le *bon Régnier*, comme on l'appelait, était
ennemi des préjugés, et n'était d'aucune secte ni d'aucun parti
politique.　Il saisit les ridicules et met hardiment en scène les
défauts de l'humanité, mais ce sont des caractères généraux, des

types qu'il présente ; jamais des personnages vivants : s'y reconnaît
qui veut.   Dans sa neuvième satire, Régnier attaque Malherbe et
son école qui ne sont à ses yeux que des grammairiens pédantes-
ques.   D'un caractère indolent, il ne pouvait souffrir cette discipline régulière à laquelle le réformateur voulait soumettre la
poésie, et prit hautement la défense de la Pléiade ; il veut avec
elle la libre inspiration du génie dans la poésie et il conseille au
poète de "laisser aller sa plume où la verve l'emporte."   Pour la
langue, même liberté ; Malherbe prend ses termes dans le peuple, mais ne les prend pas tous, il choisit ; Régnier, lui, ne re-
jette rien, ni les expressions triviales, ni même les gros mots.
Il a une imagination facile, exubérante ; sa pensée n'a rien de
bien profond, et s'arrête volontiers à la surface des choses.   Il
a l'esprit, l'enjouement, la verve, mais il s'occupe plus de la peinture que de la leçon.   Il est grand poète, mais inégal parce
qu'il est négligent ; ses vers peu travaillés sont aussi abon-
dants en négligences qu'en beautés.   Parmi les esquisses légères
de Régnier se trouve un vrai chef-d'œuvre, *Macette, ou la vieille
hypocrite* qui affecte la dévotion :

> " Son œil tout pénitent ne pleure qu'eau bénite."

Viau (Théopile de, 1590–1626).   Un autre dangereux
ennemi de la nouvelle réforme fut Viau, le poète favori de
l'époque.   Il s'attacha au duc de Montmorency, selon l'usage
du temps qui voulait que tout homme de lettres fut le protégé
d'un grand.   En 1617, il fit jouer les *Amours tragiques de
Pyrame et de Thisbé* qui eut un immense succès, parce que ses
personnages y parlaient le langage raffiné des alcôvistes et le
peuple aimait à entendre cette langue sur la scène.   Deux vers
de cette pièce sont restés fameux :

> " Ha ! voici le poignard qui du sang de son maître
> S'est souillé lâchement ; il en rougit, le traître ! "

Ces vers et quelques autres de la même trempe ont fait
méconnaître le talent réel et original de Viau ; il a écrit de fort
beaux vers et il avait un sentiment très vif de l'harmonie de la
strophe. Il n'a presque rien laissé d'achevé, mais il mourut très
jeune, après une vie malheureuse et agitée. Il fut plus original
comme critique que comme poète.

L'HÔTEL DE RAMBOUILLET ET SON ŒUVRE.

Aux influences que nous avons vues s'exercer sur la littérature,
il en est une autre qui date entièrement du XVIIᵉ siècle ; c'est
celle de la société polie, celle des salons que Mᵐᵉ de Rambouillet inaugura dans son hôtel de la rue Saint-Thomas du
Louvre.

L'excessif sans-gêne dans les manières et le langage de la
cour de Henri IV, blessait sans cesse l'âme pure et l'esprit
délicat de la jeune marquise ; elle se retira et vers 1614 elle ouvrit sa " chambre bleue'' qui devint bientôt le rendez-vous pré-
féré des beaux esprits, des hommes et des femmes les plus distingués. Ce cercle d'élite fut donc, dans l'origine, un cercle d'op
position élégante et modérée, destiné à combattre indirectement
les barbarismes et les orgies de la cour, par la pureté de leur
langage et de leurs mœurs ; sans échapper entièrement aux
travers de la mode, aux *pointes*, aux *concetti*, il continua le travail
de Malherbe sur la langue française. Le poète avait donné à
notre idiome la force, la noblesse ; l'hôtel l'assouplit et ajouta à
ses autres qualités la finesse et la politesse, ce sont là les qualités qu'il s'efforça surtout de faire pénétrer dans la langue et la
société.

Bâtie à quelques pas du Louvre, cette maison semblait une
autre cour, plus choisie, sinon plus nombreuse que celle de Marie
de Médicis. C'était le palais de l'esprit à côté de celui du
pouvoir. Deux femmes y régnèrent pendant ses quarante ans

d'existence : Mme de Rambouillet, et sa fille Julie d'Angennes, toutes deux remarquables pour leur beauté aussi bien que pour la bonté, la grâce et les charmes d'un esprit cultivé. Ce salon vit tour à tour Malherbe, Balzac, Armand Du Plessis, qui fut plus tard le puissant Richelieu, Corneille, Mme de Sévigné, Molière, Racine, Boileau, La Rochefoucauld ; il vit tous les talents d'un siècle qui en eut tant.

On briguait l'honneur d'être admis chez Mme de Rambouillet, car l'admission était un double brevet de culture intellectuelle et de décence morale. " C'était," dit Saint-Simon, " le rendez-vous de tout ce qui était le plus distingué en condition et en mérite ; un tribunal avec lequel il fallait compter, dont la décision avait un grand poids dans le monde " ; il donnait le ton à la ville, à la province, à la cour même. De tous les salons qui se formèrent alors, celui de la marquise est le seul qui ait eu une influence générale et décisive ; il épura la langue et le goût, donna aux sentiments et aux mœurs plus de délicatesse ; il servit de public aux écrivains en attendant qu'il pût se former un public véritable.

Tous se rencontraient à l'hotel sur un pied d'égalité ; les grands seigneurs y apprirent à respecter les gens de lettres qui étaient recherchés, mais ne dominaient pas. Les femmes prirent bientôt une sorte de supériorité qui contribua puissamment à polir et les gens de plume et les gens d'épée. Chez la marquise régnaient la suprême distinction, la familiarité, l'art de tout dire avec grâce ; en un mot l'esprit de conversation y naquit, s'y développa et s'y maintint. Rien ne représente mieux les goûts de l'hôtel de Rambouillet que la célèbre *Guirlande de Julie* présentée à Mlle de Rambouillet le premier janvier 1641 par le duc de Montausier, qu'elle épousa plus tard. C'était un cahier en vélin dont chaque feuille contenait une des plus belles fleurs peinte en miniature par le fameux peintre Robert et accompagnée d'un madrigal composé par dix-neuf des meilleurs poètes du temps : le grand Corneille lui-même se chargea du lys, de l'hya-

cinthe et de la grenade. Il ne sera peut-être pas sans intérêt de
savoir que les trois exemplaires que le duc fit faire de cet album
existent encore aujourd'hui : l'un est une simple esquisse sans
beaucoup d'importance ; l'autre, le magnifique in-folio même présenté à Julie, se trouve actuellement entre les mains des descendants de la noble famille ; le troisième est une copie, moins les
miniatures, que M. de Montausier avait fait faire vraisemblable-
ment pour lui-même.

Mme de Rambouillet peut être considérée sous deux aspects : il
y a le côté brillant qui nous la montre entourée d'une cour choisie,
fière d'être accueillie par elle et heureuse de mériter les suffrages de son esprit délicat ; l'autre côté nous dévoile une femme
entourée de sa nombreuse famille, éprise des joies intimes du
foyer, vaillante à supporter les chagrins sans nombre qui l'ont
visitée. Nature exquise et fine, difficile dans le choix de ses
amies, sincère, fidèle et indulgente pour eux. "Noble femme,
s'écrie M. Cousin, dont le regard, comme le charbon ardent du
prophète, purifiait autour d'elle les cœurs et les lèvres et dont
la médisance n'a jamais osé approcher."

Pourtant, le cercle de l'incomparable *Arthénice* (anagramme
de Catherine, son nom), ne pouvait échapper à la destinée des
réunions de choix qui deviennent forcément des coteries, et se font
des idées et un langage à part. On épura trop, on raffina trop
sur la langue, sur les sentiments, et la *préciosité* apparut, c'est-à-
dire l'affectation dans les sentiments, dans le langage et dans le
style, mais il ne forma pas le mauvais goût, comme on l'a trop
dit. Le prestige du noble hôtel était si grand, qu'on ne tarda
pas à l'imiter. Il se forma à Paris, en province, dans la haute
noblesse et la petite bourgeoisie, une quantité de cercles ou *ruelles*, où pédants et pédantes firent de la littérature subtile et du
sentiment alambiqué ; le naturel et la franchise en étaient bannis
comme trop vulgaires. Les choses ordinaires de la vie y pas-
saient pour humiliantes ; on y parlait un langage intelligible aux
initiés seuls.

Le nom de *Précieuses* donné d'abord aux dames de l'hôtel de
Rambouillet, fut longtemps honorable pour elles ; ce n'est donc
pas à elles, mais à cette autre génération de Précieuses dégé-
nérées que le ridicule s'est attaché, c'est à ces dernières que
dès 1637 s'est attaqué Desmarets, dans sa comédie des *Visionnaires*, et ce sont elles qui succombèrent définitivement sous les
coups de Molière dans les *Précieuses ridicules*, en 1659.

RICHELIEU ET L'ACADÉMIE FRANÇAISE.

La politique puissante et audacieuse de Richelieu n'est pas
ce qui nous occupe ici, mais l'influence qu'il exerça sur la
littérature. Il comprit la dignité que les lettres donnent à
un peuple ; il comprit non moins bien de quelle utilité leur
culture peut être pour la politique et pour le gouvernement
d'une nation ; aussi appela-t-il autour de lui les gens de lettres et
les couvrit-il de sa protection en leur accordant des récompenses
et des honneurs. Mais le plus grand service qu'il ait rendu aux
lettres, c'est la fondation de l'Académie française, cette autre
institution qui grandit en même temps que l'hôtel de Rambouillet, et dont l'influence fut plus durable quoiqu'elle se fît moins
sentir alors.

Quelques auteurs, au nombre de neuf, dit-on, avaient formé
sans bruit une sorte de cercle littéraire sous la direction de Con-
rart, homme de goût et ami des lettres. Le cardinal apprenant
l'existence de ce cercle y vit le germe d'une grande institution, et
il en invita les membres à se constituer en corps sous une autorité
publique. Ils résistèrent d'abord par esprit d'indépendance,
mais il fallut finir par céder à l'homme à qui tout cédait ; la
société fut définitivement constituée en 1635 sous le nom
d'*Académie française*, et le nombre de ses membres fixé à quarante. L'Académie avait pour but exclusif de garantir l'unité et la
pureté du langage, et d'entretenir l'émulation des écrivains par
l'insigne honneur qui s'attachait aux noms que consacraient ses

suffrages ; honneur tel, que les plus hautes dignités de l'État
y trouvaient un nouveau relief.   Chargée du dépôt de la langue,
l'Académie entreprit dès ses débuts la tâche de composer une
grammaire et un *dictionnaire* dont la direction fut confiée à
Vaugelas.

Les réformateurs, en voulant épurer le français de tout élément étranger, étaient allés trop loin, comme dans presque
toute réforme d'ailleurs ; on s'était tellement attaché aux mots,
qu'on avait souvent perdu de vue la pensée ; l'Académie dans le
dictionnaire qu'elle rédigea, ne s'en tint pas seulement aux mots,
elle fixa aussi des règles d'après lesquelles les pensées, les tours
furent contrôlés, tout en laissant à chacun la liberté de suivre son
génie particulier ; elle ne demandait que les qualités essentielles
sans lesquelles un écrit est mauvais ; elle voulait la raison,
l'ordre et un langage exact.   En un mot, l'Académie apporta
dans la langue française un élément de fixité ; dans la littérature, un élément d'unité.   Elle ajouta ainsi beaucoup, sinon
à la perfection ou à l'originalité, du moins à la puissance et à
l'éclat de la littérature et de la langue.

La Prose.

Lettres.— **Balzac** (Jean Louis de, 1594–1654) et **Voiture**
(1598–1648) sont deux hommes qui brillèrent au premier rang
parmi les beaux esprits de l'hôtel de Rambouillet, qui furent les
représentants les plus accomplis du style précieux, et qui créèrent
le genre épistolaire artificiel.   Tous deux composaient des lettres
destinées à être montrées, à courir les salons avant d'être réunies
en volumes.   Balzac qui fraya la voie, fut surnommé le "grand
épistolaire" ; Voiture se contenta de passer pour l'homme le plus
spirituel de son temps.   Tous deux s'éloignèrent le plus possible
de la simplicité et du naturel ; leurs lettres étaient des tours de
force ; ils déguisaient des riens sous des ornements splendides
ou délicats.   Mme de Sévigné se donna moins de peine et réussit
mieux.

Du fond de son château de Balzac, " *l'hermite de la Charente* " était l'oracle du salon de Rambouillet et de la jeune Académie. Il les fréquentait peu, mais ses lettres et ses épîtres entretenaient l'enthousiasme du premier et dirigeaient les délibérations de la seconde. Ses lettres sont des réflexions sur les évènements de l'époque ; la guerre, la paix, la politique en fournissaient souvent la matière ; d'autres sont purement littéraires ; quelques-unes écrites de Rome donnent des descriptions passionnées.

Balzac a peu d'invention, mais il a une haute et ferme raison, une âme naturellement élevée ; il avait horreur de la bassesse dans les idées comme dans le langage ; son sentiment du beau et du bon est très vif. Il n'a ni cette force d'intelligence qui ordonne et enchaîne les idées, ni cette émotion vraie qui ajoute la chaleur à la lumière ; c'est par le cœur qu'il pêche, il n'aimait que lui-même et ne cherchait qu'à faire briller son bel esprit et son beau langage. Ses périodes se produisent par système et non par inspiration ; l'uniformité de ses procédés est le vice de sa méthode ; la marche symétrique de sa phrase est toujours prévue, comme les figures de son langage et ses bons mots ; rien de naturel, rien de spontané, de sorte que son style devient monotone en dépit de son admirable pureté et de son harmonie. Sa phrase ample, pleine, bien pondérée, bien construite ; son langage toujours précis, majestueux ; ses mots admirablement choisis, ne réussissent pas toujours à cacher la faiblesse des pensées.

Ses ouvrages sont médiocres, mais son influence fut excellente : il apprit aux autres à bien écrire et ne fut guère moins utile à la prose, que Malherbe à la poésie. Il a fait faire à la France, suivant l'ingénieuse expression de Sainte-Beuve, une bonne rhétorique. C'est au XVIIᵉ siècle, qu'on a commencé à faire entrer des œuvres écrites dans le domaine de l'éloquence ; ainsi Balzac, qui ne prononça jamais un discours, était considéré comme le plus illustre représentant de l'éloquence française ; on le surnomma le

Père de l'éloquence. Ses défauts sont moins déplacés dans les *Entretiens, Aristippe, le Socrate chrétien,* qui sont des dissertations philosophiques, morales et religieuses ; le *Prince* qui est l'idéal d'un prince parfait, et dans lequel il célèbre l'unité politique et religieuse du royaume. C'est Balzac qui fit fonder le prix d'éloquence que l'Académie décerne encore aujourd'hui ; la première couronne fut déposée sur le front vénérable de Mlle de Scudéry en 1671, pour avoir développé cette pensée : *De la louange et la gloire ; qu'elles appartiennent en propriété à Dieu.*

Si Balzac était l'oracle de l'hôtel de Rambouillet, Voiture en fut l'âme et l'idole pendant 30 ans. Fils d'un marchand de vin, il vécut cependant sur un pied d'égalité avec les plus grands noms. C'est lui qui représente le mieux, soit par sa prose, soit par ses vers, les défauts et les qualités de cette société brillante et maniérée. Voiture a été proclamé le père de l'ingénieuse badinerie ; et en effet, personne n'a plaisanté plus agréablement et plus finement.

Saint François de Sales, (1567–1622). La chaire chrétienne, durant les dissensions religieuses, avait souvent servi de tribune aux fougueux orateurs qui substituaient des cris de guerre aux conseils de paix de l'Evangile ; leur parole sanguinaire avait armé la main de Jacques Clément contre Henri III en 1589, et celle de François Ravaillac contre Henri IV en 1610. Tout différents étaient l'esprit et le caractère de Saint François de Sales, qui sut se faire aimer des protestants comme des catholiques par sa douceur, sa charité et son indulgence. En 1602, il prêcha le carême dans la chapelle du Louvre ; Henri IV le jugea : " un esprit solide, clair, résolutif, point violent, point impétueux, et lequel ne voulait emporter les choses de haute lutte, ou de volée." Ce sont là en effet quelques-uns des traits de cette éloquence insinuante et persuasive qui trouvait sa force dans la douceur. En 1608, il fit paraître un petit livre de piété, destiné aux gens du monde : l'*Introduction à la vie dévote ;* jamais, depuis

l'*Imitation de Jésus-Christ,* aucun livre de dévotion n'avait obtenu une telle popularité.   En 1614, il donna le *Traité de l'amour
de Dieu,* qui eut un succès égal, mais qui est moins connu aujourd'-
hui.   Saint François de Sales a laissé inédite une vaste correspondance spirituelle, où, en voulant seulement guider les âmes fidèles
dans les voies de la vie intérieure, il étonne et ravit le moraliste par
une merveilleuse connaissance du cœur humain et une fine analyse de nos passions.   Il est le plus fleuri de nos écrivains, on
peut même dire qu'il l'est trop ; mais hâtons-nous d'ajouter que
chez lui, les fleurs ne servent pas à masquer le vide des pensées
comme chez beaucoup d'écrivains ; elles recouvrent et embellis-
sent un fond solide de doctrine et de raisonnement.   Ce luxe de
métaphores, d'images, de comparaisons empruntées surtout à la nature, lui vient d'un besoin sincère d'épancher la tendresse de son
âme aimante qu'il a lui-même qualifiée : *la plus affective du monde.*

Romans. — D'Urfé (Honoré, 1568-1625).   Les Amadis, les
pastorales de l'Italie, les romans érotiques de la Grèce, tout se
combine dans *l'Astrée* de d'Urfé.   Le sujet est l'amour de
Céladon et d'Astrée qui, séparés dans un moment de dépit, se
cherchent à travers cinq volumes de mille pages chacun.
L'Astrée est le premier en date de cette longue série de romans
pastoraux ou chevaleresques, héroïques ou galants, qui charmè-
rent au XVIIe siècle les lecteurs les plus sérieux.

La bergerie, dans *l'Astrée,* n'est qu'un cadre commode qui
prête à d'agréables descriptions ; d'Urfé n'a nullement l'intention d'esquisser un tableau de mœurs champêtres ; il nous prévient lui-même que ses bergers et ses bergères " n'ont pris cette
condition que pour vivre plus doucement et sans contrainte," et
ne sont pas " de ces bergers nécessiteux qui pour gagner leur vie
conduisent les troupeaux aux pâturages."   On lut avec délices
ce roman paisible, ses longues descriptions remplies d'un amour
sincère de la nature, ses conversations alambiquées, ses dissertations infinies, ses délicates analyses des sentiments les plus déli-

cats, parce que l'auteur y peignait la société, l'imagination, les
goûts d'alors, il y plaçait des portraits contemporains dont la
ressemblance faisait le charme et le prix.   Pour nous, gens d'une
autre époque, ce charme est perdu.   La langue de *l'Astrée* est en
parfaite harmonie avec les sentiments dépeints.   L'influence de
ce roman fut considérable sur la société et la littérature du
siècle ; il contribua beaucoup à établir en littérature la règle de
la politesse et de la décence ; mais en revanche la phraséologie
romanesque et la métaphysique amoureuse qui se sont mêlées
aux plus beaux ouvrages de cette époque, sont sorties de la
même source.

Le Théâtre au Commencement du XVIIe Siècle.

Parmi les imitateurs des anciens, citons le huguenot **Antoine
de Monchrétien** (1575–1621).   Resté de bonne heure orphelin
et pauvre, il devint le valet de deux jeunes gentilshommes et
s'instruisit en écoutant les leçons qu'on leur donnait.   A vingt
et un ans, il faisait imprimer sa première tragédie, *Sophonisbe;*
celle-ci fut suivie par *Lacènes, David, Cleomène, Hector* et
Marie Stuart son chef-d'œuvre qu'il dédia à Jacques Ier d'Angleterre.   Son œuvre n'est pas sans beauté ; elle vaut surtout par
le style, mais elle est sans chaleur et sans vie.   On doit louer
chez lui l'effort soutenu vers la grandeur et le culte de l'héroïsme ; par ce goût de la grandeur il semble nous donner une
première ébauche de Corneille.   On ignore du reste, si ses
pièces, qui ne s'adressaient qu'aux lettrés, furent jamais représentées.   Les tragédies de Monchrétien ne montrent qu'une
face de son esprit ; il est célèbre aussi pour avoir écrit le premier
traité d'*Economie Politique* en France.

Hardy (Alexandre, 1570–1631).   Il restait à créer un théâtre
qui s'adressât à tout le public et qui fût destiné à la représentation.
C'est Hardy qui donna ce théâtre en important en France la
littérature dramatique de l'Espagne.

Dans les premières années du XVIIe siècle, il établit une troupe d'acteurs à l'Hôtel de Bourgogne, et c'est de là que date l'existence d'un théâtre permanent ouvert chaque jour au public. Pendant trente ans, sa verve intarissable suffit presque entièrement aux besoins des acteurs et à la curiosité de la foule. Il avoue lui-même qu'il composa six cents pièces, il n'en reste heureusement que quarante et une, toutes en vers. Les prix qu'il en recevait étaient modiques, et il en fallait écrire beaucoup pour vivre : " Les fers de la pauvreté, nous dit-il, empêchent l'esprit de voler aux cieux." Une semaine lui suffisait pour trouver, écrire et livrer une tragédie, aussi en avait-on pour son argent. Aucune tradition tyrannique, aucun système d'école ne l'enchaînaient, il n'inventait presque rien, il puisait, pillait partout et à toutes les sources ; l'histoire, la légende, le roman lui fournissaient des sujets. Tous les genres lui étaient bons : tragédie, tragi-comédie, pastorale. Nulle part il ne faut chercher la composition, la psychologie, le style ; mais toutes ses pièces ont une qualité : le mouvement. Il avait une remarquable entente de la scène, et à défaut de l'art qui dispose, il avait l'instinct de l'effet ; il savait deviner et saisir une situation intéressante : c'est par là qu'il s'emparait de son public. Cependant le théâtre de Hardy, quel qu'il fût, prépara un auditoire et forma des acteurs pour des œuvres meilleures.

Schelandre (Jean de, 1585–1635) et sa tragi-comédie de *Tyr et Sidon* jouée en 1628 sont à peu près oubliés aujourd'hui ; mais néanmoins l'œuvre tient une place fort importante dans notre histoire littéraire. La préface de cette pièce, par François Ogier, est un réquisitoire violent contre les règles que l'on s'efforçait déjà d'imposer au théâtre. Il s'élève, avec beaucoup de raison, contre une imitation servile de l'antiquité, qui voudrait interdire aux poètes de chercher dans des voies nouvelles de nouvelles beautés conformes au génie du temps pour lequel ils écrivent. "Les Grecs, dit-il, ont travaillé pour la Grèce, et ont réussi au

jugement des honnêtes gens de leur temps." Malheureusement
Tyr et Sidon n'était pas un chef-d'œuvre qui pût justifier les
théories audacieuses émises dans cette préface.   Le spectacle y
est large et varié comme la vie même ; l'heroïque et le bouffon
se mêlent d'un bout à l'autre du drame ; les beaux vers abondent
dans la partie tragique, et les vers plaisants et vifs dans la partie
comique ; malgré tout, l'impression définitive que laisse ce drame
en deux journées, dix actes et 5000 vers, n'est point satisfaisante.

Première tragédie classique. — Mairet (1604–1686) était
doué d'une étonnante précocité poétique ; à vingt et un ans, il fit
représenter *Chryséide et Arimand,* à vingt-deux la pastorale de
Sylvie, puis six autres pièces. *Sophonisbe* (1633), son meilleur
ouvrage, n'est pas un chef-d'œuvre, cependant elle eut un retentissement extrême, et c'est notre plus ancienne tragédie classique.
Les traits essentiels du genre étaient trouvés : la noblesse du
style, l'exclusion absolue du comique ; la tendance oratoire dans
le langage, la simplification logique de l'intrigue, la conception
abstraite et puissante des caractères.   Les règles étaient observées.
Avec une donnée très difficile, l'auteur a mis de l'intérêt dans sa
pièce, et certaines scènes sont conduites avec beaucoup d'art.

Si Corneille a fait la première tragédie classique de génie, c'est
Mairet qui a fait la première tragédie dite classique.

SECONDE PÉRIODE, DE 1631 À 1660.

Corneille (Pierre, 1606–1684).   Le XVIIe siècle est l'époque
où ont fleuri tous les écrivains que l'on a coutume d'appeler
classiques ; et au premier rang il faut placer Pierre Corneille,
dont l'œuvre merveilleusement féconde et variée, non sans tache,
est digne à jamais d'étude et d'admiration.

Il naquit à Rouen d'une famille d'ancienne bourgeoisie.   Après
de fortes études il fut reçu avocat, mais il quitta bientôt le barreau ;
son goût, et certains incidents de sa vie de jeune homme le portèrent au théâtre.   Rouen était alors, après Paris, la ville de

France où l'on goûtait le plus le théâtre : le *Puy des Palinods*
encourageait et récompensait les poètes. A vingt-trois ans, Corneille écrivit sa première comédie, *Mélite ;* elle fut apportée et
jouée à Paris par l'acteur Mondory, au théâtre du Marais alors
sous sa direction. Le succès de la pièce fut immense. C'est un
imbroglio de galanterie dans le goût du temps ; mais on fut
charmé par les jolis vers qui exprimaient avec assez de naturel
et de simplicité, la conversation vraie des honnêtes gens ; on
était las du style amphigourique et guindé du vieux Hardy.
Depuis lors, l'histoire de Corneille ne semble être que celle de
ses ouvrages, et dès le commencement de sa carrière, il étale
à nos yeux la qualité suprême de son génie : la fécondité d'invention. Déjà, il ne veut plus se répéter, mais choisit un autre
genre dans *Clitandre* (1632), tragi-comédie aussi touffue d'incidents que la forêt où l'action se passe ; la pièce échoua. Corneille revint à la comédie de mœurs, et donna successivement la
Veuve (1633), la *Galerie du Palais* (1633), la *Suivante* (1634),
la *Place Royale* (1634). Ces pièces, jouées à Paris sous le patronage de Hardy, eurent un succès retentissant. Elles sont ingénieuses, intriguées à la manière espagnole et ne sortent guère de
la voie commune ; seulement, elles sont infiniment meilleures
que celles qui les avaient précédées. Ce qui les distinguait, outre
le bon sens et l'esprit, c'était surtout un style naturel, mérite
presque inconnu à ses contemporains, et pour lequel notre poète
crut devoir demander grâce au public. " Il se rencontre, dit-il,
un particulier désavantage pour moi, vu que ma façon d'écrire
étant simple et familière, la lecture fera prendre mes naïvetés
pour des bassesses." C'était alors un principe reçu, que la
poésie dans tous ses genres, était un langage à part, tout de
convention et où la nature n'avait rien à voir. Corneille avait
compris dès ses premiers essais, qu'il ne devait pas en être ainsi :
dans sa *Galerie du Palais*, il se moqua même du jargon de la
scène.

Richelieu, qui ambitionnait toutes les gloires, s'était fait auteur dramatique. Il composait, ou faisait composer sous sa direction des pièces de théâtre. Mais pardonnons ce léger ridicule d'un homme supérieur puisqu'il a eu cela d'utile, que voulant rehausser le mérite de ses propres pièces par un grand appareil extérieur, il fit construire dans son propre palais (depuis le Palais-Royal), une scène sur laquelle devaient monter plus tard les héros de Corneille. Vers 1634, Richelieu invita notre jeune poète à faire partie du bureau littéraire qui l'aidait à composer ses pièces ; il rencontra ainsi Colletet, l'Estoile, Boisrobert, et Rotrou, tous gens de mérite, mais dont le dernier seulement avait un véritable talent poétique et dramatique. La *Comédie des Tuileries* fut ainsi fabriquée en 1634 par "les cinq auteurs," comme ils se qualifiaient eux-mêmes. Corneille quitta vite cette société, n'ayant pas, comme disait Richelieu, *l'esprit de suite.* Heureusement pour la tragédie, le cardinal avait raison, notre poète n'avait pas l'esprit de soumission.

Son génie s'annonça bientôt par quelques traits sublimes, dans *Médée,* sa première tragédie, jouée en 1635. Le fameux vers :

> . . . " Que vous reste-t-il contre tant d'ennemis?
> Moi ! " . . .

fut le *je pense donc je suis* de la tragédie et annonça ce théâtre héroïque qui allait se fonder, comme la philosophie, sur la puissance de la personnalité humaine. Après ce brillant début tragique, Corneille retourna à la comédie dans l'*Illusion comique,* pièce aussi étrange que *Clitandre,* mais supérieure ; elle se termine par un éloge du théâtre français épuré par les travaux des nouveaux poètes, et honoré par les faveurs de Louis XIII et de son ministre. Dans toutes les œuvres de sa jeunesse et dans un genre qui souffrait tout, Corneille a toujours respecté la pudeur ; avant l'héroïsme, il introduisit la décence sur la scène.

En 1636 parut le *Cid,* le premier chef-d'œuvre de la tragédie française et qui ouvre la période la plus glorieuse de Corneille.

Rien jusqu'alors n'avait préparé les esprits à cette vérité de passion, à cette force et à cet éclat de poésie ; ce fut une surprise d'admiration qui alla jusqu'à l'enthousiasme. Chimène et Rodrigue eurent non des partisans, mais des adorateurs. Corneille introduisait sur la scène cette lutte qu'il devait par la suite y représenter tant de fois : lutte du devoir ou de l'honneur contre la passion d'abord menaçante, et enfin vaincue.

Le *Cid*, c'est l'héroïsme de la piété filiale. Le héros, *Rodrigue* ou le *Cid*, aime Chimène, fille de don Gomez. Les deux pères consentent à l'union ; mais une dispute s'élève entre eux, et le vieux père de Rodrigue reçoit un soufflet du père de Chimène. Conformément aux lois de la chevalerie, le jeune homme doit venger son père, et il tue don Gomez en duel. Chimène demande justice au roi contre le meurtrier que pourtant elle aime toujours. A la fin Rodrigue, en repoussant les Maures, lave sa faute involontaire et obtient le pardon, au moins l'espoir du pardon. Telle est la situation que Corneille a développé avec tant de grandeur.

Cette tragédie, imitée en grande partie de Guillen de Castro, représentait le théâtre héroïque de l'Espagne, et respirait la fierté des grands vassaux du moyen âge. Corneille s'éprit aussitôt de cette poésie. Génie loyal, plein d'honneur et de moralité, marchant la tête haute, son impétueuse chaleur de cœur, son caractère ferme et naïvement grave et sentencieux, tout le disposait fortement au genre espagnol ; il l'embrassa avec ferveur, l'accommoda au goût de sa nation et de son siècle, et s'y créa une originalité unique au milieu de toutes les imitations banales qu'on faisait autour de lui.

Corneille dégagea l'action idéale du drame, qui était éclipsée par le mouvement du jeu chez Castro ; il la fit saillir. C'est le combat moral de l'honneur et de l'amour dans Rodrigue ; de l'amour et du devoir dans Chimène, qu'il place au premier rang dans sa tragédie. On ne sait ce qu'on doit admirer le plus dans ce chef-d'œuvre, ou de la passion si noble et si naturelle, où des sentiments héroïques qui éclatent à chaque scène, ou de cette fougue d'honneur qui échauffe les âmes. Les sentiments sont si nobles, les images si vives, le langage si plein, si nerveux, qu'on ne songe pas même à admirer les vers, si beaux pourtant.

L'éclatant succès du *Cid*, et l'orgueil bien légitime qu'en ressentit l'auteur, soulevèrent contre lui tous ses rivaux de la veille et tous les auteurs de tragédies. La vanité de Scudéry donna le signal, il se déchaîna en invectives et voulait "déplumer cette corneille"; Richelieu même compromit un moment son grand nom et ordonna à l'Académie, qui ne faisait que de naître, de censurer la pièce. Chapelain fut chargé d'écrire les *Sentiments de l'Académie sur le Cid;* tout en accordant quelques éloges à l'auteur, il condamnait la pièce en somme, et la déclarait "contre les règles." En effet, Corneille s'était jusqu'alors fort peu soucié des *unités*, promulguées vers cette époque par Chapelain avec l'appui de Richelieu et sur la prétendue autorité d'Aristote. Corneille avait négligé les *unités* pour cause; il les ignorait sans doute dans sa province. Le public entendit parler de règles méconnues, violées, d'Aristote et de Poétique, il ne se laissa pas convaincre par Chapelain et il n'en admira pas moins; "beau comme le Cid" devint un proverbe. Le peuple avait jugé et Boileau se fit son interprète:

> "En vain contre le Cid un ministre se ligue;
> Tout Paris pour Chimène a les yeux de Rodrigue.
> L'Académie en corps a beau le censurer,
> Le public révolté s'obstine à l'admirer."

Cette fameuse "querelle du Cid" qui avait duré six mois et inspiré cent pamphlets, exerça sur le génie de Corneille une influence considérable, et, à certains points de vue, fâcheuse. Il était réellement timide, il fut troublé, effrayé par ces grands mots *d'art* et de *règle;* il se soumit tout en protestant contre l'étroitesse des unités, mais la liberté de son génie en demeura à jamais

gênée. Rien pourtant ne pouvait l'empêcher de faire des chefs-
d'œuvre, mais on est en droit de penser que s'il eût été livré à
la pente naturelle de son inspiration, moins harcelé par les critiques de médiocrités telles que Scudéry, Chapelain, Mairet, la
part de l'excellent eût été plus grande encore dans son œuvre.

Quatre ans après le *Cid* parut *Horace*, en 1640. Corneille voulut prouver sa puissance de création par une œuvre complètement originale. A cette intention, il prit une page de Tite-Live ;
c'est le combat entre les trois Horaces et les trois Curiaces pour
décider laquelle des deux villes, Albe ou Rome, aura la préémi-
nence, et il fit de cette page une tragédie en cinq actes, et sa
production la plus vigoureuse et la plus originale. C'est la lutte
entre le patriotisme et l'amour. Dans Tite-Live tout se passe
en plein air ; Corneille transporte tout dans l'intérieur d'une maison. Il concentre tout l'intérêt de deux nations dans l'intérêt de
deux familles, et transforme un évènement public en un évènement domestique. Tout était action dans la réalité, tout devient
récit dans son drame ; mais chaque récit devient action à son
tour par son contre-coup sur l'âme des habitants de cette maison ;
leur âme est le véritable lieu de la scène.

La même année parut *Cinna*, et trois ans plus tard *Polyeucte*.
La première est l'apothéose de la monarchie ; la seconde, le
triomphe de la religion ; deux des principes de vie qui devaient
animer le XVIIᵉ siècle.

Cinna est une conception dramatique d'une grandeur imposante ; c'est la royauté divinisée par la clémence, c'est l'héroïsme
de la victoire sur soi-même. Cinna et Emilie, héritiers des
haines républicaines, conspirent contre Auguste qui les a comblés
de bienfaits, l'empereur apprend leur trahison ; il se demande
avec angoisse s'il doit punir ou pardonner ; puis sa grande âme
s'ouvrant au pardon, il fait grâce. "Soyons amis Cinna, c'est moi
qui t'en convie."

Dans *Polyeucte* (1643) la conception est plus hardie encore et

l'exécution plus parfaite. Au dessus des passions même les plus
nobles dont le développement avait fait jusque-là le triomphe de
Corneille, se déploie une passion d'un genre nouveau : l'enthousiasme religieux, la soif du martyre ; c'est l'héroïsme enfin de la
sainteté, l'immolation de tout l'être à une loi supérieure. Polyeucte a été amené à la foi chrétienne par son ami Néarque ; dans
son nouvel enthousiasme il brise les idoles et il est condamné au
martyre. Sa femme, Pauline, qui au commencement du drame
aime Sévère, favori de l'empereur, passe successivement, en présence de l'héroïsme de son mari, du respect à l'estime, à l'admiration, enfin à l'amour. " Ne désespère pas une âme qui t'adore ! "
s'écrie-t-elle. " Et ton cœur . . . se figure-t-il un bonheur où je
ne serai pas ? " " Mon Polyeucte touche à son heure dernière. "
L'exquise beauté de cette tragédie est dans le contraste harmonieux de caractères opposés ; le pathétique y naît de sacrifices
d'ordre différent mais de valeur égale : Polyeucte sacrifiant sa tendresse et son ambition à sa foi ; Pauline immolant son amour à son
devoir ; et associant même à son sacrifice Sévère qui travaille généreusement à la ruine de ses vœux les plus chers ; tous présentent un spectacle qui émeut et enchante. Le trait dominant du
génie de Corneille, l'idéal dans la beauté morale, se trouve sous
sa forme la plus saisissante dans cette tragédie. Corneille avait lu
Polyeucte à l'hôtel de Rambouillet ; quelques jours après Voiture
vint trouver le poète, et prit des tours fort délicats pour lui dire
que Polyeucte n'avait guère réussi, que *surtout le christianisme
avait infiniment déplu.* On n'admettait sur la scène que les dieux
de la fable, et déjà s'agitaient entre théologiens et devant la foule
attentive les problèmes de la grâce, soulevés par les Jansénistes ;
mais bien plus encore, on n'aimait pas à entendre les vérités de
la religion exposées sur les planches par la bouche des acteurs qui
étaient alors considérés comme des excommuniés. Cependant
cet héroïsme religieux, en dépit des appréhensions des *ruelles,*
trouva les âmes ouvertes à l'admiration.

Corneille ne s'éleva jamais plus haut que dans ces quatre admirables pièces ; mais on ne saurait protester trop vivement contre le jugement qui limite à ces quatre chefs-d'œuvre la partie durable de son œuvre. Pendant les dix années qui suivirent *Polyeucte*, il écrivit dix pièces de théâtre, presque toutes admirables et merveilleusement variées ; son infatigable génie puisait ses inspirations dans les sources les plus diverses. La *Mort de Pompée* (1643) est un fragment de la *Pharsale* de Lucain. Pompée ne paraît pas dans cette tragédie qui porte son nom ; mais il en est bien l'âme et le héros ; elle s'ouvre par la délibération où sa mort est résolue, et s'achève par la punition des assassins. L'héroïque fermeté de Cornélie, sa veuve, en face de César vainqueur, éclate en d'admirables scènes où la sublimité du style recouvre et cache une certaine emphase des sentiments. Après *Pompée*, Corneille revint à la comédie pour donner le *Menteur* (1644), la *Suite du Menteur* (1645) ; le style dans l'une et dans l'autre œuvre étincelle de grâce et de vivacité. Avec *Rodogune* (1645) il ouvrit une nouvelle source de pathétique : la terreur. *Théodore, Héraclius, Andromède, Don Sanche, Nicomède*, qui suivirent ont des scènes que Corneille seul pouvait concevoir et exécuter.

Après l'échec de sa tragédie de *Pertharite* (1652), Corneille garda le silence pendant sept ans. Retiré dans sa province, au sein de sa famille, il occupa ses loisirs en faisant sa belle traduction de l'*Imitation de Jésus-Christ*. En 1659, sur les sollicitations du surintendant Fouquet, il reparut au théâtre, devant une génération nouvelle de spectateurs, avec *Œdipe* qui obtint un des plus grands succès que le poète eût encore remportés. Cette tragédie fut suivie de dix autres pièces diversement heureuses, composées entre 1659 et 1674 : les tragédies de la *Toison d'or, Sertorius, Sophonisbe, Othon, Agésilas, Attila ;* la comédie héroïque de *Tite et Bérénice ; Psyché*, tragédie-ballet composée avec la collaboration de Molière et de Quinault ; *Pulchérie*, comédie héroïque, *Suréna*, tragédie. On trouve encore de belle scènes et de très beaux vers dans ces pièces, mais entre ces rare éclairs, l'obscurité paraît plus profonde, et montre que le géni du grand poète allait s'affaiblissant.

Corneille mourut à 78 ans, après dix ans de silence. Il mouru pauvre malgré ses succès, et quoiqu'il eût enrichi les acteur " Il fut surnommé *Grand*, dit Voltaire, non pour le distinguer c son frère, mais du reste des hommes.'' Sa forme dramatique n' pas la liberté de Lope de Vega et de Shakespeare, mais sc génie avait des ressources infinies pour développer une donné dramatique, conduire une intrigue et varier les situations ; so le rapport de la fécondité et de la variété, nul ne l'a surpassé.

Ce que ses tragédies ont de commun c'est l'extraordinaire, grandeur des situations, et ses héros qui sont toujours au nivea de ces situations. L'admiration pour tout ce qui est noble grand est le sentiment qu'il veut faire naître ; son but est d'él ver les âmes, et pour atteindre ce but, il a essayé de peindre l'h roïsme sous toutes ses faces. En mettant les passions en lut avec le devoir, il a enseigné le prix de la volonté, l'héroïsme c devoir, et la beauté du sacrifice. " La vie est une lutte entre le passions et le devoir ; celui-ci doit triompher.'' Ce qui lui fa surtout honneur, c'est d'avoir connu et représenté la dignité hu maine ; il se fait une haute conception du pouvoir de l'homm sur lui-même ; ses héros aiment à se sentir maîtres de leurs rés lutions, à ployer les hommes et les évènements sous la toute-pui sance de leur volonté. " Je suis maître de moi comme c l'univers,'' s'écrie Auguste. A qui mieux qu'à Corneille, pou rait-on appliquer cette belle pensée de La Bruyère : " Quand un lecture vous élève l'esprit et qu'elle vous inspire des sentimen nobles et courageux, ne cherchez pas une autre règle pour jug de l'ouvrage ; il est bon et fait de main d'ouvrier.''

Corneille est un écrivain inégal, nous l'avons dit ; son langag a quelquefois une pompe déclamatoire, de l'emphase, c'est lor qu'il n'est plus inspiré par son sujet ; quand l'idée ne le soutient pas, il est obscur, son style est pénible ; il ne sait pas faire un vers pour lui-même, ni pour exprimer une idée ordinaire. Dans ses dernières pièces où il était retourné au genre espagnol, aux tragédies de situations *embarrassées,* comme il les appelle lui-même, sa belle langue s'éclipse ; et à mesure qu'il s'enfonce davantage dans ce genre, les ténèbres du plan et du langage s'épaississent de plus en plus ; il est obscur, incertain ; on ne retrouve plus l'écrivain si sûr de sa pensée, si maître de sa langue, que dans quelques vers. Mais quand l'idée est grande, ou le sentiment puissant, l'expression aussi est grande et forte, d'une admirable plénitude, d'un accord parfait avec la pensée. De là ces vers *bien frappés*, c'est-à-dire d'un relief net, vigoureux, et rude, qui laisse leur empreinte profonde dans la mémoire, ces vers *cornéliens* faits d'une idée forte exprimée en quelques mots simples, solidement liés ou puissamment opposés l'un à l'autre :

   " Faites votre devoir et laissez faire aux dieux . . .

  .   .   .   .

   A vaincre sans péril on triomphe sans gloire."

Il a peu d'images et de comparaisons, quelquefois une métaphore qui d'un trait esquisse un large tableau. Terminons ces observations sur Corneille par un mot de Mme de Sévigné qui les résume sous la forme la plus heureuse et la plus franche. " Vive donc notre vieil ami Corneille ! Pardonnons-lui de méchants vers en faveur des divines et sublimes beautés qui nous transportent : ce sont des traits de maître qui sont inimitables. Despréaux (Boileau) en dit encore plus que moi ; et, en un mot, c'est le bon goût ; tenez-vous-y."

Dans l'édition collective que Corneille donna de ses œuvres en 1660, il fit précéder chaque pièce d'un *Examen*, où lui-même en fait la critique avec modestie, une bonne foi parfaite et un sens très judicieux. Il y joignit trois longs *Discours : du Poème dramatique, de la Tragédie, des Trois unités* qui forment avec les

Examens son œuvre en prose, assez étendue et très intéressante.
L'étude de cette poétique est peut-être encore le meilleur commentaire qu'on ait fait de son théâtre.

Auteurs Dramatiques Secondaires. — Les poètes se précipitèrent vers la
scène avec une ardeur digne de meilleurs résultats. Nous retrouvons les noms
de quatre-vingt-seize poètes dramatiques contemporains de Hardy et de Corneille. Parmi les noms qui surnagent dans ce vaste débordement, mentionnons : **Georges de Scudéri** qui ne voulut pas rester en arrière et qui écrivit
des tragédies dont le seul mérite est l'observation des *unités ;* cependant il eut
un tel succès dans *l'Amour Tyrannique* que les portiers de la salle, dit-on,
furent écrasés. **Gombaud** fit représenter une *Amaranthe* qui réussit. **Tristan
l'Hermite** arracha des larmes à Richelieu par sa tragédie de *Marianne.* **Du
Ryer** donna la preuve de qualités heureuses dans *Saül* et dans *Scévole.*
Desmarets écrivit des pièces sous la direction de Richelieu; sa comédie des
Visionnaires est une satire de la préciosité. Il méprisait et dénigrait toute
l'antiquité, et fut le premier adversaire de l'antiquité classique.

Rotrou (1609–1650), digne ami de Corneille et qui se laissa
d'abord guider par lui, fit ses premiers vers sur les bancs du
collège, et n'avait que dix-huit ans quand parut sa première
tragédie, *l'Hypocondriaque.* Lui-même en la publiant demandait grâce pour son âge en ces mots : " Il y a d'excellents
poètes, mais pas à l'âge de vingt ans." A ce début précoce
succédèrent dix-sept pièces écrites en sept années avec la
fécondité et l'audace de la jeunesse ; inutile de dire qu'elles
ont peu de mérite. Ses progrès datent du moment où il fut
avec Corneille parmi les " cinq auteurs." Les *Sosies* (1636),
comédie jouée en même temps que le *Cid*, montre déjà un
grand progrès dans l'art de composer et d'écrire, et offre un style
comique excellent ; *Laure persécutée*, tragi-comédie, exprime la
passion et les tortures de la jalousie avec une énergie rarement
trouvée dans ce genre. Mais ses meilleurs ouvrages sont ceux des
quatre dernières années de sa vie : *Saint Genest* (1646) inspiré
par *Polyeucte*, est l'histoire d'un acteur qui jouant devant Dioclé-
tien le rôle d'un martyr chrétien, se sent tout-à-coup pénétré
des sentiments du personnage qu'il représente, se convertit et

meurt martyr : *Venceslas* et *Cosroès* sont des œuvres moins originales mais supérieures. Quoique Rotrou ait beaucoup imité les anciens et les Espagnols, il reste un génie profondément original ; il emprunte une idée, un trait, mais il transforme ce qu'il emprunte, et le développement est à lui. Son style est inégal, heurté : ici, il abonde en vers héroïques, en tirades sublimes, ailleurs, il est négligé, contourné, pénible, obscure ; mais il n'est jamais plat, ni vulgaire, il est toujours poète, et ses inventions sont toujours attachantes. Nature généreuse, caractère aventureux, il vécut en dissipateur et mourut en héros. Il avait reçu la charge de "lieutenant particulier et civil au baillage de Dreux," apprenant à Paris que sa ville natale était ravagée par une maladie épidémique, il s'y rendit aussitôt pour aider à maintenir l'ordre et à soutenir le courage des habitants. Au bout de peu de jours le mal l'emporta lui-même à l'âge de quarante et un ans.

Poésie Lyrique, Héroïque et Burlesque.

La plupart des poètes de cette époque ont été les victimes de l'impitoyable Boileau. Ils avaient bien souvent droit au châtiment ; cependant plusieurs ont eu leur heure de célébrité et d'influence, et méritaient mieux que l'oubli où ils sont tombés.

Saint-Amant (1594–1661) gaspilla dans une multitude de petites pièces sans grande valeur les plus heureux dons de la nature : une verve intarissable et une imagination féconde. Il avait un talent particulier pour décrire avec vivacité tous les objets matériels ; il voit bien et fait bien voir.

Poète buveur, il a réussi dans des poèmes bachiques et dans le genre grotesque qu'il fonda, et qui devait avoir un si déplorable succès sous le nom de *burlesque*.

Chapelain (1595–1674), érudit, grammairien et critique distingué, dont le nom n'a survécu qu'entouré d'une auréole de ridicule, fut un personnage distingué dans son temps et jouit

durant trente ans d'une grande renommée littéraire. Très instruit
dans les langues anciennes et modernes, doué d'un jugement littéraire assez fin lorsqu'il s'agissait de l'appliquer aux œuvres d'autrui,
il fut l'oracle de l'hôtel de Rambouillet et l'appui de l'Académie
naissante dont il rédigea les statuts, il traça le plan du *Dictionnaire;*
il ne tint qu'à lui de devenir le précepteur de Louis XIV. Cet
homme probe et savant, mais dépourvu de toute imagination et
de tout sentiment poétique, eut néanmoins le malheur de se
croire poète épique, et le ridicule de s'attaquer au plus beau sujet
de notre histoire, Jeanne d'Arc. Pendant trente ans il travailla
à son poème de la *Pucelle.* Les douze premiers chants parurent
en 1656 et eurent un succès immense, tant la foi en l'auteur était
grande, mais cet enthousiasme tomba vite ; on s'aperçut en relisant
le poème qu'il était vide, ennuyeux, prosaïque, et les douze derniers chants ne purent trouver d'éditeur. Chapelain, esprit
minutieux, dispose tout méthodiquement, ses descriptions deviennent des inventaires : le passage suivant où il s'agit du bûcher
préparé pour Jeanne en est un exemple. Il commence par
décrire la première couche de souches sur lesquelles les exécu-
teurs placent

> .　.　.　.　.　" une seconde couche
> Et la souche d'en haut croise la basse souche;
> Mais pour donner au feu plus de force et plus d'air,
> Le bois en chaque couche est demi large et clair.
> A la couche seconde une troisième est jointe,
> Qui plus courte la croise, et commence la pointe;
> Plusieurs de suite en suite à ces trois s'ajoutant,
> Toujours de plus en plus vont en pointe montant."

Il est difficile de pousser plus loin le scrupule du détail, et on
comprend ce qui faisait dire à Boileau, en parlant de ce poème :
" Je ne sais pourquoi je bâille en le lisant," notre satirique a aussi
éternisé Chapelain, et à bon droit, comme le symbole de la dureté
par ces vers :

> " Maudit soit l'auteur dur dont l'âpre et rude verve
> Son cerveau tenaillant rima malgré Minerve."

Scudéry (Georges de, 1601–1667), homme honorable par son caractère, avait seul une imperturbable confiance en son génie ; il fit des romans, des poèmes épiques, des tragédies. Son *Alaric* ou *Rome vaincue*, composé en l'honneur de Christine de Suède, est une ébauche négligée comme toutes ses œuvres, où l'on trouve des traits heureux à côté de monstrueuses platitudes, du genre de celle-ci :

> "Trois fois pour l'embrasser cette belle courut,
> Et toutes les trois fois cette belle ne put."

Mais il faut reconnaitre, dit malicieusement M. Géruzez, que "cette belle" était bien assortie à l'objet de ses vœux, car de son côté,

> "Par trois fois cet amant voulut ouvrir la bouche,
> Et trois fois on le vit muet comme une souche."

Après de tels vers il n'y avait qu'à désespérer de l'art poétique. Aussi Boileau n'a garde de l'oublier dans ses satires :

> "Bienheureux Scudéry, dont la fertile plume
> Peut tous les mois sans peine enfanter un volume;
> Tes écrits, il est vrai, sans art et languissants,
> Semblent être formés en dépit du bon sens;
> Mais ils trouvent toujours, quoi qu'on en puisse dire,
> Un marchand pour les vendre et des sots pour les lire."

Scarron (1610–1660). Au temps de la régence d'Anne d'Autriche, le *burlesque* fut mis en faveur par Scarron, qui était aussi bizarre d'esprit que difforme de corps. Devenu paralytique à vingt-huit ans, et cloué sur un fauteuil pour le reste de ses jours, il chercha dans la poésie une consolation à ses misères ; il vécut de bouffonneries pour ne pas mourir de tristesse. Ses ennemis naturels furent la noblesse, la grandeur, la régularité. Dans ce goût méprisable du grotesque, Scarron dépensa beaucoup d'esprit qu'il aurait pu employer mieux. Il commença sa carrière par le *Typhon*, poème épique burlesque ; *Virgile Travesti*, une parodie de l'Enéïde. Le burlesque de Scarron est dans

la transformation des caractères et des sentiments nobles en figures et en passions vulgaires ; cette transformation est opérée de
telle sorte que la ressemblance subsiste toujours sous le travestis-
sement, et que le rapport est sensible dans le contraste ; il conserve à ses personnages leur rang et leur condition, mais il abaisse
leur langage et leurs mœurs.   Une autre source féconde de son
comique, ce sont les anachronismes, ou le transport des temps
modernes dans l'antiquité.   Ainsi lorsqu' Enée aborde sur le ri-
vage africain, il veut savoir si les habitants : "Sont chrétiens ou
mahométans."   Didon ouvre ses repas par le *benedicite*.   Son
meilleur ouvrage en prose est le *Roman comique*, dans lequel il
peint les aventures d'une troupe de comédiens qui parcourent la
province.   Ce roman remporta sur les romans de métaphysique
amoureuse, une victoire analogue à celle de Cervantes sur les di-
vagations chevaleresques.

Le genre burlesque, produit italien, eut en France un succès
énorme mais de courte durée.   La réaction se fit même avant la
mort de Scarron, et ce fut l'honneur de Boileau de donner le coup
de grâce à cette mode.

PROSE. — LINGUISTES, PHILOSOPHES ET MORALISTES.

Vaugelas (1585–1650) exerça aussi une grande influence sur
le style et la langue de cette époque ; il faisait loi chez Mme de
Rambouillet et à l'Académie.   Pauvre, il s'attacha à Gaston d'Orléans, frère de Louis XIII, et partagea les disgrâces de ce prince ;
une petite pension que lui faisait Richelieu lui fut retirée, puis
rendue plus tard ; c'est à cette occasion que le cardinal lui dit
assez lourdement un jour : " J'espère que dans le *Dictionnaire de
l'Académie*, vous n'oublierez pas le mot *pension*."   " Ni celui de
reconnaissance, monseigneur," repartit Vaugelas.   Le XVIe siècle
s'était occupé surtout de grossir le vocabulaire ; le XVIIe fut plus
désireux de le régler et de l'épurer : Malherbe, l'hôtel de Rambouillet, Balzac, et surtout Vaugelas se dévouèrent à ce travail d'épura-

tion et de recherche. Ses curieuses et intéressantes *Remarques sur la langue française* firent époque dans la littérature nationale. D'un sens sûr et impartial, d'un esprit judicieux et délicat, il accepta l'usage pour maître et en proclama nettement la souveraineté ; son rôle se borna à montrer, à distinguer le bon du mauvais. Réservé, modeste, il n'y avait rien en lui qui sentît le pédant, il était homme du monde avant tout, et ne faisait jamais le maître ; cependant cela n'empêchait pas que son autorité fût établie dans son domaine de grammairien. La première édition du *Dictionnaire de l'Académie* publiée en 1694 contredit bien rarement Vaugelas.

Descartes (1596–1650) a émancipé la pensée humaine en cherchant la vérité au moyen de la raison, au lieu de s'appuyer, comme au moyen âge, sur l'autorité d'Aristote. Il naquit à la Haye, en Touraine, et mourut en Suède, où il était allé sur l'invitation pressante de la reine Christine. On dit qu'à seize ans il avait épuisé la science de son temps et en avait déjà senti tout le vide. Bientôt il renonça aux livres et ne voulut d'autre maître que la raison. Il étudia les hommes dans les voyages, à la guerre ; il étudia surtout la seule science qui pût satisfaire son esprit par une certitude complète : les mathématiques. Il dégagea l'algèbre des considérations étrangères qui la limitaient et l'appliqua à la géométrie. Pour mieux réfléchir, il se sépara des hommes comme il avait fait des livres ; il vécut en anachorète, seul avec sa pensée, tantôt en Hollande, tantôt en Allemagne ou à Paris. Il rejeta de son esprit toutes les croyances jusque-là reçues pour ne rien admettre que d'évident, et prit pour point de départ "*je pense, donc je suis,*" la conscience donne la pensée humaine ; la pensée, l'idée de Dieu, son existence ; l'existence de Dieu, la réalité de la matière. Telle est la marche de Descartes et la base de son système philosophique.

Toutefois ce n'est pas le philosophe, le savant mathématicien que nous avons ici à étudier ; c'est l'écrivain qui nous intéresse.

Son influence dans le domaine de la forme et du style ne fut pas moins grande que dans celui de la science et de la philosophie. Le *Discours de la méthode pour bien conduire sa raison et chercher la vérité dans les sciences*, parut (1637) peu après le Cid. Jamais encore la philosophie n'avait parlé français. Ce fut une grave innovation que d'aborder ces hautes considérations dans la langue vulgaire ; mais Descartes avait une grande passion de répandre sa doctrine, c'est pourquoi il écrivit en français, il voulait parler à tous, être compris de tous. Ce *Discours* est le premier chef-d'œuvre de la prose moderne ; il nous révèle la belle langue du XVIIᵉ siècle dans toute sa simplicité majestueuse. Ce n'est plus comme chez Montaigne un idiome personnel, un composé bizarrement gracieux de gascon, de français et de latin ; ou comme chez Balzac, la forme extérieure et vide de l'éloquence ; c'est la langue de tout le monde frappée à l'empreinte du génie d'un seul ; la parole ici reprend son rôle naturel, elle revêt la pensée. Descartes ne s'amuse pas à gâter son expression en l'ornant, il va toujours droit devant lui ; on sent que tout son désir est de convaincre. Ses idées s'enchaînent, ses raisonnements se pressent, son langage devient un tissu que rien ne peut rompre. Avec les habitudes rigoureuses de l'algébriste, il pose ces vérités comme des problèmes, au moyen de mots exacts comme des chiffres.

"Dès que le *Discours de la Méthode* parut, dit M. Cousin, tout ce qu'il y avait en France d'esprits solides, fatigués d'imitations impuissantes, amateurs du vrai, du grand et du beau, reconnurent à l'instant même le langage qu'ils cherchaient. Depuis on ne parla plus que celui-là ; les faibles médiocrement, les forts en y ajoutant leurs qualités diverses, mais sur un fonds invariable devenu le patrimoine et la règle de tous." L'influence que Descartes exerça sur la langue et les idées pendant la deuxième moitié du XVIIᵉ siècle, est certainement très considérable. Le *cartésianisme* envahit toutes les classes de la France et de l'Europe. Le siècle qui jusqu'alors inclinait vers le scepticisme, fut ramené par lui à l'affirmation des grandes vérités philosophiques. Le caractère profondément moral des œuvres de cette époque provient en partie de lui, et la prédominance de la raison jusque dans la poésie est un fruit de sa doctrine. Environ quatre-vingts ans après l'apparition du *Discours*, sa méthode philosophique cédait le pas à celle de Newton.

Descartes publia encore les *Méditations métaphysiques ;* les *Principes de philosophie ;* le *Traité des passions de l'âme ;* ses autres ouvrages ne parurent qu'après sa mort.

Port-Royal et son Œuvre. — Port-Royal, fondé à quatre lieues de Paris en 1204, par la comtesse Mathilde de Montmorency-Marly, était un couvent de femmes. Au commencement du XVIIe siècle, il tomba sous la direction de la célèbre famille Arnaud, la *Mère* Angélique Arnaud en fut nommée abbesse, et bientôt Saint-Cyran, écrivain distingué et subtil théologien, l'inflexible ennemi des Jésuites comme des Huguenots, en devint le directeur. En 1625 les religieuses furent transférées à Paris, alors toute une colonie d'hommes illustres et appartenant à l'opinion janséniste vinrent se ranger près de Saint-Cyran : le grand docteur Arnaud, Lemaître de Sacy, Séricourt, Nicole, Lancelot, Pascal ; ils prirent le nom de *solitaires*. Ces hommes, qui avaient fait de fortes études, apportaient au *désert*, comme ils appelaient Port-Royal, une connaissance profonde de l'antiquité, et la passion de la théologie. Ces puritains du catholicisme donnèrent au monde l'exemple du travail assidu des mains et de l'esprit, de la piété la plus vive, et d'une austérité qui allait jusqu'à l'ascétisme. Ils instruisaient la jeunesse et eurent d'illustres élèves, entre autres Racine.

Bientôt les doctrines jansénistes furent condamnées par la cour de Rome comme entachées d'hérésie. Alors commença entre les *Jansénistes* et les *Jésuites* une guerre théologique très vive, et qui fit grand bruit. Arnaud écrivit plusieurs traités pour défendre leurs maximes ; il fut condamné par la Sorbonne, puis exilé ; Saint-Cyran fut enfermé à Vincennes. Richelieu, et plus tard

Louis XIV se prononcèrent contre Port-Royal; enfin en 1709
le monastère fut rasé et les solitaires qui avaient été rappelés
furent dispersés.

La plus solide des gloires de Port-Royal n'est pas dans les con-
troverses qu'il a soutenues avec courage et talent, mais dans les
ouvrages que ses maîtres ont composés pour l'instruction de la
jeunesse : la *Grammaire générale et raisonnée* et la *Logique ou l'Art
de penser*. Il n'est pas d'ouvrage où l'on ait traité plus à fond ce
qui fait le plus beau privilège de l'homme : la parole et la pensée.
L'Académie française et Port-Royal ont été en quelque sorte les
précepteurs du XVIIᵉ siècle; la première en disciplinant la
langue et lui donnant des règles; le second en publiant des
ouvrages qui lui donnent un caractère pratique.

Pascal (Blaise, 1623–1662) naquit à Clermont, en Auvergne.
Son père, qui était fort savant, vint se fixer à Paris pour
diriger l'éducation de ses enfants. Le jeune Blaise avait une
précocité extraordinaire, effrayante, maladive; à douze ans, il
avait restitué seul, sans livre, sans guide, les éléments de la
géométrie; à seize ans, il écrivait un *Traité des sections coniques*
qui fut remarqué par Descartes; à vingt ans, il comptait parmi
les savants du temps; il donnait, dit-on, l'idée de la première
presse hydraulique, faisait des travaux sur la pesanteur de l'air,
l'équilibre des liquides, le calcul des probabilités, etc. A trente
ans, des relations de famille l'amenèrent à Port-Royal, où il devint
bientôt un fervent disciple des nouvelles doctrines. Au moment
où Pascal s'y retira, en 1654, le parti janséniste avait besoin d'un
aussi puissant appui : Arnaud allait être condamné par la Sorbonne, et l'on donnait gain de cause aux Jésuites. Pascal changea
l'ordre de bataille en s'adressant au sens commun du public dans
ses *Provinciales* qui, sous le sceau de l'anonyme, parurent par
lettres en 1656 sous le titre de *Lettres de Louis de Montalte à un
Provincial de ses amis*.

C'était une vive attaque contre les Jésuites; une discussion subtile où l'ironie coule et glisse comme un trait effilé et aigu dans la phrase la plus unie et la plus simple, et donne une valeur extraordinaire à un mot jeté avec une apparente négligence; un style bref, clair, élégant en rendit le succès très populaire. Dans les premières lettres, il élucide la question de la *grâce*, et défend Arnaud; dès la quatrième, il prend l'offensive et c'est la morale des casuistes qu'il attaque; il déroule cette longue liste de propositions jésuitiques où tous les vices, tous les crimes même trouvent leur justification. " Les meilleures comédies de Molière, dit Voltaire, n'ont pas plus de sel que les *Lettres provinciales;* Bossuet n'a rien de plus sublime que les dernières." Jusque là, la polémique religieuse écrite en latin, ne s'adressait qu'aux théologiens; Pascal fut le premier qui appela les gens du monde à entendre discuter les matières religieuses. Ces lettres dont le succès fut immense, furent brûlées par la main du bourreau. On demandait à Pascal mourant, s'il ne regrettait pas de les avoir faites. "Si j'avais à les refaire, répondit-il, je les ferais encore plus fortes."

Toutefois ces lettres n'étaient pas l'œuvre de prédilection de Pascal; il préparait les matériaux d'un grand ouvrage pour la défense de la religion, quand une maladie dont il souffrait depuis longtemps, l'enleva à l'âge de trente-neuf ans. On a recueilli ces fragments sous le titre de *Pensées.*

L'interêt immense que présente son travail, c'est que sa vie intime y éclate à chaque pas, par des accents d'une vérité profonde. Ses doutes, ses déchirements, ses dédains pour lui-même et pour la raison humaine, ses terreurs religieuses s'y trahissent tour à tour par une éloquence sublime. Tandis que Descartes ne s'adresse qu'à l'intelligence et cherche la vérité pour satisfaire l'anxiété de son esprit, Pascal dont le génie est aussi hardi, la cherche pour remplir le vide de son cœur; il nous attache plus vivement à sa personne: on sent qu'il a vécu et souffert. Et comme il dépasse Montaigne en sentiment et en profondeur!

Montaigne doute en souriant, Pascal n'est sceptique qu'en
gémissant ; l'imbécilité humaine amuse le premier, l'immensité
de l'univers comparée à notre faiblesse le fait sourire de la vanité
de nos prétentions ; le second en souffre et en est épouvanté :
" Le silence éternel de ces espaces infinis m'effraie," dit-il ; et
plus loin : " L'homme, ce roseau pensant."   Le dernier mot de
Pascal est celui que Dieu lui a dit au milieu de ses alarmes :
" Console-toi ; tu ne me chercherais pas si tu ne m'avais déjà
trouvé."   C'est par l'âme que Pascal est grand comme homme
et comme écrivain, et le style qui réfléchit cette âme en a toutes
les qualités, la finesse, l'ironie amère, l'ardente imagination, la
raison austère, le trouble à la fois et la chaste discrétion.   Nul
procédé, nul artifice dans son style.   L'art y est grand, mais il
est tout entier dans cette convenance admirable des paroles au
sentiment, et de la forme au fond.   " Ce style est comme cette
âme, dit Cousin, d'une beauté incomparable."   Pascal a le
génie ; à tout ce qu'il touche, il met son empreinte, profonde,
ineffaçable.

HISTORIENS ET ROMANCIERS.

Mézeray (1610–1683), l'historien le plus important de l'époque, n'a qu'un savoir médiocre, mais il a de la vigueur dans le
style, et de l'indépendance dans la pensée.   Dans son *Histoire
de France* qu'il conduit depuis les origines de la monarchie jusqu'à son temps, le style est beau quoiqu'un peu suranné ; ses nar-
rations ont de l'ampleur et de la vivacité.   Il eut le titre d'historiographe du roi, et une grosse pension que Colbert lui retira
pour le punir de la liberté avec laquelle il avait parlé des traitants
et des impôts dans l'*Abrégé chronologique* de son Histoire.

Vers le même temps **Maimbourg** (1610–1686), qui n'est pas sans talent,
gâtait par l'affectation du bel esprit, deux grands sujets qui demandaient une
gravité soutenue et une instruction profonde : les *Croisades* et la *Ligue.*

Sully (1560–1641) avait pendant tout le règne de Henri IV joué le rôle
de premier ministre.   Disgracié après la mort du roi, il se retira dans ses

châteaux et écrivit ses Mémoires, dans lesquels il raconte la vie de Henri IV et la sienne. Cette œuvre n'a pas une grand valeur historique, mais elle est importante comme témoignage du caractère du grand et intègre ministre qui a exercé un pouvoir prépondérant en France, pendant vingt ans.

Les romans furent l'un des genres les plus en vogue au XVIIe siècle. *L'Astrée* avait mis à la mode le roman pastoral ; à celui-ci succéda assez naturellement le genre héroïque, chevaleresque où s'étale une peinture embellie de l'humanité : l'amour héroïque et l'honneur chevaleresque en forment le fond. L'antiquité y est travestie dans des fictions romanesques qui sont pour la plupart une peinture partiellement fidèle de la société contemporaine. Ce sont des descriptions sans fin de passions extraordinaires et subtiles, des ressemblances incroyables, des méprises pleines d'aventures, des amants malheureux qui quittent la cour pour des déserts horribles où ils ne manquent de rien, qui passent leurs journées à raconter leur martyre aux roches, et qui rencontrent à l'improviste des princesses qui sortent du naufrage en habits magnifiques.

Gomberville (1600–1674), le chef des *Précieux* fut le fondateur de cette nouvelle école ; il fit paraître successivement *Carithée*, *Polexandre*, *Cythérée* et *Alcidiane ;* ce dernier est un roman édifiant et inextricable, dont les héros raisonnent sur la grâce à la manière de Jansénius. Ces romans interminables qu'on ne peut lire aujourd'hui, firent fureur alors, et trouvèrent de nombreux imitateurs.

La Calprenède (1602–1663) produisit *Cassandre*, en dix volumes, *Cléopâtre* de même dimension, *Pharamond* en douze volumes. Mme de Sévigné les admirait tout en critiquant " son chien de style." Il avait de l'imagination et un noble orgueil ; il donnait à ses héros des sentiments d'honneur hyperbolique qui échauffent le cœur. Le succès de La Calprenède dura jusqu'au temps de J. J. Rousseau ; ses livres furent traduits en Allemagne, en Italie et en Angleterre.

Madeleine de Scudéry (1607–1701) faisait paraître ses romans sous le nom de son frère qui s'en appropriait l'honneur et les profits, dit-on. Elle s'empara des héros de la Perse et de Rome pour représenter les mœurs, le langage, les caractères des habitués de l'hôtel de Rambouillet surtout. On aimait à se reconnaître sous ces grands noms : le grand Condé y devenait *Cyrus ;* Mme de Rambouillet, *Arthénice ;* Julie d'Angennes, *Clélie* ou *Mandane.* Dans *Clélie*, roman en dix volumes, se trouve le royaume du *Tendre* dont la carte était pour les initiés une analyse délicate de l'amour ingénieusement figuré. On y voit le fleuve d'*Inclination*, ayant sur ses bords les villages de *Jolis-vers*, d'*Epîtres galantes*, de *Complaisance*, d'*Assiduités ;* plus loin sont les hameaux de *Légèreté*, d'*Oubli*, avec le lac d'*Indifférence ;* mais en suivant le cours naturel du fleuve, on arrive aux villes de *Tendre sur Estime*, et *Tendre sur Inclination*, etc.

Le meilleur ouvrage de Mlle de Scudéry est le *Grand Cyrus*, également en dix volumes de mille pages chacun, qui excitait l'admiration générale. On trouve dans ces livres, des portraits habilement tracés et des conversations conduites avec un art infini. Mlle de Scudéry, dont l'esprit et le caractère valaient mieux que ses écrits, était en grande vénération chez Mme de Rambouillet, où on la surnommait *Sapho ;* elle était la vraie muse de l'époque. On l'aimait pour sa simplicité, sa modestie, son humeur aimable et enjouée. Elle fonda les fameux *Samedis*, et recevait chez elle, au Marais, un bon nombre des habitués du grand hôtel, aussi bien que des bourgeoises riches et spirituelles, entre autres la célèbre Mme Cornuel, que tant d'auteurs de ce temps citent pour son esprit.

Sorel (Charles, 1599-1674) est le premier romancier réaliste. Il commença le roman de mœurs dans *Francion*, où dans les aventures d'un jeune noble il fait la satire de la haute société et de la littérature favorite d'alors; le *Berger extravagant* est une satire de l'Astrée mais imité de Don Quichotte; il eut à son tour des imitations, comme le *Gascon extravagant* par Clerville. Le dernier roman de Sorel est *Polyxandre* qui traite de la vie parisienne; il écrivit encore une *Science universelle*, la *Bibliothèque française*, des satires, des allégories. **Cyrano de Bergerac** (1620–1655) est un des esprits les plus bizarres du XVIIe siècle. *L'Histoire comique des Etats et des Empires de la lune*, et *des Etats et Empires du Soleil* sont deux romans fantastiques où dans un cadre imaginaire il a placé la satire des idées et des mœurs de son temps. Son goût est détestable ; il abonde en affectations de tous genres ; personne n'a plus que lui subi l'influence italienne et espagnole. Il a laissé une tragédie passable, *Agrippine*, et une comédie, le *Pédant joué.*

Beaucoup de petits romans de cette période en faisant la satire des romans de longue haleine, leur firent perdre, en grande partie, leur réputation d'emprunt ; plus tard Molière les attaqua aussi, et enfin Boileau dans sa satire, *Les héros de roman*, leur porta le dernier coup.

Le Journalisme. — Le XVIIe siècle vit les commencements du journalisme en France. Le *Mercure français* fondé dès 1605 n'était qu'une annale chronologique des évènements. Le premier journal, dans le sens moderne du mot, fut la *Gazette de France*, fondée en 1631 par Théophraste Renaudot, et qui fut encouragée par Richelieu.

TROISIÈME PÉRIODE, DE 1660 À 1700. *1643 - 1715*

Louis XIV et la littérature de son temps. — Si Richelieu et Mazarin avaient preparé l'état de prospérité dont la France jouissait lorsque Louis XIV prit lui-même possession des rênes du gouvernement en disant : " L'Etat, c'est moi " ; et si l'administration du royaume fut ensuite l'œuvre de ses ministres autant que la sienne propre ; il est une chose qui lui appartient tout entière : c'est la direction générale qu'il donna au gouvernement et à la société ; c'est la manière habile et énergique dont il sut dominer tous les pouvoirs, les annuler, ou les faire servir à sa grandeur ; c'est ce pouvoir sans limite et sans contrôle qu'il s'attribua. Sous lui, les parlements réduits à une impuissance réelle se taisent ; la noblesse humiliée s'incline devant le maître, le clergé est forcé de se retrancher dans son domaine spirituel, la cour subit une espèce de domesticité dorée, le protestantisme perd son existence politique avant d'être proscrit, le jansénisme est condamné.   Partout l'uniformité, partout l'obéissance morose.   Cependant Louis XIV aimait tout ce qui était grand et beau ; il aimait le faste, la majesté, et ce goût se montre en toutes choses, dans l'architecture, les jardins, dans les fêtes et le cérémonial de sa cour.   Il est aisé de pressentir le caractère de la littérature sous un pareil roi.

Sa maxime fut d'unir pour régner.   Dans ce but, il réunit autour de lui tout ce qui était influence ou éclat : noblesse, fortune, science, art, génie, bravoure ; toute une phalange d'hommes vinrent comme autant de rayons se concentrer autour de son trône, et c'est de là qu'il faut envisager le mouvement intellectuel de son règne et en embrasser l'ensemble.   C'est cette période qui s'est tout particulièrement appelée "le siècle de Louis XIV," par l'influence indirecte mais réelle que ce roi a exercée sur la littérature de son temps.   Il encouragea et protégea les écrivains en leur donnant des pensions au nom de l'Etat ; il les reçut à sa cour, les honora de son amitié ; s'il est douteux qu'il ait admis Molière à sa table, il ne l'est pas qu'il ait tenu son premier enfant sur les fonts baptismaux.   Rappelons-nous qu'à cette époque le public n'était pas assez nombreux pour que son argent et ses applaudissements offrissent un stimulant suffisant à l'ambition littéraire.   C'est auprès du roi et de la noblesse qu'il fallait réussir, et c'est par leur largesse qu'il fallait vivre.   Boileau n'a pas dissimulé ce sort des lettres dans sa première épître au roi :

> " C'est par toi qu'on va voir les Muses enrichies,
> De leur longue disette à jamais affranchies."

Le haut patronage dont il honorait les gens de lettres faisait loi pour son entourage.   Le bon ton en un mot était aux lettres.   La littérature entraînée dans la sphère royale devint une partie du vaste ensemble monarchique ; elle subit la tyrannie des convenances et reflète l'état de la société : l'autorité, la règle partout, la

liberté, la fantaisie nulle part ; mais en même temps elle acquiert
cette délicatesse, cette politesse et cette grâce qui la distinguent
de celle des autres époques. "Ce qui domine dans cette époque,
dit M. Vinet, c'est la juste mesure des qualités" ; en effet, le
goût trouve sa perfection dans le bon sens uni à une imagination
créative ; il y a plénitude dans les facultés, maturité et sagesse
dans les œuvres, convenance et dignité dans l'expression.

L'influence de Louis XIV s'est marquée plus particulièrement
dans trois genres : la poésie dramatique, la satire littéraire, et
l'éloquence religieuse.

Poésie.

Dans ce siècle, quatre génies supérieurs, chacun dans son
genre, s'élevèrent à la fois au sommet de l'art, où Corneille avait
déjà atteint ; c'est nommer Molière, Racine, Boileau et La Fontaine. Examinons à la hâte quelles formes particulières leur
poésie a revêtues.

Boileau (Nicolas Despréaux, 1636–1711). Boileau n'est pas
le premier né, ni le plus grand écrivain de cette génération merveilleuse. Toutefois il semble à propos de commencer par lui
l'étude d'une époque où tant d'écrivains illustres ont reconnu sa
supériorité et le regardaient comme le juge le plus intelligent et
le plus éclairé des œuvres littéraires de son temps.

Boileau, "fils d'un père greffier, né d'aïeux avocats," naquit à
Paris et eut une enfance tout ordinaire. "Nicolas, disait son
père, est un bon enfant qui ne dira jamais de mal de personne."
Ce *bon enfant* devait pourtant devenir le plus grand satirique de
son époque. On le destinait au barreau, mais le goût de la
poésie l'entraîna. Il "secoua la poussière du greffe paternel" et
n'ayant emporté de ses études diverses que "la haine des sots
livres," et l'animosité contre ceux qui les font, il s'arma contre
eux du fouet de la satire ; et tandis que Molière et Racine
faisaient leurs chefs-d'œuvre, lui, détrônait les fausses idoles et

apprenait au public à distinguer Molière de Scarron, Racine de
Saint-Amant, et La Fontaine de Mlle de Scudéry ; enfin le beau
du mauvais, le sublime du médiocre en littérature, et surtout en
poésie.   Il assigna à chaque homme et à chaque chose son rang
dans l'estime publique ; il le fit avec un discernement presque
infaillible, avec un courage intrépide.   Il n'avait que trente ans
lorsqu'il fit paraître la satire *A mon esprit* où il attaque tous les
mauvais poètes admirés du temps ; il était pauvre, isolé, sans
protecteur à la cour ni à la ville, et ses adversaires étaient puissants ; ils tenaient l'Académie, les dignités, les pensions, les bénéfices ; cela ne l'empêcha pas de les harceler, de les poursuivre
avec une verve intarissable ; et il a rendu ses arrêts dans une
forme heureuse et un langage parfait.

La carrière poétique de Boileau peut se diviser en trois
périodes.   Dans la première, de 1660 à 1668, où il attaque les
mauvais poètes avec toute l'impétuosité de sa jeunesse ; il
combat à outrance le genre romanesque, la préciosité, l'esprit de
pointes, maniéré et trivial en leur opposant le naturel.   Le
premier objet qu'il se propose, c'est de ramener l'art à l'imitation de la nature humaine et à l'expression de la vérité dont
on s'était tant écarté, depuis le temps de la Pléiade au moins.
Partout, on traitait le naturel de " commun " ; dans les salons,
au théâtre, dans les romans, au barreau, même dans la chaire, on
ne voulait rien que de " rare," que d'imprévu, on ne travaillait
qu'à s'éloigner de la nature, qu'à séparer l'art d'avec la vie.   Ce
fut contre cette littérature que Boileau dirigea tous les traits de
sa satire.   Nul doute que, même sans lui, le bon sens n'eût fini
par l'emporter, mais il hâta par ses écrits le moment de cette victoire.   Ce fut dans cette période qu'il publia neuf *Satires* dont
quatre sont exclusivement littéraires ; les autres contiennent
contre les mauvais écrivains une foule de traits des plus piquants.
Ces satires, quoique excellentes, sont inférieures à ce qu'il fit plus
tard.

Dans la seconde période, de 1669 à 1677, il laissa reposer la satire : après avoir renversé, il s'agissait de reconstruire. Alors parut l'*Art poétique*, "ce code de goût," comme l'appelèrent les contemporains ; il y formule et coordonne la doctrine littéraire qu'il venait de faire prévaloir, il y comprend tous les préceptes de composition consacrés par l'expérience et légitimés par la raison. Boileau érige en principes éternels des règles très arbitraires, telles que celle des unités imposée aux pièces de théâtre ; il proscrit absolument de la poésie épique ou dramatique l'élément chrétien ; il conserve le langage et le merveilleux de la mythologie, mais il la réduit à une froide allégorie. Il commet de graves erreurs en parlant de notre littérature du moyen âge, on voit qu'il l'ignorait ; il est plus heureux en parlant de l'antiquité classique. En général, il s'est trop attaché aux menues prescriptions qui touchent à la forme des ouvrages ; il tient trop peu compte de l'inspiration qui seule fait le poète. La plus belle partie de l'*Art poétique* est celle qui comprend les conseils moraux donnés au poète ; là, le fond est juste et bien pensé, la forme est achevée.

Nombre de ses vers sont devenus des préceptes, des axiomes, autant par la justesse des idées que par l'admirable précision du style : le choix du mot propre et la rime rare qui fit école. *L'Art poétique* de Boileau, modelé sur *l'Ars Poetica* d'Horace, a eu une profonde influence sur la littérature française. L'Académie prononça en faveur de ses règles, et les écrivains durent se soumettre.

La même année il publia les quatre premiers chants du *Lutrin*, où il s'agit d'une querelle entre le prélat et le chantre de la Sainte-Chapelle, pour décider si on va placer un pupitre dans le chœur. C'est une assez froide plaisanterie sur un sujet futile, mais c'est un chef-d'œuvre de versification. Il écrivit ensuite les neuf premières *Epîtres*, dont la dernière adressée à Racine, réunit au plus haut degré toutes les qualités qui distinguent notre

grand satirique. Nommé historiographe du roi avec Racine, il in-
terrompit comme lui ses travaux poétiques, et pendant les seize
années qui suivirent, il se contenta de publier les deux derniers
chants du *Lutrin.* Il ne rentra dans la carrière poétique qu'en
1693 ; mais moins heureux que son illustre ami, il ne retrouva
pas un nouveau génie. C'est alors que commence la troisième
période de sa vie. Il écrit l'*Ode sur la prise de Namur,* faible
tentative lyrique ; il compose trois froides satires : contre les
Femmes, sur *l'Honneur,* contre l'*Equivoque* ; enfin il fait ses trois
dernières épiques. " Il manqua à ce sage la sagesse la plus rare,
celle de savoir finir à propos," dit M. Nisard.

Chez Boileau, l'homme surpasse le poète ; le caractère laisse
le talent loin derrière lui. Il avait le respect de soi, de sa vocation et de son art. Son jugement était haut, sa conscience loyale
et pure, son âme fière et généreuse. Il ne craignit pas de répondre à Louis XIV qui lui demandait son opinion sur des vers
qu'il venait de composer : " Sire, rien n'est impossible à votre
majesté, elle a voulu faire de mauvais vers et elle a réussi." La
faveur dont l'honorait le roi s'adressait encore plus à l'homme
qu'au poète ; il appréciait en lui la raison supérieure, la sincérité,
la droiture de cœur. Après la mort de Racine, Boileau quitta la
cour ; " Qu'irais-je faire là-bas, disait-il, je ne sais plus flatter."
Comme son ami, il avait su louer sincèrement, mais comme lui, il
n'avait jamais su flatter, et il n'y avait plus rien à louer à la cour.
Boileau cependant n'est pas infaillible dans son œuvre d'épura-
tion ; son horizon poétique est trop restreint, il ne sort pas du
cercle tracé par l'antiquité païenne. On a cru trop longtemps,
qu'il avait tracé les limites définitives de l'art : on l'a trop appelé
le *Législateur du Parnasse.* Ses écrits ont surtout pour but de
former des lecteurs, et ils sont parfaitement appropriés à cette
tâche, car sa langue est toujours pure et précise ; il n'a qu'un mot
pour exprimer une chose. Sa critique qui est piquante, railleuse,
médisante, est aussi simple, accessible à tous ; plutôt négative

qu'inspiratrice, elle réduit les principes de l'art à ceux du sens commun. Boileau fut à Molière, Racine et La Fontaine un guide éclairé, un censeur incorruptible, un appui sûr en même temps qu'un ami dévoué.

La Fontaine (1621–1695). " La Fontaine, dit M. Géruzez, c'est la fleur de l'esprit gaulois avec un parfum d'antiquité ; il relève de Phèdre et d'Horace, mais il procède aussi de Rabelais et de Villon." En effet, le XVIᵉ siècle, le moyen âge, l'antiquité classique, tout ce qu'il y a de plus aimable, de plus élégant dans les poètes d'autrefois, se reproduit et se résume avec charme dans ses naïfs et immortels récits.

Né à Château-Thierry d'une famille bourgeoise, il reçut une éducation assez faible. A vingt ans, il se crut appelé à l'état ecclésiastique, entra chez les Oratoriens, mais en sortit bientôt. A vingt-six ans, son père le maria et lui donna sa charge de maître des eaux et des forêts ; rêveur, oublieux, volage, il négligea tout, ses fonctions comme sa femme et son fils. Passionné d'indépendance, il se débarrassa de bonne heure de ces entraves et alla à Paris ; depuis lors ses relations avec sa famille se bornèrent à des visites annuelles et à quelques lettres. Un jour, il rencontre son fils dans la rue, ne le reconnaît pas ; quelqu'un s'en étonne, il répond " qu'il croyait en effet avoir vu ce jeune homme quelque part."

A Paris comme ailleurs il se laissa vivre, et d'autres prirent soin de lui. Fouquet l'admit chez lui et lui fit une pension de mille francs ; plus tard Mᵐᵉ de la Sablière le recueillit et lui épargna tous les tracas de la vie pendant vingt ans. Quand elle mourut, Mᵐᵉ d'Hervart, jeune et charmante, l'entoura d'amitié et de soins jusqu'au dernier moment ; elle veilla à tous ses besoins, jusqu'à remplacer ses habits usés ou tachés sans qu'il s'en doutât. Il n'avait pas de vanité et avouait ingénument ses fautes, ses désordres, mais sans s'en corriger toutefois. Tel était La Fontaine. Chez lui, la partie prévoyante et commandante qui règle et pro‑

portionne nos actions était absente. "Je crois que de tous les
poètes français, dit M. Taine, c'est lui qui le plus véritablement
l'a été. Plus que personne, il en a les deux grands traits : la
faculté d'oublier le monde réel, et celle de vivre dans le monde
idéal, le don de ne pas voir les choses positives, et celui de suivre
intérieurement ses beaux songes." Tout impropre qu'il est aux
devoirs de la famille et de la société, il n'est jamais dur ; le
fcnd de son caractère est la douceur, il est incapable de haine
ou de rancune. Tout le monde aimait ce "grand enfant," qu'on
appelait le *bonhomme*. Malgré son insouciance il était profondément reconnaissant ; nul ne fut plus fidèle à ses amis et ne
fut plus tendre envers eux. "Savez-vous, dit-il, que pour peu
que j'aime je ne vois les défauts des personnes, non plus qu'une
taupe qui aurait cent pieds de terre sur elle."

Dans l'intimité et avec ceux qu'il aimait, il était délicieusement aimable, enjoué, vif, avec une pointe de malice et un grand
air de naïveté ; mais avec les étrangers, ou ceux qu'il n'aimait
pas, il paraissait lourd, stupide, et il ne cachait pas son ennui.
La cour lui déplaisait, non parce qu'il haïssait les grands, mais
l'étiquette et la contrainte lui répugnaient.

A vingt-deux ans, la lecture d'une ode de Malherbe éveilla en
lui le goût de la poésie. Dès lors commença son éducation
poétique ; paresseux et insouciant, il la poursuivit sans empressement et sans ambition ; il étudia en croyant s'amuser. Il lut les
vieux auteurs, s'attacha à Rabelais et à Marot, admira naïvement
Voiture et d'Urfé ; l'Italie l'enchantait : il lut tout et avec passion :

> "Je chéris l'Arioste et j'estime le Tasse ;
> Plein de Machiavel, entêté de Boccace,
> J'en parle si souvent qu'on en est étourdi.
> J'en lis qui sont du Nord et qui sont du Midi."

Son ami Maucroix et son parent Pintret lui ayant conseillé d'étudier Homère, Virgile, Térence, il s'attacha aussitôt aux anciens
avec cet enthousiasme, cette heureuse facilité d'humeur qui lui

faisait aimer toute belle chose : il ne lut plus que les anciens et
ne parla que d'eux. Jusqu'à l'âge de quarante-trois ans, La
Fontaine semble attendre dans une molle paresse la maturité de
son génie. Quelques poésies légères empreintes d'une facilité
nonchalante et voluptueuse, mais pleines de naturel et de sensibilité, avaient seules payé la généreuse hospitalité de Fouquet.
Le premier ouvrage qui attira l'attention sur son nom fut l'*Elégie
aux nymphes de Vaux* qui était un cri du cœur arraché par la
disgrâce du surintendant. L'*Elégie* adressée au roi eut le plus
beau de tous les succès : elle ramena l'intérêt sur le ministre disgracié ; mais Louis XIV fut plus inflexible que le public, et La
Fontaine dut peut-être à sa hardiesse reconnaissante de ne jamais obtenir les faveurs de ce prince. Ses *Contes et Nouvelles*
qui parurent en 1665 et qu'il avait composés à la prière de la
duchesse de Bouillon, nièce de Mazarin, sont imités des Italiens, surtout de Boccace.

Dans ses lectures si diffuses et dont il avait joui si vivement,
il n'avait "pris et ramassé que la fleur" comme il nous le dit lui-
même. Alors riche des fruits de cet agréable travail, il écrivit,
non pas négligemment et à l'aventure, mais avec un soin curieux,
une attention soutenue, un goût délicat et plein de scrupule, ces
fables immortelles qu'on ne se lasse pas de relire. Molière seul
avait deviné La Fontaine : "Laissez-dire nos beaux esprits, ils
n'effaceront pas le bonhomme," avait-il coutume de dire lorsque
Racine et Boileau harcelaient le naïf et malin Champenois, plus
âgé qu'eux et moins impatient de briller.

Dans ses *Fables* qu'il appelle : "Une ample comédie à cent
actes divers," il emprunte ses sujets aux conteurs indiens, à
Esope, à Phèdre ; comme Molière, il "prend son bien où il le
trouve," mais "son imitation n'est point un esclavage." Il prend
l'idée et la repense de façon à lui rendre la vie une seconde fois,
elle devient sienne. En effet, l'originalité poétique ne consiste
pas à inventer le sujet, mais à découvrir la poésie du sujet.

L'invention de La Fontaine, c'est sa manière de conter, c'est cette imagination heureuse qui jette partout la vie et l'intérêt. "Il ne compose pas, dit La Harpe; s'il raconte, il est persuadé, il a vu." Il a réellement sous les yeux ce qu'il nous conte, et son récit est une peinture; on s'imagine entendre un homme assez simple pour ajouter foi aux fables dont on a bercé son enfance. C'est dans cette apparente crédulité du conteur, dans ce sérieux avec lequel il mêle les plus grandes choses aux plus petites, que consiste la qualité propre et distincte de son inimitable *naïveté* qui abonde en traits malins et en sarcasmes: c'est ainsi qu'il *suppose* qu'un *moine* est toujours *charitable*; et qu'en parlant de l'animal *perfide*, il ne veut pas dire l'*homme* mais le *serpent*. Son accent respire d'ordinaire la gaieté, la malice, mais il est souvent pathétique, sensible et mélancolique. Ses petits récits contiennent en abrégé la société humaine; tout s'y trouve. On n'y rencontre pas de leçons proprement dites; il se contente de regarder comment se passent les choses et de nous en instruire. "Tâchez de n'être point sot, de connaître la vie, de n'être point dupe des autres ni de vous-même," voilà l'abrégé des conseils de La Fontaine, dit M. Taine. Il prêche la "secourabilité" envers les autres; il aime à mettre en regard le service reçu et le service rendu, l'ingratitude est de tous les vices humains, celui qui l'indigne le plus. Nulle part il ne cherche à atténuer sa propre conduite. Il n'écrit pas au hasard avec les inégalités de la verve; il revient sur ses pas, et se corrige patiemment. Il avouait lui-même, qu'il "fabriquait ses vers à force de temps." Il recommençait et raturait jusqu'à ce que son œuvre fut la copie exacte du modèle intérieur qu'il avait conçu.

A l'époque où La Fontaine écrivit, l'usage était de composer chaque ouvrage en vers, petits ou grands, soit dans la même mesure, soit en strophes formées symétriquement de vers inégaux. Lui devait imaginer un vers particulier pour ses fables; et ce

mètre est une combinaison de tous les autres. Son vers s'allonge
ou se raccourcit, non pas au hasard, mais d'après des convenances
très délicates. Pour une description, un tableau, un récit tranquille, c'est d'ordinaire le grand vers de douze syllabes. Dans
le dialogue, le récit pressé, les réflexions, ce sont tous les mètres,
alternativement mais sans confusion. L'instinct, le goût délicat
et rapide, le dessein, l'humeur, tout contribue à cet arrangement.
Quand on lit ses vers si gracieux, si aisés, qu'il aimait tant qu'il
en oubliait famille, ambition, intérêt, on le trouve semblable à
sa cigale. La Fontaine est unique dans son genre, en France
comme en Europe ; il n'est d'aucune école et il n'a point excité
de disputes.

Le Théâtre.

On peut dire que par l'analyse morale et par l'étude de l'âme
humaine, de ses ressorts les plus profonds, les plus cachés, les
plus subtils, la littérature du XVIIᵉ siècle est d'une richesse et
d'une variété incomparables. Presque tous ses écrivains sont
maîtres en cette science : auteurs dramatiques, romanciers,
historiens, auteurs de mémoires, tous se plaisent à observer
et à peindre les mœurs, les caractères, le jeu des passions ;
cela devient même, à un certain moment une mode, un divertissement de société : tout le monde se mêle de peindre des portraits ou des caractères, d'écrire des maximes et des réflexions
morales ; ce qui donne lieu à des discussions et à des productions nouvelles. C'est la morale en serre chaude. De là trans-
plantée au théâtre, elle y déploie toutes ses branches et ses plus
éclatantes floraisons.

La Comédie et Molière. — Au premier rang des poètes du théâtre, nous rencontrons Molière, qui obtint toutes les franchises
du génie sous la royauté absolue. Louis XIV demandait un jour
à Boileau quel était le plus grand poète de son règne. "Sire,
répondit le critique, c'est Molière." "Je ne l'aurais pas cru,"

repartit le roi. La postérité a confirmé le jugement de Boileau.

Jean-Baptiste Poquelin, dit **Molière** (1622–1673), naquit à Paris. Son père, qui était tapissier et valet de chambre du roi, était à l'aise et lui fit donner une éducation de gentilhomme au collège de Clermont, à Paris, où il eut pour maître le philosophe Gassendi. Il fit son droit à Orléans, et on dit qu'il y fut reçu avocat ; mais rien ne lui plaisait que le théâtre. Jamais penchant ne fut plus impérieux, plus irrésistible que celui qui l'y entraînait, et rien ne put l'en détacher.

En 1643, il renonça à sa famille, prit le nom de Molière et se fit le directeur d'une troupe d'acteurs de mérite, qui s'intitulait l'*Illustre théâtre* et pour laquelle il écrivit des farces, entre autres la *Jalousie du barbouillé*, le *Médecin volant*, les seules de ses premiers essais qui aient échappé à la destruction. On raconte que son premier pédagogue étant venu le sermonner pour rompre son dessein, Molière fit si bien qu'il l'enrôla lui-même pour jouer les rôles de pères nobles. Avec ses acteurs nomades il parcourut les divers quartiers de Paris, puis la province pendant douze ans, pénétrant la vie réelle sous tous ses aspects et ramassant sur sa route une foule de types. Il n'y a pas de doute que sa vocation d'acteur fut sa grande passion. Il était acteur depuis neuf ans, quand il écrivit l'*Étourdi* (1655) ; ses premières pièces sont imitées de l'italien, ou tirées de nos vieux fableaux, mais ont presque la valeur de pièces originales par la verve, le style étincelant de gaieté, de fraîcheur et de poésie. Il revint à Paris en 1658 et joua devant le roi avec beaucoup de succès. Lié dès lors à la vie de théâtre par ses goûts et ses succès, il comprit que la tâche unique d'amuser ses contemporains était un rôle vulgaire ; que la comédie devait être élevée et épurée, et qu'ainsi elle pouvait devenir une école pour réformer les travers de l'esprit et les vices du cœur, ou tout au moins pour les déconcerter par le ridicule. Il entama aussitôt une campagne très hardie contre tous les vices, les ridicules et les préjugés de son temps. Il y recueillit des applaudissements nombreux et des haines plus nombreuses encore.

En 1659, on subissait à Paris l'esprit précieux. Molière plein de bon sens et de franchise, ennemi né de l'affectation et du pédantisme, attaqua avec empressement ce travers et il fit son début devant le public parisien avec les *Précieuses ridicules*; le poète comique s'y révélait entièrement. Il sut y persifler avec autant de bon sens que d'esprit, le faux goût littéraire, l'exagération de langage et les manières affectées des *ruelles*. A la première représentation, une voix s'écria du parterre : "Courage Molière, voilà la bonne comédie." C'était en effet l'inauguration de la comédie de mœurs. Ménage, un des *alcovistes* les plus distingués dit à Chapelain en sortant du théâtre : "Nous approuvions vous et moi toutes les sottises qui viennent d'être critiquées si finement et avec tant de sens . . . il faudra brûler ce que nous avons adoré, et adorer ce que nous avons brûlé." En effet, dès cette représentation, ajoute Ménage, on commença à revenir du galimatias et du style forcé. Ainsi le poète réformait d'un seul coup le théâtre comique et le goût littéraire.

Molière alors se sentit devenir lui-même. "Je n'ai plus que faire, dit-il, d'étudier Plaute et Térence, je n'ai qu'à étudier la société, le monde." Ce n'est pas qu'il eût renoncé aux conquêtes sur l'étranger, mais à partir de ce moment ses imitations furent plutôt des assimilations, où l'élément créateur et original domine et où il perfectionne tout ce qu'il emprunte. Ce nouveau dessein de moraliste réformateur sensible dans les *Précieuses*, se montre encore plus clairement dans *Sganarelle* (1660), qui est l'école des jaloux ; dans l'*Ecole des maris*, une attaque contre le despotisme et l'*Ecole des femmes*, une attaque contre l'ignorance, qui soulevèrent de vives critiques auxquelles il répondit par la *Critique de l'école des femmes*. Toutes les fois que Molière n'est

pas obligé de divertir la cour par ordre, ou le peuple par nécessité, il moralise pour le siècle et donne des leçons.

Cependant la réputation de Molière grandissait. En 1665,
Louis XIV le prit en amitié, lui donna une pension pour lui-
même et une autre pour sa troupe qui s'appela depuis *la troupe
du roi.* Il n'était guère de fêtes où notre poète ne fut appelé à
jouer devant la cour. Les *Fâcheux*, qu'il écrivit pour Fouquet,
est une improvisation brillante qui fut faite et apprise en quinze
jours. *La Princesse d'Elide*, le *Mariage forcé*, l'*Impromptu de
Versailles*, l'*Amour médecin*, la *Comtesse d'Escarbagnas* sont aussi
des pièces de circonstance ou de commande, et sont d'un mérite
secondaire. Sa verve comique s'est donné un libre cours dans
des *farces* parfois un peu grossières, telles sont le *Médecin
malgré lui*, le *Mariage forcé*, *M. de Pourceaugnac*, les *Fourberies
de Scapin.*

La société fut la source la plus féconde de Molière, comme il
le dit lui-même ; il la parcourt de haut en bas par son investigation philosophique : toutes les classes y passent. Dans le *Bourgeois gentilhomme* (1670) il tourne en ridicule la sotte vanité du
parvenu ; la cour lui offrait des types non moins féconds : avec
quelle verve il peint ces seigneurs qui croyaient que la naissance
suppléait à tout ! " Qu'avez-vous fait pour être gentilhomme ? "
fait-il dire dans *Don Juan*, " Non, la naissance n'est rien où le
mérite n'est pas." *Don Juan* ou le *Festin de Pierre* (1665) est
une œuvre extraordinaire, unique dans le théâtre de Molière.
C'est une tragi-comédie fantastique et bouffonne, un mélange de
tous les genres et affranchi de toute règle, en prose et sans unité
de lieu, d'action, ou de temps. Tout le reste de son théâtre
témoigne qu'il tint invariablement pour la distinction des genres
et pour les trois unités.

Le vrai triomphe de Molière est dans ses grandes pièces de
haute comédie ou comédie de caractère, où il se montre vraiment
philosophe et créateur : *Les Femmes savantes* (1672), le *Mi-*

santhrope (1666), l'*Avare* (1668), le *Tartufe* (1667). L'*Avare* est son chef-d'œuvre en prose, et Harpagon est devenu chez nous synonyme d'avarice. Molière y a peint ce vice sous ses côtés les plus repoussants et les plus comiques. Mais c'est dans le *Tartufe* qu'il met le plus de passion et de feu. C'est la révolte de sa noble nature contre l'hypocrisie ; il semble avoir moins songé à nous amuser qu'à nous instruire dans cette pièce. Plein de respect pour la religion quand elle est sincère, il la venge des pédants qui la défigurent et des hypocrites qui l'outragent en démasquant l'hypocrisie religieuse. *Tartufe*, c'est le faux dévot qui se joue du ciel et de la terre, et il l'a marqué d'un tel cachet de vérité, qu'il fait l'effet d'avoir vécu et qu'il est devenu le type immortel des hypocrites. Cette pièce lui suscita de nombreux ennemis ; le clergé qui se croyait attaqué en défendit la représentation ; le curé Roulès demandait le fagot pour l'auteur, mais Louis XIV le protégea contre tous et lui permit de la jouer l'année suivante. Dans les *Femmes savantes*, Molière voulut porter le dernier coup au pédantisme :

"Des sots savants, plus sots que des sots ignorants."

La langue de cette œuvre est la plus parfaite qu'il ait écrite. Son génie s'y produit dans toute sa force avec une aisance, une pureté, et une touche toujours sûre. " Le *Misanthrope*, nous dit Voltaire, fut regardé comme le chef-d'œuvre du haut comique par toute l'Europe." Et pourtant cette pièce moralisatrice de Molière, la plus grande, peut-être, ne présente que les incidents de la vie commune ; l'intrigue en est extrêmement légère. L'action se passe dans un salon entre une coquette, quelques jeunes seigneurs prétentieux, un poète importun, une prude fourbe, un mondain sensé un peu sceptique, une jeune fille candide et un honnête homme, franc, droit, violent et ridicule parce qu'il est amoureux de la coquette. L'intérêt de la pièce se soutient presque entièrement par la peinture des caractères qui sont si vrais, si humains, et le langage qui est si vif, si spirituel. Au lieu de s'emparer des caractères les plus généraux comme il le fait ordinairement, ici Molière étudie surtout les petits côtés de l'homme; on y trouve un sens plus délié des défauts légers et des travers du cœur; les caractères y sont aussi plus complexes.

A mesure que la raison de Molière devient plus profonde et son coup d'œil plus pénétrant, sa verve comique monte et bouillonne de plus en plus. Le *Malade imaginaire* (1673), en est le dernier terme et le plus frappant exemple; c'est une thèse contre la fausse science des médecins du temps; il les avait déjà souvent fustigés. On en donnait la quatrième représentation, et Molière remplissait le rôle d'Argan, quoique souffrant; lorsqu'à la fin de la pièce il fut pris d'une convulsion de poitrine, il mourut quelques heures après, âgé de cinquante et un ans, épuisé par une longue maladie, par le travail et les chagrins. L'archevêque de Paris lui refusa la sépulture, il fallut toute l'autorité du roi pour vaincre cette opposition; et encore, ne fut-il enterré que la nuit. La profession de comédien l'empêcha d'être admis à l'Académie, mais plus tard on plaça son buste dans la salle des séances avec cette inscription: Rien ne manque à sa gloire, il manquait à la nôtre." L'observation est la faculté dominante de Molière; par cette faculté il a saisi les deux éléments nécessaires à la composition de son œuvre: les mœurs d'abord, puis les caractères.

Molière avait une grande irritabilité qu'explique trop la vie fiévreuse qu'il menait, la maladie, les attaques odieuses auxquelles il était en butte, et les chagrins domestiques que lui suscitait son indigne épouse, Armande Béjart. Il était bon, tendre, serviable, très généreux, prodigue même dans sa charité; il pratiquait le bien au lieu de le rêver. Le contraste le plus touchant de son caractère, c'est le sérieux de son humeur et la gaieté si franche de son esprit; dans le monde, il était souvent taciturne, rêveur, son ami Boileau l'appelait le *grand contemplatif.* "Son génie, dit M. Claretie, était fait de bonté, de pitié, d'ironie et de souffrance."

L'horreur du vice et l'amour de la vertu se montrent dans toutes les œuvres de Molière. Tout ce qui sent la haine des méchants, le mépris des gens à la fois malhonnêtes et ridicules, l'amour du bien, du vrai, tout ce qui est bon, soit une maxime de devoir, soit un conseil de bienveillance, tout cela est sorti du cœur de Molière. Le vrai génie comique, que lui seul peut-être a possédé dans la perfection, c'est-à-dire, le don de réaliser dans des types individuels les traits généraux de la nature humaine, est essentiellement impersonnel ; et par là, il est écrivain universel. Le plus grand attrait de ses pièces, c'est qu'il ne s'y montre jamais ; nous ne voyons que ses personnages ; et dans ces personnages, l'humanité entière. Ses satires générales, sans fiel et sans aigreur, nous instruisent sans nous blesser ; elles s'attaquent à tout le monde sans s'attaquer à personne expressément. Il a pénétré plus loin qu'aucun autre avant lui dans l'anatomie des caractères. Ses personnages ont une physionomie si distincte, si personnelle qu'on les reconnaît entre mille ; on croit avoir vécu avec eux ; ils sont à la fois réels comme des individus et éternellement vrais comme des types. Si Corneille est toujours altier et grand, Racine toujours humain, Molière est toujours vivant.

Molière écrivait toujours à la hâte, pressé par le temps, par les nécessités de son théâtre, par les ordres du roi. En treize ans il a donné vingt-cinq pièces dont plusieurs sont des chefs-d'œuvre. Il est étonnant qu'on trouve si peu de négligences dans son style. Il est presque toujours un modèle achevé de langue dramatique par la netteté et l'éclat, la concision et l'ampleur, l'aisance et le naturel. Il ne sacrifie jamais l'idée à l'expression et frappe toujours juste et fort par son style vigoureux, pittoresque, et souvent élégant. "Dis-moi où tu trouves la rime," lui disait Boileau ; c'est qu'il ne la cherchait pas ; il faisait si naturellement les vers que ses pièces en prose sont remplies de vers blancs.

Si l'on nous accuse de trop aimer Molière, nous répondrons

que d'illustres étrangers ont partagé notre engoûment. Goethe
se plaît à nous faire connaître son admiration : " Molière, dit-il,
est si grand, que chaque fois qu'on le relit, on éprouve un nouvel
etonnement. C'est un homme unique. . . Quel homme que Molière, quelle âme grande et pure ! . . . En lui, rien de caché, rien
de difforme. Et quelle grandeur ! . . . Je connais et j'admire
Molière depuis ma jeunesse ; et pendant toute ma vie, j'ai appris
de lui. . . Ce n'est pas seulement une expérience d'artiste achevé
qui me ravit en lui ; c'est surtout l'aimable naturel, c'est la haute
culture de l'âme du poète." Terminons par l'opinion *humou-
ristique* de l'acteur anglais Kemble : " Je me figure que Dieu dans
sa bonté, voulant donner au genre humain le plaisir de la comédie, créa Molière et le laissa tomber sur la terre en lui disant :
' Homme, va peindre, amuser, et si tu peux, corriger tes semblables.' Il fallait bien qu'il descendît sur quelque point du
globe de ce côté du détroit, ou bien de l'autre, ou bien ailleurs.
Nous n'avons pas été favorisés, nous autres Anglais ; c'est de
votre côté qu'il est tombé. Mais il n'est pas plus à vous, Français, qu'à personne ; il appartient à l'univers."

La Tragédie.

Racine (1639–1699) naquit à la Ferté-Milon. Resté orphelin
très jeune, il fut placé au collège de Beauvais, à Paris, puis à
Port-Royal où sa grand'tante s'était retirée ; c'est là qu'il prit son
goût si vif pour la langue et la littérature grecques et qu'il apprit
par cœur le roman grec, *Théagène et Chariclée*, qu'on lui avait
confisqué deux fois. Dès cette époque il faisait des vers, la plupart très faibles il est vrai, célébrant les beautés assez tristes des
environs de Port-Royal. A l'occasion du mariage de Louis XIV
il composa *l'Ode aux nymphes de la Seine* qui le fit connaître et
lui valut une pension de six cents livres. Il avait vingt ans, et
c'est à cette époque qu'il fit la connaissance de La Fontaine, son

compatriote, de Molière et de Boileau. Au temps de Racine, le
genre espagnol avait perdu faveur, et son roman favori lui restait
sans doute en tête, car il en fit une tragédie qu'il montra à Molière ; celui-ci trouva la pièce mauvaise, mais encouragea le jeune
auteur en lui donnant cent livres et le plan de la *Thébaïde* ou les
Frères ennemis, qui fut jouée en 1664 par la troupe de Molière
au Palais Royal et eut quelque succès. L'année suivante, *Alexandre le Grand*, qui montre du progrès, fut représenté ; pourtant
ces deux pièces n'ont rien d'original, et l'imitation de Corneille
s'y fait trop sentir.

Andromaque, imitée d'Euripide, qui parut en 1667, révêla tout
le génie de Racine, et fit presque autant de bruit que le *Cid ;* il
n'était plus imitateur, mais créateur à son tour. Il fondait l'intérêt tragique sur le pathétique du sentiment ; il peignait les passions du cœur avec une délicatesse et une vérité inconnues avant
lui. Dans cette pièce, l'action est triple et marche pourtant
sans embarras jusqu'à la fin : le dévouement maternel de la
veuve d'Hector, l'orgueil jaloux d'Hermione, l'indécision de Pyr-
rhus, l'aveugle fureur d'Oreste font naître tour-à-tour la terreur et
l'espérance pour le jeune Astyanax, dernier rejeton de la race
de Priam. Racine refond ce sujet emprunté aux Grecs et lui
donne l'empreinte moderne comme il fit d'ailleurs des autres
sujets qu'il leur prit, ainsi qu'aux Romains. Deux sentiments
égaux en vivacité et en pureté se partagent l'âme exquise et
noble d'Andromaque : le souvenir de son époux et l'amour de
son fils ; ce n'est plus la lutte de la passion avec le devoir, c'est
la lutte de deux sentiments aussi légitimes l'un que l'autre ; c'est
la lutte de deux devoirs, et c'est dans ce jeu interne qu'est le
ressort de tout le drame. *Andromaque* représente la personnalité morale, non sous la forme de l'héroïsme rigide qu'affec-
tionne souvent Corneille, mais sous la forme d'une vertu vraiment
humaine qui a sa source dans le cœur. Racine montrait des êtres
simplement humains. *Andromaque* ouvre une série de chefs-

d'œuvre qui compte sept tragédies à peu près parfaites en l'espace de dix ans. Il se délassa ensuite par la spirituelle comédie des *Plaideurs* (1668), en partie imitée des *Guêpes* d'Aristophane, mais surtout tirée des souvenirs qu'il avait gardés d'un certain procès perdu, et que "ni lui, ni les juges n'avaient jamais bien entendu." Cette pièce, plus satire que comédie, est pleine de mots qui peignent, de traits qui percent; c'est une épigramme, une parodie continuelle qui frappe de ridicule l'éloquence ampoulée et pédantesque des avocats du temps. Le style est le vers propre à la comédie, vif, souple, familier, un peu excentrique et fantasque.

Les ennemis de Racine lui reprochaient de ne savoir peindre autre chose que l'amour; il répondit victorieusement à ces attaques en écrivant *Britannicus*, tiré de Tacite (1669), qui est une des plus belles études du cœur humain. C'est Néron placé au moment terrible où d'homme il devient monstre : c'est le spectacle toujours vrai du premier pas dans le crime.

En 1670, Racine donna *Bérénice* ; le sujet lui en fut imposé par Henriette d'Angleterre, duchesse d'Orléans, qui se donnait l'amusement de proposer en secret le même sujet au vieux Corneille. Le sujet était ingrat et sans intérêt tragique ; Corneille échoua, Racine y apporta ses grâces nobles, sa dextérité à manier les sentiments du cœur, et eut un complet succès qui fit même taire l'envie. *Bajazet, Mithridate, Iphigénie* continuèrent sa gloire sans y rien ajouter. En 1677 vint *Phèdre*, tirée d'Euripide, la plus hardie de toutes les tragédies de notre auteur. Il n'avait encore rien produit d'aussi grand : le caractère de Phèdre troublée par la passion, torturée par le remords, entraînée jusqu'au crime par une fureur que sa raison et sa volonté désavouent, est la plus forte et la plus vivante figure que Racine ait tracée. Tous les genres de beauté s'y réunissent ; cependant une odieuse cabale de ses ennemis fit tomber la pièce pour faire triompher une œuvre détestable, la *Phèdre et Hippolyte* de Pradon. Racine fut découragé et navré. Des scrupules qui lui venaient du reste sur ses occupations réputées coupables par le clergé, le firent renoncer au théâtre, et il resta douze ans sans écrire. Il se maria avec une femme simple et vertueuse, qui, dit-on, ne lut jamais une ligne de ses vers ; se renferma dans la vie de famille, élevant ses enfants avec les soins les plus tendres, chérissant son foyer et ne le quittant que pour la cour où l'appelait sa nouvelle fonction d'historiographe du roi qu'il avait acceptée avec Boileau.

Racine était en grande faveur avec Louis XIV et Mme de Maintenon, et c'est cette faveur qui le ramena par le chemin le plus détourné à l'art dramatique. Mme de Maintenon lui demanda pour les demoiselles de Saint-Cyr, auxquelles elle s'intéressait beaucoup, une pièce où l'amour n'entrerait pas, un divertissement mêlé de musique et de chants pris des Livres saints. Il choisit la touchante histoire d'*Esther*, et en tira une délicieuse élégie, parfaite d'ensemble, et qui fut plusieurs fois jouée par les pensionnaires devant la cour. Deux ans plus tard, en 1691, il fit *Athalie*, le chef-d'œuvre de l'esprit humain, suivant Voltaire. Cette sublime tragédie, écrite comme *Esther* à la prière de Mme de Maintenon, ne fut jouée qu'une fois, à Saint-Cyr, devant le roi qui en défendit la représentation sur aucun théâtre. Est-ce parce que Racine y montrait un Dieu trop compatissant aux souffrances du pauvre, trop sévère à l'orgueil, à l'iniquité des grands ? Toujours est-il que le public d'alors ne connut *Athalie* que par la lecture, comme *Esther* d'ailleurs. Boileau ne cessait de répéter à Racine découragé par cet échec : "Taisez-vous, vous n'avez rien fait de plus beau, on y reviendra." En effet, vingt-cinq ans plus tard, *Athalie* fut jouée sur le théâtre avec un succès immense, mais ce jour-là, Racine était mort. Depuis, la croissante admiration de la postérité a bien vengé le poète de l'injustice de Louis XIV.

Il tomba dans la disgrâce du roi pour avoir écrit, toujours à l'instance de Mme de Maintenon, un mémoire dans lequel il peignait les souffrances du peuple. Il ne retourna plus à la cour, et mourut peu après. Racine était d'une sensibilité extrême, très tendre, vif, ardent, enthousiaste, il était admirable dans la conversation, surtout quand elle touchait à ses études de prédilection ; mais cette ardeur devenait une verve d'une malignité incroyable contre ceux qui l'attaquaient ; ses épigrammes contre ses rivaux ou ses ennemis sont sanglantes ; vrai nature d'artiste enfin, un peu faible, nerveuse, mobile, et inflammable, capable de découragements profonds, d'impétueuses saillies et d'exquises bontés. Au reste ces vivacités de jeunesse s'effacent dans un âge plus avancé pour ne laisser paraître que l'homme de bien, l'ami dévoué, le chrétien sincère.

Racine, simple et vrai, élégant et élevé, offre une alliance merveilleuse du naturel et de l'art. Dans son théâtre on trouve un grand art de combinaison ; et dans l'action comme dans les caractères, rien de divergent ni d'excentrique : point de sujets compliqués, peu d'incidents, rien de surprenant ni d'invraisemblable ; une action simple, *le jeu des intérêts et des passions des personnages*, rien de plus. Voilà la tragédie pour lui, comme la comédie pour Molière. Dans Corneille, ce sont les incidents extérieurs qui mettent en jeu le caractère des personnages ; dans Racine, le plus souvent les incidents, réduits d'ailleurs au plus petit nombre, naissent du jeu des caractères et sont amenés par les passions des hommes. Nulle tragédie n'est plus entièrement psychologique ; elle se passe toute dans l'âme humaine. Racine écrit admirablement bien la langue de son temps, et ce n'est pas un médiocre mérite ; il écrit dans une langue pure, très châtiée, très claire, toujours élégante, toujours musicale, dont la phrase mélodique est un peu courte, et dont le tour très simple manque un peu d'ampleur. Il n'est arrivé à la grande éloquence que dans *Athalie*, et à l'effusion élégiaque et lyrique que dans *Esther*. Il avait coutume d'écrire ses tragédies en prose d'abord ; aussi disait-il pour marquer le dernier dégré d'avancement de ses pièces : "Je n'ai plus que les vers à faire," ce qui prouve que pour lui, le travail principal, c'était la pensée, le plan ; les vers n'étaient que le travail secondaire.

Racine a aussi laissé des *Odes*, des *Cantiques spirituels*, des *Discours académiques*, un *Abrégé de l'Histoire de Port-Royal*. Ses lettres à sa famille et à ses amis, sont tendres, fines, correctes, légèrement railleuses ; l'élégance la plus exquise y règne jusque dans la plus étroite intimité.

Auteurs dramatiques secondaires. — Au dessous des quatre grands auteurs qui représentent la poésie du règne de Louis XIV, s'échelonnent une foule d'autres poètes ; nous n'indiquerons que ceux que la renommée a placés au deuxième rang, et qui presque tous furent des imitateurs plus ou moins heureux de Molière et de Racine.

Thomas Corneille (1625–1709) eut le malheur de porter un nom trop glorieux : la renommée de son frère a failli absorber la sienne. Plus jeune que Pierre de vingt ans, il débuta au théâtre lorsque celui-ci avait déjà donné tous ses plus beaux ouvrages. Poète facile en même temps que laborieux, il a laissé dix-sept tragédies et quinze comédies, presque toutes empruntées à l'inépuisable fond espagnol dont il imite bien l'intrigue compliquée et les inventions romanesques. Sa tragédie de *Timocrate* obtint l'un des plus grands succès dramatiques du temps ; elle fut jouée pendant six mois. Erudit autant que poète, il a écrit de bonnes *Observations sur Vaugelas ;* un *Dictionnaire des arts et des sciences ;* et un *Dictionnaire géographique et historique*, ouvrages neufs en ce temps et qui rendirent de grands services.

Pradon se constitua le rival de Racine qu'il imite dans la force de ses moyens. Sa *Phèdre et Hippolyte*, qu'une cabale fit préférer à la *Phèdre* de Racine, est oubliée aujourd'hui. **Lafosse, Campistrion, La Chapelle** et **Boursault** obtinrent aussi des succès.

Quinault (Philippe, 1635-1688) est peut-être la plus intéressante des " victimes " de Boileau. A dix-huit ans il débuta au théâtre par la comédie des *Rivales*. La tragédie d'*Astrate* et la comédie de la *Mère coupable* eurent un grand succès. Mais Quinault devait trouver sa vraie voie et son originalité dans l'opéra ; en quinze ans il composa les livrets de quatorze tragédies lyriques dont Lulli, qui fonda l'opéra français en 1672, écrivit la musique. Ses meilleures pièces sont *Atys, Proserpine, Roland*, et *Armide*.

Eloquence Religieuse.

L'éloquence de la chaire, en ce siècle si profondément religieux, suit le développement général de la littérature et les progrès du goût. Jamais peut-être on n'a fait de l'éloquence une étude plus sérieuse que pendant la seconde moitié du dix-septième siècle. Le mauvais goût qui avait prévalu dans la chaire comme ailleurs au commencement du siècle, n'était plus toléré. · Le prédicateur pouvait accuser, condamner, anathématiser les vices en même temps qu'il exposait les dogmes, mais la société polie et élégante qui écoutait, exigeait que le prédicateur le fît avec mesure, avec tact et convenance. L'éloquence religieuse fut le produit de la société qui la fit. Cependant quatre grands orateurs : Bossuet, Bourdaloue, Fléchier et Fénelon, tout en subissant les influences inévitables du milieu où ils se trouvaient, ont su conserver une physionomie qui leur est propre.

Bossuet (1627–1704), né à Dijon, fit ses études à Paris. L'éclat de sa thèse de philosophie qu'il soutint à seize ans, lui ouvrit les portes de l'hôtel de Rambouillet ; un soir il y improvisa, sur un sujet donné, un discours qui excita l'admiration générale. Voiture en fit un bon mot : " Jamais, dit-il, on ne vit prêcher ni si tard, ni si tôt." Cinq années après, il passait sa thèse de théologie. De 1652 à 1659, ses années sont remplies par la méditation des Saintes Ecritures et des Pères de l'Eglise. Nommé chanoine de Metz, il y ouvrit des conférences avec les dissidents et fit de nombreuses conversions ; c'est alors qu'il écrivit son traité de l'*Exposition de la foi catholique*. En 1659, il se fit entendre pour la première fois dans la chaire à Paris ; il avait alors trente-deux ans et il continua cette prédication pendant dix ans. Il prêcha le carême de 1662 devant la cour ; et Louis XIV cédant à un élan d'enthousiasme rare chez lui, fit écrire à son père pour le féliciter d'avoir un tel fils. La cour et la ville affluaient à ses sermons. "Son regard était doux et perçant, sa voix paraissait toujours

sortir d'une âme passionnée, ses gestes étaient modestes, tran-
quilles et naturels," nous dit un contemporain. Ce qui émeut
dans les sermons de Bossuet, c'est la vérité sur nous-mêmes ;
elle est là entière et sous toutes les formes : vive et familière
quand elle descend au détail particulier de notre conduite ;
subtile et pressante, lorsqu'elle pénètre au fond de nous-même ;
grande et solennelle quand elle parle de Dieu, de la vie, de la
mort.

Quoique Bossuet ait prêché toute sa vie, nous n'avons de lui
que deux cents sermons publiés soixante-dix ans après sa mort,
et copiés de brouillons presque indéchiffrables. Ces discours
sont tous pleins du dogme ; l'Ecriture Sainte en forme comme le
tissu. On croit entendre la voix des prophètes et des Pères de
l'Eglise. A une théologie subtile, il sait joindre l'art de raisonner
et de convaincre ; sa logique est pressante, irrésistible, et son
imagination puissante lui fait commenter les textes sacrés avec
une force et un éclat extraordinaires. Pour démontrer aux
autres les grandes vérités dont il est lui-même si pénétré, il recherche, suivant ses propres expressions, " des éclairs qui percent, un tonnerre qui émeuve, un foudre qui brise les cœurs."
Les *Sermons* sont d'autant plus admirables que l'orateur dédaignait les procédés de la rhétorique.

A quarante-deux ans, Bossuet fut appelé au siège épiscopal de
Condom ; mais bientôt la charge de gouverneur du Dauphin lui
ayant été confiée par le roi, il renonça à son évêché pour se
consacrer entièrement à ses nouvelles fonctions. Il écrivit pour
son royal et peu digne élève, outre divers traités élémentaires,
trois ouvrages qui sont au nombre de ses meilleurs : le traité de
la *Connaissance de Dieu* et de soi-même, solide résumé de la
philosophie cartésienne ; la *Politique tirée de l'Ecriture sainte* où
il place le salut de la société dans la monarchie absolue ; le
fameux *Discours sur l'histoire universelle* (1681), dont il avait
depuis longtemps recueilli les matériaux. Ce *Discours* est un

tableau éloquent, magnifique et profond des grands évènements
dont le monde avait été le théâtre jusqu'à Charlemagne.   L'idée
fondamentale du livre est d'exposer l'action permanente de la
Providence sur le monde, mais les trois parties qui le composent
mettent cette idée en lumière de façons différentes.   La première, les *Époques*, est le simple résumé des faits importants de
l'histoire sacrée et profane ; la deuxième expose l'histoire des
Juifs, et fait voir dans l'ancienne loi mosaïque les germes de
la nouvelle ; la troisième partie, les *Empires*, est la seule vraiment
historique, au sens où l'on entend ce mot aujourd'hui.   Bossuet
laissant de côté l'interprétation divine et providentielle, y explique
par des causes purement humaines les révolutions des empires.
On y voit chaque nation avec son caractère propre, les institutions, les lois, les mœurs si variées, les vertus et les vices qui ont
été les instruments de la gloire ou de la ruine de ces peuples.
Il s'est trompé quand il a cru le protestantisme incompatible
avec de grandes sociétés réglées et prospères ; aussi quand il a vu
l'idéal des gouvernements dans la royauté absolue et héréditaire,
tempérée par des lois fondamentales.   Cette partie de son
œuvre marque avec éclat dans notre littérature l'avènement
d'une science nouvelle ; l'étude philosophique et raisonnée de
l'histoire.   La multiplicité de Bossuet comme historien, orateur,
théologien, controversiste, prédicateur et philosophe, éclate dans
ce Discours.   La plénitude de la langue répond à l'ampleur du
sujet ; son style est comme sa pensée ; il a l'ordre, l'enchaînement, la vigueur, la clarté ; on n'y sent jamais l'effort ni le tâton-
nement.

A cette époque de sa vie appartiennent les *Oraisons funèbres*.
S'il n'a pas tout à fait créé ce genre, il l'a au moins porté à sa
plus haute perfection.   C'est en considérant l'oraison funèbre
comme une occasion de faire entendre aux hommes de grandes
et terribles vérités, et non comme un *éloge*, que Bossuet se trouve
à l'aise dans un genre un peu faux en lui-même ; nulle part il

n'est plus imposant, ni plus inexorable. Les tombeaux des grands de la terre offraient à ce superbe contempteur de la gloire humaine, l'occasion *d'élever jusqu'au ciel le magnifique témoignage de notre néant.* Ses principales *Oraisons funèbres* furent celles *de la reine d'Angleterre,* femme de Charles Ier ; *de la duchesse d'Orléans,* fille du même roi, et morte très subitement à la fleur de l'âge ; *de la Princesse palatine ; de Michel Le Tellier ; de la reine Marie-Thérèse ;* sa dernière oraison fut celle *du grand Condé,* le plus illustre capitaine du siècle, et l'ami de Bossuet. C'est ici surtout qu'éclate dans toute sa sublimité le contraste des grandeurs éphémères de ce monde avec la grandeur éternelle. Il était alors âgé de soixante ans. Les *Oraisons funèbres* de Bossuet sont presque toutes des chefs-d'œuvre. Ses pensées n'ont jamais rien de subtil, d'alambiqué ; elles ont l'ampleur, la force, la sublimité ; son éloquence est brûlante et vigoureuse, ses images vives, ses tours passionnés.

L'éducation du dauphin terminée, Bossuet fut nommé archevêque de Meaux ; il reprit ses fonctions pastorales, tout en s'occupant à écrire ces ouvrages de génie qui l'ont fait surnommer *l'Aigle de Meaux.* En 1682, il rédigea en quatre articles, cette constitution fameuse qui assurait l'indépendance de l'église gallicane et qui fut adoptée par le clergé français. Infatigable athlète du catholicisme, il travaillait constamment à des œuvres qu'il jugeait utiles à la religion : *Histoire des variations des églises protestantes. La Politique tirée de l'Écriture Sainte ;* le traité philosophique *de la Connaissance de Dieu et de soi-même ; Méditations sur l'Évangile* et nombre d'autres furent publiés après sa mort. Il entretint une longue correspondance avec Leibnitz, dans le dessein d'unir les protestants d'Allemagne avec les catholiques. Toujours fidèle à l'antique tradition de l'Église et au sens pratique qui ne l'abandonnait jamais, il se préserva également du doute, de l'esprit d'ascétisme, et des rêveries des mystiques. Dans la question du quiétisme, il s'éleva contre Fénelon, son ami et son admirateur, mais dont les tendances et les opinions formaient avec celles de Bossuet, le plus violent contraste.

La physionomie des œuvres de Bossuet est une éloquence dominatrice. Il est grand et se plaît dans les hauteurs. Son imagination est comme obsédée par la terrible antithèse d'un Dieu infini et de l'homme si borné ; comme Pascal il présente sans cesse ce contraste imposant. La place de Bossuet, dans notre littérature, est au premier rang parmi nos grands prosateurs classiques. Nul n'a mieux su la langue française ; nul n'en a employé toutes les ressources avec plus d'ampleur, de magnificence, d'aisance et de souplesse. Il a tous les tours et toutes les nuances de tons, depuis le majestueux, jusqu'à la plus grande simplicité quand le style le commande ; depuis la véhémence, jusqu'à l'humilité douce et familière quand il parle aux humbles ; depuis le sublime, jusqu'à la plaisanterie sobre mais caustique lorsqu'il a besoin de cette arme dans la controverse. La plume ou la parole fut toujours un moyen d'action pour Bossuet ; dans tout ce qu'il a écrit, il n'est pas une page qui n'ait son but et ne l'atteigne. Ce dévouement absolu à la cause embrassée est la qualité suprême qui fait l'unité de son œuvre, et attache à son nom une renommée sans égale.

Bourdaloue (1632–1704). Le 25 décembre 1669, Bossuet prêchait pour la dernière fois à la cour ; le même jour Bourdaloue se faisait entendre pour la première fois à Paris. Il naquit à Bourges, se prépara à la prédication par de fortes études et devint l'un des principaux ornements de la société des Jésuites. Il fut considéré comme le plus grand sermonnaire de son temps, et comme tel fut alors mis au dessus de Bossuet ; il prêcha douze carêmes de suite à la cour ; mais loin d'acheter cette faveur par de lâches complaisances, il s'exprimait avec la liberté d'un prêtre et le sentiment populaire d'un réformateur ; ni le roi, ni la cour ne l'intimidaient. Il ne ménage pas plus les institutions contraires à l'Evangile que la morale ; il attaque vivement l'hérédité

des emplois ; il veut que " les riches par l'abandon de leur superflu
rétablissent une espèce d'égalité entre eux et les pauvres." Il ne
craint pas non plus, de parler de " l'élection" des rois, et des
" droits" du peuple, alors que le "droit divin" des rois était un
article de foi. " Il était d'une force à faire trembler les courtisans," nous dit Mme de Sévigné. Orateur austère, rigoureux ;
dialecticien habile, " c'est l'athlète de la raison combattant pour
la foi." Peu d'orateurs ont été plus goûtés que Bourdaloue à la
cour et à la ville ; une foule immense accourait toujours pour
l'entendre. On aimait ces longs développements moraux, cette
analyse exacte du cœur, ces portraits ingénieux de nos vices et
de nos défauts, où chacun reconnaissait au moins son voisin s'il
ne se reconnaissait pas lui-même. Nous trouvons rarement chez
Bourdaloue la simplicité majestueuse, l'ampleur, la sublimité que
nous admirons chez Bossuet ; il est clair, subtil, pratique, et la
sévérité de son style égale la rigueur de ses raisonnements, mais il
n'a rien d'affectueux, de sensible ; il nous convainc sans nous
toucher. Tout dans ses discours était médité, écrit, appris ;
l'improvisation n'aurait pu trouver place entre les anneaux fortement serrés de cette chaîne.

Fléchier (1632–1710) avait brillé à l'hôtel de Rambouillet, et
il conserva des traces de ce bel esprit jusque dans la chaire. Il
procède plutôt de Balzac que de Bossuet par le choix des mots,
le tour heureux de la pensée, la coquetterie avec laquelle il montre le talent qu'il emploie ; il veut bien qu'on admire l'Evangile,
mais il ne veut pas qu'on oublie celui qui le présente. Son meilleur discours est l'*Oraison funèbre de Turenne*, dont l'exorde est
un chef-d'œuvre. Il était évêque de Nîmes lorsqu'il mourut, et
il avait su, par sa charité, s'y faire aimer des protestants persécutés autant que des catholiques. Sa réputation considérable au
XVIIe siècle avait décrû lentement ; mais la publication de ses
Mémoires sur les grands jours d'Auvergne, compte rendu des
séances d'un tribunal criminel extraordinaire, a ramené de nos
jours l'attention sur lui.

Fénelon (1651–1715) fut un des derniers venus dans cette génération de grands hommes ; il était plus jeune que Bossuet de vingt-quatre ans.   Surnommé le *Cygne de Cambrai*, il plane cependant sur les hauteurs aussi bien que l'*Aigle de Meaux*, mais dans un contraste plein de lumière.   Tous deux furent enfants précoces ; tous deux sont théologiens, philosophes, orateurs, écrivains de premier ordre, évêques et docteurs de l'Eglise ; tous deux précepteurs de princes et vivant à la cour ; mais ces rapports ne font que mieux ressortir les différences de leurs génies. En religion, en politique, en littérature, ils n'ont rien de commun, que l'excellence de leur esprit et la beauté de leurs ouvrages. Tandis que Bossuet sortait du peuple, François de Salignac de la Mothe-Fénelon appartenait à la noblesse ; il naquit au château de Fénelon dans le Périgord, et reçut une éducation pieuse et soignée qui le porta vers l'Eglise.   Il songeait à se consacrer aux missions du Levant, mais sa santé ne le permit pas.   A vingt-six ans il fut nommé supérieur du couvent des Nouvelles Converties à Paris et il resta dix ans dans ces délicates fonctions.   C'est alors qu'il écrivit le *Traité de l'éducation des filles* où un bons sens pratique et beaucoup de finesse s'allie à quelques vues chimériques.   Son *Traité du ministère des Pasteurs*, et sa *Réfutation du système de Malebranche* attirèrent sur lui l'attention, et il fut chargé de la direction des Missions du Poitou et de la Saintonge, à la suite de la révocation de l'Édit de Nantes.

En 1689, il fut nommé précepteur du duc de Bourgogne, fils du Dauphin.   Son caractère était merveilleusement adapté à cette tâche de diriger l'enfance : mélange exquis de tendresse et de force, de complaisance et de fermeté, de patience et de souplesse.   L'enfant royal était "né terrible et sa jeunesse fit trembler," dit Saint-Simon, mais Fénelon réussit à l'assouplir et le métamorphosa en un prince doux, aimable, appliqué à ses devoirs et passionné pour le bien.   C'est pour lui qu'il composa en prose, ces *Fables* où d'excellentes leçons et d'indulgents repro-

ches se déguisent pour plaire en de gracieuses et attachantes
fictions ; les *Dialogues des morts* où tant de leçons de saine
morale sont données par des personnages réels dont le langage est
conforme à leur rôle et à leur caractère historique ; *Télémaque* qui reste encore un des livres les plus originaux et les
plus distingués de notre littérature ; "qui tient à la fois du roman et du poème, et où il substitue la prose cadencée à la versification ;" dit Voltaire.

Télémaque, fils d'Ulysse, qui parcourt le monde à la recherche de son père, sous la conduite de Mentor (Minerve) rencontre nombre d'aventures, mais toutes ont pour but de donner des
leçons au jeune prince, de l'instruire surtout dans l'art difficile
de régner. Fénelon y blâme le luxe et les dépenses fastueuses ;
il y trace le plan d'un gouvernement sage, économe, équitable,
mais toujours placé dans la main du roi. Une grande variété de
portraits fait passer successivement sous les yeux tous les vices
et toutes les vertus dont le spectacle pouvait toucher son élève.
Ce que l'auteur peint avec le plus de force, c'est l'ambition,
"cette maladie des rois qui fait mourir les peuples." La langue
est digne de la matière et de la parfaite ordonnance des parties ;
elle est simple, élégante, mélodieuse. Le *Télémaque* composé
uniquement pour le duc de Bourgogne, fut rendu public en 1698
par l'indiscrétion d'un copiste ; on crut y voir une critique de la
politique conquérante et des habitudes fastueuses de Louis XIV.
Le livre fut supprimé en France mais il parut clandestinement en
Hollande l'année suivante, à l'insu de l'auteur. Le roi en fut
irrité et Fénelon fut nommé archevêque de Cambrai ; cette pro-
motion n'était encore qu'un éloignement ; elle devint un véritable
et très sévère exil lors de l'affaire du Quiétisme.

Fénelon, esprit ardent et subtil, avait adopté les maximes du
Quiétisme qui lui avait été inspiré par Mme Guyon, une de ses
pénitentes ; il en expliqua le mysticisme dans ses *Maximes des
saints.* Bossuet vit aussitôt un danger pour la religion dans ce

culte contemplatif et rêveur, il l'attaqua vivement et devint l'adversaire de Fénelon ; celui-ci se défendit avec esprit et éloquence dans l'*Explication des Maximes ;* il avait de puissants partisans chez les Jésuites et à la cour ; la querelle devint ardente, mais Bossuet mit le roi, qui n'entendait rien à ces matières, de son côté et finit par tout entraîner; Louis XIV obtint du pape la condamnation des *Maximes.* Fénelon se soumit avec une docilité qui l'honora plus qu'une victoire, et il déchira lui-même son livre au milieu de son église.

Fénelon, exilé à Cambrai, se retrancha dès lors dans l'administration de son diocèse, se faisant adorer de tous par sa douceur, sa bienfaisance, sa charité et son "hospitalité large comme celle d'un grand seigneur, et simple comme celle d'un apôtre" ; son tact exquis, sa politesse avec tous, ses grâces naturelles rehaussaient le prix de tout ce qu'il disait et faisait. Pendant ce temps il écrivit ses *Mémoires particuliers* qui devaient servir de programme au règne de son élève, ainsi que les *Directions pour la conscience d'un roi.* Sa *Lettre sur les occupations de l'Académie française,* les *Dialogues sur l'éloquence,* et une *Lettre à La Motte sur Homère et sur les anciens,* sont pleins d'une critique excellente et féconde. Sa doctrine littéraire moins détaillée, moins technique que celle de Boileau, est plus inspiratrice ; elle ne se borne pas à nier ; elle établit quelques larges principes sur le but de l'éloquence, sur l'unité qui est la vie de tous les ouvrages, sur les caractères du beau qu'ils doivent reproduire. Fénelon ne se laisse pas éblouir par l'éclat de son siècle au point de dédaigner le précédent. Il regrette certaines qualités qu'on a laissé perdre, "je ne sais quoi de naïf, de court, de hardi, de vif, de passionné."

Fénelon a également jeté un vif éclat dans la chaire ; s'il n'a pas au même dégré la sublimité de Bossuet, il raisonne et convainc, il s'élève et touche avec un naturel, un tour aisé et noble qui ne sont qu'à lui ; il a aussi au suprême dégré la souplesse, la grâce et l'onction.

PHILOSOPHIE, MORALE, ET CRITIQUE LITTÉRAIRE.

" Les philosophes français, dit M. Guizot, offrent un rare mélange de spéculation et d'intelligence pratique ; ils méditent profondément, hardiment ; ils cherchent la vérité pure, sans aucune
vue d'application ; mais ils conservent toujours le sentiment du
monde extérieur, des faits au milieu desquels ils vivent ; ils s'élèvent très haut, mais sans perdre la terre de vue. Montaigne,
Pascal, Descartes, Bayle, ne sont ni de purs logiciens, ni des en-
thousiastes."

Malebranche (1638–1715). C'est Descartes qui a servi de
guide et d'initiateur à Malebranche, père de l'Oratoire, homme
de génie, écrivain supérieur et métaphysicien profond aussi bien
que penseur et chrétien soumis. Son livre de la *Recherche de la
vérité*, est une investigation psychologique des causes de nos
erreurs, de la nature de la vérité et des moyens de l'atteindre.
Son système est une sorte d'idéalisme mystique. Ses écrits qui
sont non seulement sérieux, mais abstraits, parfois abstrus, et
dont la lecture demande un véritable effort à l'intelligence, étaient
recherchés, dévorés par une foule de lecteurs des deux sexes.
La beauté et la pureté du style faisaient accepter les dissertations
les plus sévères ; si on ne comprenait pas toujours, on était du
moins charmé de ce qu'on croyait comprendre. Nul écrivain depuis Platon n'avaient su jeter tant de poésie dans la métaphysique ; par là s'explique son succès mondain ; il ne séduisait pas
seulement l'esprit, il charmait l'oreille et le cœur.

Bayle (1647–1706), un des penseurs les plus indépendants
du XVIIe siècle, substitua l'ironie philosophique à l'âpreté sectaire,
et commença contre la religion cette guerre de doute et de raillerie où Voltaire prit plus tard une grande partie de sa force.
Dans la philosophie, l'histoire, la théologie, il fit circuler un esprit moqueur et léger, un souffle sceptique. Il ébranle en
se jouant toute certitude et met en pièces la crédulité et la

gloire.   Tour à tour catholique et protestant, il dut passer la plus grande partie de sa vie à l'étranger ; il fut longtemps professeur de philosophie à Rotterdam, c'est là qu'il écrivit ses *Pensées diverses sur la comète*, un ouvrage très érudit ; *Critique générale de l'histoire du Calvinisme de Maimbourg ; Commentaire philosophique sur ces paroles de l'Evangile : Contrains-les d'entrer*, qui renferme une vive défense en faveur de la tolérance religieuse. Dans son *Dictionnaire historique et critique*, en quatre volumes, le premier ouvrage publié sous son nom, il tient moins à faire de l'histoire qu'à exposer des doutes, à mettre les systèmes politiques, religieux et philosophiques en contradiction.   Par son scepticisme il est le précurseur du XVIIIᵉ siècle et de l'Encyclopédie.

La Rochefoucauld (François Marcillac, duc de, 1613–1680) parut à la cour à l'âge de seize ans ; peu instruit, mais riche et grand seigneur, spirituel, brillant, aventureux, il était le modèle de la jeunesse ardente, batailleuse et romanesque.   Compromis dans un complot contre Mazarin, il eut huit jours de Bastille et trois ans d'exil à Verteuil ; plus tard il se jeta dans la Fronde qui ébrécha sa fortune et ruina sa santé.   Alors il abandonna la politique, se retira chez lui et vécut dans une société choisie et restreinte, employant ses loisirs à écrire ses *Mémoires* qui parurent en 1662 sans nom d'auteur ; ils firent époque dans le temps, et nous charment encore par la netteté, la simplicité et l'élégance du langage.

A cette période, Mᵐᵉ de Sablé, femme d'un grand esprit, avait un salon qui était très fréquenté ; là, se rencontraient avec notre auteur le cardinal de Retz, l'abbé de la Victoire, Pascal, Mᵐᵉˢ de la Fayette et de Sévigné.   Comme jeu de société, on y écrivait des maximes, des réflexions, des pensées ; La Rochefoucauld se prêta à cet amusement, se doutant peu qu'il y trouverait la gloire qu'il avait vainement cherchée dans la politique et la guerre. Ce fut dans ce salon et de cette manière que furent écrites en partie, soumises au jugement d'esprits judicieux et distingués, dis-

cutées, retouchées, amenées à leur perfection, les *Maximes* qui
parurent en 1665. Les Pensées de Pascal conçues vers le même
temps, ne parurent que cinq ans après.

La Rochefoucauld était alors admirablement disposé pour ce
genre de composition ; il y apportait les mécomptes de son enthousiasme et l'expérience de sa vie aventureuse. Doué d'une intelligence vigoureuse et profonde, d'une grande perspicacité, d'une
rare puissance d'analyse, il avait pu, à l'époque de la Fronde, à la
cour, à l'armée, approfondir bien des intrigues mesquines ; il
avait pu étudier les secrets de bien des conduites et voir sans
masque bien des cœurs ; il les dévoila sans pitié. Son grand
sens du vrai et du faux l'avait vite conduit à la misanthropie.
C'est ce qui justifie assez cette accusation d'égoïsme universel qui
est le fond de son livre.

Les *Maximes* sont un feu continuel de remarques fines, spirituelles, paradoxales, sans pédantisme, sans méthode, sans enchaînement de raisonnement. Le style qui en est vif, concis, malin
gracieux, aisé, a une rare distinction. La thèse de ces réflexions
se réduit à cette formule : " L'égoïsme se rencontre partout et
toujours " ; mais cette unique pensée, comme multipliée en
mille autres, a toujours par le choix des mots et la variété de
l'expression, la grâce de la nouveauté. " Ce sont pour la plupart, dit Cousin, de petites médailles de l'or le plus fin, et du
relief le plus vif. On sent que l'artiste y a travaillé avec amour.
Je le crois bien, il y gravait son portrait." Le dernier trait est
un peu rude, mais Cousin n'aimait pas notre auteur. Sainte-
Beuve ajoute : " Les réflexions morales de La Rochefoucauld
semblent vraies, exagérées ou fausses selon l'humeur et la
situation de celui qui lit."

La Rochefoucauld est moraliste incomplet parce qu'il n'indique
pas de remède au mal. Son pessimisme le fait exagérer. Lui-
même valait mieux que cet homme qu'il dépeint ; doué de
hautes et nobles qualités, il a des pensées qui par leur élévation

et leur intégrité démentent ses boutades misanthropiques ; par
exemple quand il dit, " Il est plus honteux de se défier de ses
amis que d'en être trompé." Dans l'intimité, il était incomparable de bonté, assure Mme de Sévigné. Pascal et La Rochefoucauld ont eu tous deux une idée fondamentale qui est leur
livre : celle des *Pensées*, c'est l'explication de l'homme par Dieu ;
celles des *Maximes*, c'est l'explication de l'homme par l'orgueil
et l'égoïsme.

La Bruyère (1645–1696) né à Paris, devint avocat au parlement à vingt et un ans. Bossuet, qui avait deviné son génie, le
mit en mesure de connaître la cour en le faisant agréer du grand
Condé comme professeur d'histoire de son petit-fils. En 1688, il
publia une traduction des *Caractères* de Théophraste, à laquelle il
ajouta ses *Caractères ou Mœurs de ce Siècle*, où il laisse le
moraliste grec loin derrière lui. A cette époque les *Pensées* et
les *Maximes* étaient dans les mains de tout le monde, et La
Bruyère sentit le besoin de repousser d'avance le reproche d'imitation, c'est ce qui lui fait dire dans la préface de la première
édition : " Ce livre est tout différent des deux autres ; moins
sublime que le premier, et moins délicat que le second ; il ne
tend qu'à rendre l'homme raisonnable, mais par des voies simples
et communes." Aucun autre n'a mieux défini, ni marqué plus
nettement la nature et le but de ses écrits.

Dès son apparition ce livre fit grand bruit : les portraits,
disait-on, étaient dessinés d'après nature. La Bruyère protest'
contre les *clefs* qu'on fit paraître et qui mettaient un nom au
dessous de chacun des *Caractères*. Toutefois il est hors de
doute que tous les ridicules qu'il a peints avaient posé devant lui.
Il déclare du reste dans sa préface, qu'il " rend au public ce que
le public lui a prêté." Il a étudié de près et pris sur le vif les
vices et les travers des hommes en général, et des grands en
particulier. Son livre est un riche tableau où les personnages
s'agitent dans un pêle-mêle très amusant ; on croirait voir défiler

devant soi ducs, marquis, financiers, bourgeois, gentilshommes,
pédants, prélats de cour ; toute une foule affairée qui court, se
remue toute chamarrée de prétentions, d'originalités, de ridicules. Tantôt on entend un petit dialogue qui a tout le sel
d'une comédie ; tantôt, entre deux travers habilement saisis,
l'auteur glisse une réflexion morale pleine de vérité. Il termine
son œuvre par cette phrase : "Si on n'aime pas ces caractères,
je suis étonné ; si on les aime, je suis encore étonné." Le style
de La Bruyère est sévère, élégant, précis, quoiqu'un peu recherché ; il n'a pas l'aisance, le naturel, la grande manière des
maîtres qui lui ont frayé la voie.

Saint-Evremond (1613–1703) passa les quarante-deux dernières années de sa vie en exil à Londres ; mais il conserva toujours des amis dévoués qui le tenaient au courant de tout ce qui
se faisait en France. Ce n'est ni un homme de génie ni un
écrivain de premier ordre, c'est un spirituel causeur, un épicu-
rien de bon goût, un moraliste élégant et superficiel qui se conforme pleinement à sa maxime : "Nous avons plus d'intérêt à
jouir du monde qu'à le connaître" ; mais c'est un bel esprit
qui fut doué d'une grande finesse d'observation, et d'un sens
critique très rare à son époque. Il n'a rien achevé, mais en ne
faisant qu'effleurer les sujets, il a donné à penser à des esprits
plus profonds et plus laborieux qui ont profité de ses ébauches.
Dans ses *Réflexions sur les divers génies du peuple romain*, il
hasarde des vues justes et neuves pour le temps et que Montesquieu recueillit et développa dans ses *Considérations.* Son
vrai génie est pour la satire ; dans sa *Comédie des Académistes*
(1644), il raille l'Académie et le projet du *Dictionnaire ;* dans
la *Comédie des opéras* il se moque des imitations italiennes.

Romans et Lettres.

Mme de La Fayette (1634–1693). Boileau disait de Mme de La Fayette, qu'elle était la femme de France qui avait le plus d'esprit et qui écrivait le mieux. Cette femme supérieure, d'un esprit charmant et de mœurs irréprochables, a fait pour le roman ce qu'en des genres plus estimés et plus graves, ses illustres contemporains s'étaient à l'envi proposé d'accomplir : elle a fait une réforme. Elle substitua aux grandes catastrophes et aux grandes phrases si aimées de Mlle de Scudèry et de son école la proportion, la sobriété, les moyens simples. Elle écrivit par goût, et aussi sur les instances de ses amis qui connaissaient son talent littéraire. En 1670 parut *Zaïde*, roman fort court publié sous le nom de Segrais ; la réforme y commence plus dans la manière de dire que dans la conception même ; 1678 vit la *Princesse de Clèves*, où l'auteur raconte son cœur, sinon sa vie ; la vérité des sentiments donne un charme puissant à toutes ses peintures.

Cette histoire est une image de la cour de Louis XIV transportée aux règnes de Henri II et François II ; Marie Stuart cache la duchesse d'Orléans ; le prince de Clèves n'est autre que M. de La Fayette ; La Rochefoucauld s'y montre sous le duc de Nemours. L'intrigue se lie habilement aux principaux faits de l'histoire. Il est vrai que les mœurs sont transportées du XVIIe siècle dans le XVIe, mais qu'importe cet anachronisme couvert par l'immuable vérité des sentiments et de la passion ! " La *Princesse de Clèves*, dit M. Taine, offre aux yeux toutes les beautés de l'époque. Son style est aussi modéré que noble ; elle parle en grande dame, avec le sentiment de sa dignité et de la dignité de ceux qui l'écoutent. Son ton est uniforme et modéré, pas de transports, pas de cris : l'excessif choque comme le vulgaire." Mme de La Fayette possède une extrême finesse d'analyse ; les passions les plus fortes, les plus discordantes, s'adoucissent sous sa plume, sans perdre de leur intensité. Son autre grâce est la simplicité ; elle peint les évènements de la vie sans autre envie que de les peindre. Dans son livre, on sent une âme qui a été élevée parmi les plus nobles conseils et les plus saints exemples ; qui a les yeux fixés sur la vertu et l'honneur qu'elle respecte et qu'elle aime. Elle disait de La Rochefoucauld, avec qui elle était intimement liée : " Il m'a donné de l'esprit, j'ai réformé son cœur." Nul ne le pouvait mieux.

Marie de Rabutin Chantal, marquise de **Sévigné** (1626–1696), fut élevée par son oncle, l'abbé de Coulanges, qu'elle appelait le *Bien-bon*. Elle reçut une éducation solide et variée ; elle savait l'italien, l'espagnol, le latin, se plaisait aux lectures sérieuses, et avait beaucoup lu. A dix-huit ans, elle épousa le marquis de Sévigné, assez peu digne d'elle, et qui fut tué en duel sept ans après. Mme de Sévigné, belle et très recherchée, quitta alors la cour et se retira dans sa terre des Rochers, en Bretagne, pour s'y dévouer à l'éducation de son fils et de sa fille ; elle ne revint à Paris que lorsque cette tâche fut terminée. En 1669, sa fille épousa le comte de Grignan qui fut peu après nommé lieutenant-général de Provence. Ce fut un coup terrible pour la marquise, car elle avait espéré garder auprès d'elle cette enfant qui était son idole ; cependant c'est surtout à cette séparation qu'on est redevable d'un des chefs-d'œuvre de notre littérature, c'est-à-dire ces lettres exquises qui nous permettent de suivre pas à pas cette femme si spirituelle, pendant vingt-sept années de sa vie, sauf les lacunes qui tiennent aux réunions passagères de la mère et de la fille. Cette correspondance fut toujours aussi empressée, aussi pleine d'intérêt et de verve que le premier jour. C'est par amour maternel, pour soulager son propre cœur, autant que pour distraire sa belle et froide fille qui s'ennuie majestueusement au milieu des fêtes et des tracasseries de la société provinciale, qu'elle entreprend de transporter Paris et Versailles à Aix.

Sa correspondance, comme un miroir enchanté, nous montre

la cour avec ses fêtes et ses intrigues, le roi, l'Eglise, le théâtre,
la littérature, la guerre, les fêtes, les bruits du jour, les toilettes,
etc. Tout cela se colore et s'anime sous sa plume, tout est semé
de tableaux, d'anecdotes plaisantes, de portraits esquissés d'une
main légère et sûre.

Quoique les lettres de Mme de Sévigné à Mme de Grignan soient
de beaucoup les plus nombreuses, elle en écrivait encore beaucoup d'autres à sa famille et à ses amis ; et le ton de toutes ses
missives varie selon les circonstances ou le sujet qui s'offre ;
tantôt il est sobre, grave, triste ; tantôt, tendre, gai, badin ; il
s'élève ou s'abaisse sans effort, avec une souplesse merveilleuse et
inimitable. Rien n'est plus charmant dans les lettres de cette
femme, que celle qui les écrit ; nature enjouée, tendre, compatissante, railleuse sans amertume, avec un grand fonds d'indépendance, une fidélité à toute épreuve dans l'amitié, un grand
sens qui la protège contre les écarts de l'imagination, religieuse
sans bigoterie, toujours vive, simple, naturelle et vraiment bonne ;
tels sont les principaux traits de ce caractère où le solide se fait
toujours sentir sous l'aimable. Tout a été dit sur le style élégant,
gracieux, vif de ces lettres ; c'est l'aimable abandon, le naturel,
l'esprit qui jaillit de source. Dans la société précieuse de son
époque, rien ne put la gâter ; "je hais le tortillage," disait-elle,
et elle resta simple et naturelle dans ce milieu qui l'était si peu.
Et pourtant ces *Lettres* admirables ne sont qu'une conversation
écrite dans l'intimité, sans idée de publication.

Mme de Maintenon (1635–1719), petite-fille d'Agrippa d'Aubigné, eut une vie plus étonnante que bien des romans. Née
dans la prison de Niort où son père était enfermé comme huguenot, à quatre ans elle allait à la Martinique ; son père y mourait
bientôt. Ramenée en France par sa mère elle dut se faire catholique ; à quatorze ans, elle épousa le poète Scarron, plus âgé qu'elle
de vingt-cinq ans ; veuve après dix ans de mariage, elle vécut d'une
petite pension que lui faisait la reine-mère. L'éducation des

enfants de Mme de Montespan lui ayant été confiée, le roi la vit
ainsi très souvent et apprécia vivement son mérite et son esprit ;
il lui donna la terre de Maintenon avec le titre de marquise.
Après la mort de Marie-Thérèse, la veuve de Scarron devint,
vers 1684, l'épouse de Louis XIV. Pendant trente ans elle conserva toute l'autorité d'une reine, sans en avoir le rang et les
honneurs. Elle fonda l'établissement de Saint-Cyr, où elle faisait
élever 250 jeunes filles pauvres appartenant à la noblesse, et
rédigea elle-même les statuts et les règlements de cette maison ;
elle écrivit aussi les *Entretiens sur l'éducation des filles ;* les *Conseils aux demoiselles de Saint-Cyr.* Sa vaste correspondance fut
publiée d'abord au XVIIIe siècle, par un éditeur qui la travestit
et la mutila tellement qu'il est impossible aujourd'hui de faire la
part de l'auteur. Tous ses ouvrages montrent une grande profondeur dans l'observation morale, une rare intelligence du cœur,
surtout du cœur des enfants, et la met au premier rang parmi les
moralistes qui ont écrit sur l'éducation. Son style est simple,
ferme et grave.

HISTOIRE, MÉMOIRES ET CONTES.

Nul ouvrage historique, si on excepte le *Discours sur l'Histoire
universelle* de Bossuet, ne mérite de prendre place parmi les
immortelles productions de cette époque. L'histoire telle que
nous l'entendons aujourd'hui n'existe pas ; elle n'a produit pour
les faits contemporains que des panégyristes, parmi lesquels on
remarque :

Pellisson (1624–1693) qui se distingua au barreau par sa défense de Fouquet dont il avait été le sécretaire. Dans son plaidoyer connu sous le nom de
Discours, il dépouille l'éloquence judiciaire du pédantisme de l'âge précédent ; il est naturel, clair, rempli d'adresse et de tact : son cœur l'avait rendu
éloquent. Pour prix de sa fidélité il fut enfermé à la Bastille où il resta quatre
ans. C'est là qu'il composa ses *Mémoires* écrits sur les marges de ses livres
avec le plomb qu'il arrachait à ses carreaux. Le roi lui ayant fait grâce, le
combla de bienfaits et le nomma son historiographe. Son *Histoire de Louis*

XIV ne manque pas de mérite, quoiqu'il y ait excès d'hyperboles louangeuses, Sa meilleure œuvre, *l'Histoire de l'Académie française,* raconte la fondation et les premières années de cette institution; le livre contient une multitude de faits et de renseignements importants sur les écrivains et les évènements littéraires de l'époque.

Saint-Réal (1639–1692) écrivit la romanesque *Histoire de la Conjuration de Venise,* et la *Conjuration des Gracques.*

L'abbé Fleury (1640–1723) est un historien impartial sans froideur, sévère sans dureté, orthodoxe sans intolérance. Son *Histoire ecclésiastique* en trente volumes porte témoignage de sa vaste érudition; son *Traité du choix et de la méthode des études* rend compte de l'enseignement public à son époque; il y propose assez hardiment diverses réformes dont plusieurs se sont faites aujourd'hui. Il se plaint déjà "que les études sont devenues impossibles par la multitude des choses que l'on promet d'enseigner en même temps." Qu'eût-il dit de nos programmes chargés d'aujourd'hui? Ses autres œuvres sont: *Mœurs des Chrétiens,* et un *Grand cathéchisme historique.*

Les Mémoires, dont le nombre est considérable et les mérites divers, ont plus d'intérêt et de variété que l'histoire qu'ils remplacent jusqu'à un certain point.

Le cardinal de Retz (Paul de Gondi, 1614–1679) jeté dans la prêtrise "bien qu'il eût l'âme la moins ecclésiastique de l'univers," devint, grâce à sa naissance et à ses talents, coadjuteur de son oncle à l'archevêché de Paris, puis cardinal et archevêque. L'histoire romaine lui avait de bonne heure inspiré le goût des factions; et la *Conjuration de Fiesque,* qu'il écrivit à l'âge de dix-huit ans, avait fait dire à Richelieu: "Voilà un esprit dangereux"; il ne se trompait pas. Quand la Fronde éclata, Retz, qui était alors coadjuteur, fut le boutefeu de cette guerre civile, et l'âme de toutes les intrigues. Ayant été fait prisonnier dans une rencontre, il s'échappa et se réfugia tour-à-tour en Espagne, à Rome et à Bruxelles. Après la mort de Mazarin il rentra en France, fit sa paix avec Louis XIV et reçut en échange de l'archevêché de Paris, le titre et les revenus considérables de l'abbaye de Saint-Denis; de ce moment il ne fut plus qu'un sujet dévoué et fut employé dans les négociations les plus difficiles avec la cour de Rome. S'étant retiré dans son château de Commercy, il y vécut dans une retraite studieuse et honorable, entouré d'amis fidèles. C'est là qu'il écrivit ses *Mémoires* qui roulent sur l'époque de la Fronde. Les *Mémoires* de Retz ont une importance historique considérable, bien que l'on puisse souvent mettre en doute la bonne foi de l'écrivain ; " Ils sont écrits, dit Voltaire, avec un air de grandeur, une impétuosité de génie et une inégalité qui sont l'image de la conduite de l'auteur." En effet, les *Mémoires* n'ont pas toujours la même valeur, ni le même attrait. Retz possède au suprême dégré le talent du récit. Nul ne sait mieux que lui raconter et peindre ; il est incomparable dans les portraits ; personne n'a porté la finesse malicieuse avec une touche aussi ferme et aussi délicate qu'il ne fait dans quelques unes de ses esquisses, ses mots sont " délicieusement cruels" ; un trait lui suffit pour immoler la partie adverse ; témoin celui-ci qu'il décoche dans son portrait de Mazarin : " Il promit tout parce qu'il ne voulait rien tenir ; il ne fut ni doux ni cruel, parce qu'il ne se ressouvenait ni des bienfaits, ni des injures."

Retz est un écrivain original et un penseur profond, son style est plein de feu et de hardiesse ; ces deux mérites font de ses *Mémoires* un des modèles du genre.

Mᵐᵉ de Motteville (1621–1689), dame d'honneur d'Anne d'Autriche, a laissé dans ses *Mémoires* la chronique de la cour et celle des intrigues de la Fronde, auxquelles elle ne s'est jamais mêlée cependant. C'est surtout le portrait d'une reine qu'elle chérissait, que Mᵐᵉ de Motteville se plaît à nous retracer ; elle nous fait pénétrer dans l'intimité de sa maîtresse et nous instruit de ses faits journaliers. Les récits sont bien composés, les tableaux et les portraits sont bien dessinés quoiqu'ils manquent un peu de relief ; les jugements et les réflexions qu'elle y mêle dénotent un grand sens et beaucoup d'équité. Sa langue facile manque de précision et son style d'imagination, c'est l'allure d'une conversation quelque peu monotone ; pourtant cette causerie fixe l'attention par la sincérité du récit et par l'intimité des détails.

Mˡˡᵉ de Montpensier (1627–1693), fille du célèbre Gaston d'Orléans et si connue sous le nom de la Grande Mademoiselle, fut une des héroïnes de la Fronde. D'un esprit fantasque, relevé, capricieux mais sincère, elle a écrit ses *Mémoires*, qui surabondent en détails insignifiants, mais qui sont pleins de renseignements précieux sur la famille royale dans l'intimité, et sur la cour; le style en est très agréable. On dit que c'est dans son salon, au palais du Luxembourg, que prirent naissance les *portraits* si en vogue sous la régence d'Anne d'Autriche. De ce passe temps est sortie toute une littérature publiée sous le nom de *Galerie des portraits de Mlle de Montpensier*, curieux ouvrage récemment réédité et amélioré par M. Edouard Barthélemy. Peut-être devons-nous à la Grande Mademoiselle, les *Caractères*.

Contes. — Vers la fin du siècle apparaît un nouveau genre de récits fabuleux, ce sont des contes de fées, des contes fantastiques. En 1697, Charles Perrault publia les *Histoires du temps passé*, ou *Contes de la Mère l'Oie*, qu'il prit parmi le peuple et qui forment incomparablement la plus naïve et la plus charmante de toutes les collections de contes de fées. Ils ont été traduits dans toutes les langues et ont fait les délices de bien des enfances; qui ne connaît le *Petit Chaperon rouge*, le *Chat botté*, la *Belle au bois dormant, Barbe bleue?* Perrault est aussi l'auteur d'un poème médiocre intitulé le *Siècle de Louis le Grand*, et du *Parallèle entre les Anciens et les Modernes*, dans lesquels il fait un éloge enthousiaste des modernes qu'il trouve supérieurs à tous les anciens; il souleva par là des discussions très vives qui durèrent douze ans,

SIXIÈME ÉPOQUE

DIX-HUITIÈME SIÈCLE.

Aperçu général sur l'État de la Société, des Idées, et de la Littérature en France au XVIIIᵉ siècle.

Le génie littéraire du XVIIᵉ siècle s'était formé sous trois influences : la religion, l'antiquité et la monarchie de Louis XIV ; de ces causes était sortie une école de goût et d'éloquence qu'on n'a pas surpassée depuis. Les influences qui dominèrent la littérature au XVIIIᵉ siècle sont au contraire : la philosophie sceptique, l'imitation des littératures modernes étrangères, et la réforme de la politique. Toutefois le passage de l'un à l'autre genre ne fut pas immédiat ; mille symptômes l'avaient annoncé et il se produisit par mille nuances successives qui se reflètent dans les écrits, et que les écrits propagèrent.

L'esprit d'innovation, la liberté sceptique qui marquent le XVIIIᵉ siècle et qui avaient été très forts au XVIᵉ, avaient encore eu des précurseurs contemporains de Bossuet. La pensée se trouvait dès lors à l'étroit, ce qui faisait dire à La Bruyère : " Un homme né chrétien et Français, se trouve contraint dans la satire, *les grands sujets lui sont défendus.*" Ces paroles étaient le symptôme d'un besoin qui se faisait sentir, mais que Richelieu et Louis XIV avaient étouffé ; ce besoin de liberté dans la pensée, comme un courant souterrain, allait maintenant reparaître et se manifester en submergeant les idées et la philosophie du grand siècle.

L'idolâtrie monarchique ne survécut pas à Louis XIV ; sa mort (1715) fut même saluée avec joie comme une émancipation. Son autorité sans limites, son faste et celui de sa cour, malgré les famines qui décimaient le peuple, les persécutions reli gieuses, les privilèges de la noblesse et du clergé, les abus de toutes sortes, tout avait travaillé au développement de principes hostiles qui fermentaient sourdement au-dessous de la société officielle et régulière. La fin du grand règne devait être la fin d'une société ; ce devait être aussi la fin d'une littérature.

Sous la régence du duc d'Orléans, " ce fanfaron de vices," et sous le ministère de l'infâme cardinal Dubois, la licence succéda à la décence, et au décorum ; le scepticisme et le dérèglement comprimés par Louis XIV débordèrent de toutes parts. Sous l'odieux Louis XV, le respect n'ayant plus où s'attacher, la royauté perdit le reste de son prestige. Dans cette décrépitude des anciens pouvoirs, une seule puissance grandissait, celle de l'opinion publique, dont les écrivains se firent les porte-voix ; leur influence très vague d'abord, s'accrut de jour en jour. La littérature considérée jusqu'alors comme le premier des arts, devint bientôt la première puissance et passa de l'obéissance servile du XVIIᵉ siècle à l'indépendance la plus complète. Ce qui intéresse alors les hommes de lettres, ce n'est plus l'étude de l'homme moral considéré en lui-même et indépendamment des formes variables de la société, sujet dont avaient vécu les genres classiques du siècle précédent ; ce sont les droits de l'homme, les conditions changeantes de l'état politique, social et religieux. Aussi voit-on l'esprit se porter dans toutes les directions à la fois, et l'œuvre de la littérature semble d'abord purement subversive : les croyances, les mœurs, les institutions antiques, elle attaque et menace tout ; mais si elle rompt avec la tradition historique, du moins elle se dévoue à la recherche du juste et du vrai. Elle signale les abus et en demande le redressement ; à l'autorité du pouvoir absolu du roi, elle oppose le principe de la souveraineté du peuple ; elle fait une guerre acharnée aux privilèges. Tous les écrivains de cette période sont unanimes pour flétrir l'intolérance et réclamer la liberté de conscience, la liberté de penser et de dire.

Malheureusement on confond les abus du clergé avec le sentiment religieux ; le doute, le scepticisme, l'incrédulité parés du
nom de *philosophie*, battent en brèche les plus vénérables croyances, et les écrivains philosophiques entraînent la nation avec
eux. L'ironie et le sophisme représentés par Voltaire et Jean-
Jacques Rousseau, furent les leviers de cette funeste puissance.
A côté des torts de la pensée libre, il faut voir aussi les torts de
la politique. La license des doctrines du parti philosophique ne
se serait pas produite sous un gouvernement libéral qui eût permis
l'examen, la discussion ; elle grandit sous les auspices d'une censure très rigoureuse. Les pouvoirs publics justement inquiétés
s'efforcèrent de combattre ces redoutables adversaires du trône
et de l'autel, mais ni les anathèmes de la Sorbonne, ni les décrets
des Parlements, ni les lettres de cachet, ni la destruction des
livres par la main du bourreau au pied du grand escalier du
Palais n'étaient des obstacles contre des doctrines pernicieuses :
la pensée ne se dompte que par la pensée ; et toutes ces sévérités
ne servaient qu'à constater le profond discrédit où les puissances
étaient tombées, et à soulever l'indignation et le dégoût du peuple
qui s'érigeait en juge des pouvoirs établis. Les ouvrages ainsi
censurés n'en avaient que plus de prix, lus furtivement, et les
opinions sceptiques qu'ils disséminaient régnaient sans partage.
D'absurdes théories étaient mêlées à des vérités généreuses, mais
précisément parce que ces théories étaient réprimées au lieu
d'être réfutées, parce qu'elles n'étaient pas soumises à un combat
régulier, elles grandissaient de jour en jour et faisaient de terribles
ravages.

Remarquons néanmoins que l'idée de fraternité méconnue par
le moyen âge si religieux, fut embrassée par le XVIIIe qui se
croyait le plus grand ennemi du christianisme. La religion
fut attaquée dans ses dogmes et dans ses formes, mais l'esprit de
l'Evangile se développa davantage sous le nom de tolérance et
d'humanité. Une intense pitié pour les souffrances des hommes,

un grand enthousiasme pour les idées généreuses se retrouvent dans tous les écrits du siècle.

La langue, sauf chez Voltaire, perd quelque chose de sa simplicité noble et grave ; l'imagination poétique se refroidit et manque d'invention féconde, d'originalité ; mais en revanche, l'esprit d'analyse fait faire aux sciences de rapides progrès ; elles gagnent ce que les œuvres d'art perdent. " Le XVIIIᵉ siècle, dit Goethe, est le siècle de l'esprit " ; ajoutons : c'est une fournaise ardente d'idées nouvelles et hardies, un volcan d'où jaillit la révolution.

Notre tâche est de suivre rapidement dans cette mêlée le mouvement des esprits, et de crayonner au passage les principales figures qui méritent d'attirer l'attention.

Le XVIIIᵉ siècle peut se diviser en deux grandes périodes dans l'histoire de sa littérature. La première s'étend jusqu'à 1750, et renferme les dernières années du règne de Louis XIV et plus de la moitié de celui de Louis XV ; la seconde s'étend jusqu'à la fin du siècle et comprend l'époque de la Révolution française. Les écrivains aussi se rangent en deux grandes catégories : l'une formée des survivants du siècle classique et qui en continuent toutes les traditions sans grand talent toutefois ; l'autre où l'on trouve des hommes de génie, est composé des novateurs les plus audacieux, mais qui dans une certaine mesure sont aussi des continuateurs et ne font point de révolution en littérature. Cependant pour maintenir l'ordre chronologique que nous avons tout d'abord établi, nous porterons notre attention sur les deux groupes à la fois.

PREMIÈRE PÉRIODE, DE 1700 À 1750.

Les Poètes avant Voltaire. Sur la limite qui sert de transition entre les deux grands siècles, nous trouvons peu de poètes et encore moins de véritable poésie. Contemporains de la vieillesse de Louis XIV, et faibles disciples de ceux qui avaient charmé l'époque brillante de son règne, les poètes de l'époque paraissent pourtant estimables si on les compare avec ceux qui leur succédèrent, Voltaire excepté.

Chaulieu (1639–1720) et **La Fare** (1644–1712). Deux hommes qu'il est impossible de séparer l'un de l'autre sont le spirituel et incrédule abbé de Chaulieu et son ami, le marquis de La Fare ; tous deux se sont fait un nom par leurs poésies badines et leurs chansons destinées à amuser la société si raffinée, si élégante et si corrompue qui se rassemblait au Temple sous les auspices du grand prieur, duc de Vendôme. Le vrai sentiment leur fait complètement défaut.

Jean-Baptiste Rousseau (1670–1741), né à Paris, et fils d'un cordonnier, fut élevé par les Jésuites. De bonne heure il devint un des habitués du Temple, asile de la débauche et du librepenser. Accusé en 1712 d'avoir composé des couplets infâmes et d'avoir voulu en attribuer la paternité à son rival Saurin, il fut banni de France et séjourna successivement en Suisse, à Vienne et à Bruxelles où il mourut. Son caractère fut peu honorable ; il voua tour à tour son talent poétique à des chants religieux qui édifient et à des épigrammes licencieuses. Rousseau est un versificateur harmonieux, un habile artisan de strophes lyriques ; mais le sentiment, l'âme lui manque. Dans ses *Psaumes*, il tresse habilement les paroles de Racine et de Boileau autour des pensées de David ; mais on n'entend jamais chez lui un mot qui parte du cœur ; pourtant ses contemporains professaient pour son génie un enthousiasme extraordinaire. Il a monté et perfectionné la *cantate*. Ses œuvres sont : *Epîtres morales*, deux livres d'*Allégories* dont Sainte-Beuve dit : "Nul défaut n'y manque" ; une comédie, le *Flatteur*. Sa vraie supériorité est dans l'épigramme où le soutenait son humeur caustique et médisante ; dans ce genre, il n'a d'émules que Marot, Racine et Voltaire.

Le Théâtre avant Voltaire.

Crébillon (1674–1762), comme auteur de tragédies, trouve sa place entre Racine et Voltaire. Après la retraite de Racine, la tragédie était tombée tout à coup dans une décadence profonde. Crébillon, inculte, paisible liseur de romans, et l'homme du monde le plus inoffensif, entreprit de raviver par l'horrible, le genre que les fades imitateurs de Racine n'avaient fait qu'énerver. " Corneille, disait-il, a pris le ciel ; Racine, la terre ; il ne me restait plus que l'enfer ; je m'y suis jeté à corps perdu." Cet excellent homme se plut à peindre les crimes les plus révoltants, pour les mieux faire détester. Dans *Atrée et Thyeste,* un frère donne à son frère le sang de son propre fils à boire dans une coupe ; le public ne put supporter l'horreur de cette situation, et la pièce tomba. Ces énormités le firent surnommer *le noir.* Il traita plusieurs sujets grecs qu'il gâta en leur donnant des accessoires modernes. La tragédie de *Rhadamiste et Zénobie* qui a immortalisé le nom de Crébillon, est un accident heureux.

La comédie à cette époque est supérieure à la tragédie ; il y a peu d'originalité cependant. Pendant cinquante ans on s'est borné à imiter Molière, mais on trouve encore des écrivains de talent.

Regnard (1655–1709) tient dans le genre comique le premier rang après Molière, quoiqu'à une notable distance. Autant celui-ci était de nature triste et recueillie, autant celui-là était joyeux et léger. Tout jeune il se mit à courir le monde ; pris par les pirates, il fut esclave en Algérie pendant plusieurs années ; libéré, il voyagea dans tout le nord de l'Europe, puis enfin revint à Paris où il mena joyeuse vie. Le *Joueur,* comédie de caractère et son chef-d'œuvre, fut composé d'inspiration, Regnard étant joueur lui-même. Les *Ménechmes,* comédie imitée de Plaute, est une suite de scènes bouffonnes et d'inépuisables quiproquos occasionnés par la ressemblance de deux frères jumeaux. Le *Légataire uni-*

versel, le *Retour imprévu,* contiennent des traits dignes du maître ;
les situations sont moins fortes, mais elles sont d'un grand
comique ; remplies de saillies et de traits plaisants. Ce qui
domine chez Regnard ; c'est la gaieté ; il ne fait pas penser, mais
il fait toujours rire ; et après tout c'est un rare talent dans la
comédie. Ses récits de voyage sont des modèles de narration
légère.

Parmi les écrivains de comédies mentionnons encore **Dufresny, Dancourt, Brueys** et **Palaprat.**

VOLTAIRE, SES ŒUVRES ET SON INFLUENCE SUR LES IDÉES ET LA LITTÉRATURE.

Comme Voltaire est, parmi les écrivains du XVIIIe siècle,
celui qui a tenu la plus grande place dans l'histoire de son temps,
il semble à propos de parler ici de ce génie universel dont les
écrits remplissent l'âge, et dont le nom revient sans cesse quand
on parle de cette période. "Voltaire, dit M. Villemain, est le
plus puissant rénovateur des esprits depuis Luther, et l'homme
qui a mis le plus en commun les idées de l'Europe par sa gloire,
sa longue vie, son esprit merveilleux et son universelle clarté."

Voltaire fut l'homme de son siècle, parce qu'il en a supérieurement
exprimé toutes les idées. Il n'a lui-même émis aucune
idée nouvelle, aucune qui lui fût personnelle, comme le firent
Montesquieu, Buffon, J. J. Rousseau ; mais avec sa puissante rapidité
d'assimilation et d'improvisation, son don d'éclatante universalité
et de souplesse, il a répandu avec un talent unique les
idées de son temps et de son milieu. C'est pour cela que jamais
homme n'a mieux représenté cinquante ou soixante ans d'histoire.
Les deux qualités dominantes de cette rare intelligence
furent la passion et le bon sens ; l'un corrigeait et rectifiait l'autre.
Le produit de ces deux forces fut un esprit étincelant, universel,
irrésistible, qui séduisit et enivra ses contemporains ; il
s'empara de l'esprit du siècle par toutes ses issues.

Voltaire (1694–1778).   François Arouet qui prit à vingt-
quatre ans le nom de Voltaire, anagramme d'Arouet l. j. (le jeune),
dit-on, reçut son éducation chez les Jésuites du collège Louis-le-
grand ; très jeune encore, il fut introduit dans la société du
Temple où son esprit le fit accueillir, choyer et caresser par ce
groupe de beaux esprits, libres penseurs et gens de plaisir.
Cette société l'aurait complètement perverti si M. de Caumartin,
ami des lettres, ne l'eût attiré dans son château de Saint-Ange ;
c'était, au dire de Saint-Simon, un homme "qui savait tout" : il
n'est pas douteux que Voltaire n'ait tiré grand parti de sa conversation et de celle de la compagnie qu'il rencontra chez lui.

Les grands auteurs dramatiques de l'âge précédent : Corneille,
Molière, Racine remplissaient la scène de leurs noms et de leurs
chefs-d'œuvre.   Voltaire, qui déjà ambitionnait la gloire, dirigea
donc ses efforts vers ce qu'on regardait alors comme le premier
des genres et commença la tragédie d'*Œdipe*.   Bientôt après la
Bastille se referma sur lui pour une satire contre la Régence,
qui n'était pas de lui, et pour le *Puero regnante* qui était bien de
lui.   Ce repos forcé lui donna le loisir d'achever sa tragédie.
Œdipe annonçait un grand talent malgré des défauts et eut un
succès éclatant qui donna la célébrité à l'auteur.   *Artémire* n'eut
qu'un succès douteux.   Un voyage qu'il fit en Hollande ouvrit un
nouveau jour à sa pensée et lui arracha un premier cri d'indépendance : "Ici, dit-il, pas un oisif, pas un pauvre, pas un petit-
maître, pas un insolent, on ne connaît que le travail et la
modestie."   A son retour une édition incomplète de la *Henriade*,
épopée consacrée à la gloire de Henri IV, parut furtivement.
Malgré l'adresse du poète et les efforts de ses amis influents,
Louis XV avait refusé la dédicace du livre et le ministère en
interdit l'impression ; cependant la faveur publique protégeait
le poète quand tout à coup il fit la triste expérience de la
toute-puissance des grands en France.   Ayant un jour répondu
avec mépris à une parole insultante du chevalier de Rohan, ce-

lui-ci le fit bâtonner par ses gens ; Voltaire se permit de lui en
demander raison, le chevalier répondit au cartel par une incar-
cération de quinze jours à la Bastille et ensuite un exil en Angleterre où il fut reçu par l'un des chefs de la *libre pensée*, lord
Bolingbroke, qu'il avait souvent vu à Paris ; celui-ci le mit en mesure de connaître les hommes les plus célèbres du temps : Pope,
Tindal, Swift, Gay, Johnson et autres.

Voltaire ne se laissa aller ni au découragement ni à la paresse,
il se remit au travail avec cette énergie et cette vivacité qui
étaient merveilleuses chez lui ; il étudia tout, la langue d'abord,
puis la littérature, le théâtre, celui de Shakespeare surtout, qu'il
apprécia peu toutefois, la philosophie de Locke et de Newton.
Dans la société des philosophes sceptiques, son instinct d'incrédulité se changea en opinion positive ; il devint déiste.   En même
temps il refit sa *Henriade*, la publia (1728) avec une dédicace à
la reine Caroline qui l'accepta.   Le poème eut un succès qui
retentit dans toute l'Europe, et il fut traduit dans toutes les
langues.   C'est dans ce poème qu'il commençait sa campagne
contre l'intolérance religieuse, car parmi les impressions qu'il reçut en Angleterre, la plus forte fut la passion de la liberté de
conscience, de la liberté individuelle, de la liberté de parler et
d'écrire que toute sa vie il réclama pour son pays.   Ce séjour de
trois ans à Londres est d'une importance capitale dans l'histoire
du développement des idées de Voltaire ; il contribua à mûrir
son talent et à lui donner une vigueur, une originalité qu'il n'aurait peut-être pas eues sans cela.

Rentré en France, en 1729, il y retrouvait le même train
de choses : une cour brillante, une noblesse altière et privilégiée, les lettres de cachet, le peuple opprimé, les écrivains
entravés, le despotisme enfin sous toutes les formes.   Il reprit
sa vie de plaisirs et de travail, et publia (1731) les *Lettres
Philosophiques*, où il vantait la supériorité de l'Angleterre dans le
gouvernement, les lois, le commerce, la religion ; le livre était

tout imbu de l'esprit sceptique des libres penseurs anglais et c'était le manifeste de la guerre acharnée qu'il allait livrer à toutes les tyrannies. On ne s'y trompa pas, le Parlement condamna et fit brûler l'ouvrage par la main du bourreau. Voltaire sentant sa liberté menacée se réfugia en Champagne, chez la savante et spirituelle marquise du Châtelet, où il resta près de quinze ans. Alors commença cette prodigieuse série de publications de tous genres qui se succédèrent avec une rapidité et une abondance inépuisable jusqu'à sa mort. C'est là qu'il écrivit les *Eléments de la philosophie de Newton*, plusieurs de ses tragédies et de ses romans.

En 1744 il revint à la cour, et fit effort pour se concilier la faveur de Louis XV ; il y réussit un moment, fut nommé historiographe du roi et reçu à l'Académie française (1746). Cette faveur dura peu toutefois ; Voltaire ne s'entendait pas au métier de courtisan, il était trop familier, ses compliments infligeaient trop souvent des piqûres ; et lui-même ennuyé de cette vie de contrainte, en butte aux défiances du clergé et du gouvernement, et surtout profondément affecté par la mort de Mme du Châtelet, il commit la faute d'accepter, en 1750, les longues et pressantes invitations de Frédéric II de Prusse ; celui-ci le reçut à bras ouverts, le nomma son chambellan et lui donna les distinctions les plus flatteuses. Les petits soupers, la comédie, la revision des ouvrages du roi, de ses vers français surtout, occupaient tout le temps de Voltaire ; pour tout cela il recevait 20,000 francs de pension avec table, equipage et un appartement à Potsdam. Le désenchantement ne pouvait tarder à se faire jour cependant, et cette amitié bizarre de part et d'autre ne pouvait durer longtemps ; les amours-propres s'aigrirent, les tracasseries survinrent ; Frédéric était despote et moqueur, Voltaire dominateur et caustique. Il se brouilla d'abord avec les philosophes de la cour, les *aumôniers du roi*, comme on disait, surtout avec Maupertuis, contre lequel il écrivit sa *Diatribe du docteur Akakia*. Ses relations avec le roi étaient tendues ; Voltaire en parlant des poésies de Frédéric avait laissé échapper le mot de *linge sale à laver ;* le prince, de son côté disait : " Laissez faire, on presse l'orange et on la jette quand on en a avalé le jus." Le poète irrité s'évada de la cour de Prusse après deux ans de séjour, et revint en France, mais non sans avoir éprouvé à Francfort la brutalité d'un agent zélé de Frédéric, lequel l'accusait d'avoir dérobé " l'œuvre de poëshie du roi, son maître." Le plus beau résultat du séjour à Berlin ce fut la publication (1751) du *Siècle de Louis XIV,* ouvrage commencé depuis vingt ans.

Voltaire avait alors près de soixante ans. Ne pouvant revenir à Paris, il voulut au moins vivre en France ; et comme le produit de ses livres et d'heureuses spéculations l'avaient rendu riche, il acheta le magnifique domaine de Ferney, près de la frontière suisse, et y passa le reste de sa vie, vivant en grand seigneur. C'est l'époque la plus féconde de sa vie ; elle est étonnante ; et c'est alors aussi que commence sa grande puissance. Ferney devint l'arsenal des opinions libres pour l'Europe, son influence balança celle de Paris ; grands seigneurs, artistes, hommes de travail et de pensée y affluaient ; Voltaire affranchi des cours, libre et roi chez lui, osa tout contre les préjugés et beaucoup trop contre la religion et les mœurs. L'insurrection éclatait sur tous les points contre tous les pouvoirs établis, tout était attaqué par les écrivains qui avaient l'opinion publique pour eux. Voltaire se déclara hautement le champion de tous les opprimés. Des correspondants nombreux le tenaient au courant des moindres évènements du jour ; du fond de sa retraite, il ne cessait d'occuper Paris et l'Europe, il dirigeait le mouvement des idées philosophiques et répandait partout les effets de son ardente polémique. Il semblait être présent sur tous les points à la fois, toujours alerte, toujours insaisissable. C'est surtout contre l'Eglise qu'il combattit quoique le clergé fût alors un corps puissant, un des trois ordres de l'Etat, possédant en propriétés à peu près affranchies de tout impôt, plus d'un cinquième du territoire français. Voltaire fit réhabiliter Calas

exécuté injustement, sauva Sirven du bûcher, et Marie Corneille,
nièce du grand poète, de la misère en l'adoptant et lui donnant
pour dot le produit des *Commentaires sur Corneille* écrits pendant cette période.   Il fut aussi le bon souverain de Ferney en
venant à l'aide des réfugiés politiques et religieux, aussi bien que
des habitants, par l'établissement de manufactures et l'encourage-
ment de l'agriculture dans ses domaines.   L'amour de la justice
et de l'humanité qui l'inspirait ici est admirable ; mais ce qu'on ne
peut excuser, ce sont ses sarcasmes sanglants contre les croyances
chrétiennes, c'est d'avoir tourné en ridicule le plus beau et le
plus saint des livres.

Tous ses écrits étaient des évènements publics ; jamais on ne
vit rien de pareil à cette royauté de l'esprit.   Poésie sérieuse et
légère, sciences naturelles, histoire, métaphysique, pamphlets, il
entreprend tout, exécute tout et triomphe partout.   Une correspondance infatigable, universelle, pleine de verve, de bon sens
et d'esprit, semait partout la pensée du chef, du *patriarche*.
Presque tous les ouvrages de cette période parurent sans nom
d'auteur ou sous des pseudonymes, et presque tous furent pour-
suivis, condamnés, et par conséquent dévorés du public.   Cette
campagne qui dura vingt ans et dans laquelle il fut toujours au
premier rang est extraordinaire.

En 1778, on le décida à venir à Paris ; il y fut reçu avec enthousiasme, le gouvernement n'osa intervenir, et l'Académie lui
rendit de grands honneurs.   A la seizième représentation d'*Irène*
il lui fut donné de voir son buste porté sur la scène et couronné de
fleurs ; et lui-même fut porté en triomphe à sa voiture.   Mais
ce vieillard de quatre-vingt-quatre ans ne survécut pas longtemps
aux émotions de cette journée ; épuisé par le travail encore plus
que par l'âge, il mourut peu après.   Ses dernières paroles furent,
dit-on : "Je meurs vénérant Dieu, aimant mes amis, mais détes-
tant la superstition."

Les œuvres de Voltaire forment quelque soixante-dix volumes.

Son épopée. Personne en France, disait Voltaire, n'avait
été poète épique. Si cette opinion était vraie avant la *Henriade,* elle ne le fut pas moins après ; pourtant ce poème occupe
la première place après les épopées originales, et il vivra dans
notre langue. Quoiqu'il offre plus de philosophie que de poésie,
plus de réflexions que d'images, on y trouve de beaux mouvements
de poésie, comme dans le chant de la Saint-Barthélemy où le
cœur parle un langage sincère. Mais des tableaux peints vigoureusement, de beaux vers, de nobles pensées ne suffisent pas
pour faire une épopée. On voudrait oublier que dans un poème
libertin et fantasque Voltaire traîne dans la boue la mémoire de
Jeanne d'Arc : " ce crime de lèse-majesté " dit Mme de Staël ;
en travestissant la plus belle page de nos annales, il a mis une
tache à son nom que rien ne peut effacer ; pas même l'article
dans l'*Essai sur les Mœurs* où il rend pleine justice à la sainte
libératrice de la France.

Son théâtre. Voltaire fit du théâtre ce qu'il ne saurait être
sans déchoir, une tribune. Il s'en servit pour étaler ses opinions, servir son parti et combattre ses adversaires. L'influence
de la philosophie contemporaine domine dans presque toutes ses
pièces ; il y prêche et il tombe sans cesse dans la déclamation,
dans l'abstraction ; de là naît ce défaut, que beaucoup de ses
personnages ne sont que ses porte-voix ; malgré la différence des
lieux et des temps, ils parlent tous le même langage, expriment
les mêmes sentiments ; ce sont des situations plutôt que des caractères. Il invente heureusement ses sujets, et il a l'instinct de
la scène ; son esprit fécond en ressources sait varier les causes
de l'émotion dramatique, mais il n'a pas toujours su y mettre le
pathétique vrai, la sensibilité réelle ; les caractères des personnages ne sont pas énergiquement tracés, le trait n'est pas net, profond. Ses pièces enfin ont de l'éclat, mais ses héros sont pâles,
ils manquent de vie. Cependant Voltaire, sans avoir cette

science approfondie du cœur et des passions qui est le mérite suprême de Corneille et de Racine, prend un rang distingué après
eux ; et ses titres comme poète tragique sont mieux établis que
pour l'épopée ; son vers tragique n'a pas été surpassé de son
temps.

Brutus (1730) a pour sujet la trahison et la punition des fils
de Brutus envoyés à la mort par leur père ; *Zaïre* (1732), drame
chrétien, se rapporte aux croisades ; c'est la plus heureuse et la
plus émouvante de ses tragédies, et jamais la poésie de Voltaire
n'eut plus de grâce et de vivacité. *Alzire* (1736), autre sujet
chrétien, se rattache à la conquête du nouveau monde ; elle
met en contraste deux religions, deux civilisations : les Espagnols et les sauvages américains. Cette pièce est moins touchante que Zaïre, mais plus neuve et plus brillante. Il est remarquable que c'est en exprimant des sentiments chrétiens, que
l'incrédule poète a trouvé ses plus belles inspirations. *Mahomet*
(1741) est un drame dirigé indirectement contre le christianisme ;
Mérope (1743), sujet antique et belle étude de l'art grec, est
écrite avec une simplicité majestueuse ; l'amour maternel en forme
le principal intérêt. Citons encore *Sémiramis; Rome sauvée;*
l'*Orphelin de la Chine*, sujet tiré d'une poésie chinoise traduite
en français ; *Tancrède* (1760), tableau brillant et pathétique des
mœurs chevaleresques, drame artistement construit, où seule la
faiblesse du style accuse une main sexagénaire. Il fit en tout
vingt tragédies qui, toutes faibles qu'elles nous paraissent aujourd'hui, eurent en leur temps un succès prodigieux.

Avant Voltaire, la scène était encombrée de banquettes où pre-
naient place les élégants du temps ; ce qui gênait fort les acteurs.
Il obtint la suppression de ces sièges ainsi que celle des habits modernes si ridicules qui furent remplacés par des costumes
empruntés aux temps et aux pays où vivaient les personnages ;
par là, la couleur locale s'introduisit sur la scène française.

Voltaire n'a jamais été bon dans la comédie : *Nanine*, l'*Ecos-*

saise, l'*Enfant prodigue* ont un faux air de mélodrame. Lui si plaisant dans ses pamphlets, dans ses satires, dans ses romans, échoue complètement dans le comique. C'est que le génie d'observation lui manque pour bien étudier les mœurs et les caractères : il n'avait pas non plus ce désintéressement de l'esprit qui s'oublie pour faire parler et agir les autres selon leur nature ; il est trop prompt, trop personnel, trop sarcastique, on le reconnaît toujours et il détruit l'illusion. C'est lui qui disait :

> "Tous les genres sont bons hors le genre ennuyeux."

Cette maxime est sa propre sentence dans la comédie.

Ses poésies. L'ode manque également à Voltaire, le ton en est faux et déclamatoire. Ses poèmes philosophiques : les *Discours sur l'homme,* inspirés par l'*Essai sur l'homme* de Pope, la *Loi naturelle,* l'*Epître à Uranie* et ses *Epîtres à Horace,* à Mme *du Châtelet,* à *Boileau,* etc., sont admirables de bon sens, de facilité, d'élégance et souvent de grandeur, parce que là il s'abandonne librement à son humeur, il est poète original ; ailleurs il est plus ou moins imitateur.

Où Voltaire est passé maître, c'est dans le persiflage, la satire surtout, c'est son arme favorite, et personne ne l'a maniée avec plus de science ; dans la moquerie délicate, polie, il est presque sans rival : à une malice fine il mêle toute la méchanceté de son esprit. Les *Satires* sont moins châtiées que celles de Boileau, mais elles sont plus vives, plus acérées ; ses adversaires se relevaient rarement de ses redoutables attaques. Ses meilleures satires sont : le *Mondain,* le *Pauvre diable,* le *Marseillais et le lion.* Dans la poésie légère, il est inimitable de grâce et de finesse.

Sa prose. — Romans et lettres. La prose de Voltaire est la perfection du style français, admirable de grâce, de clarté et de vivacité, sans apparence de recherche ; l'expression est toujours d'une exactitude merveilleuse. Dans le genre épistolaire, il n'a d'égal que Cicéron chez les anciens, et Mme de Sévigné chez les modernes. Ses romans et ses contes ont une rapidité qui entraîne, une portée morale et satirique qui étonne, déconcerte et séduit ; ils sont pleins de verve, de saillies, de rapprochements inattendus, mais sa gaieté est souvent amère et insultante. Dans l'*Ingénu*, il oppose l'état sauvage à l'état civilisé, à l'avantage du premier ; avec *Micromégas*, il nous transporte dans une autre planète et s'y raille de l'homme ; *Zadig* est une insidieuse accusation contre la Providence, et *Candide* un tableau désolant et effroyablement gai de toutes les misères de la vie. Dans la controverse, il a une prestesse, une légèreté, une vigueur étonnantes ; mais aussi il s'y permet tout, la ruse, l'audace, la calomnie, et des personnalités outrageantes ; sa gaieté qui est si contagieuse n'en est que plus cruelle. D'un goût exquis et sûr, il ne se trompe guère en fait de style lorsqu'il est désintéressé ; nul n'a mieux vu chez les autres ses propres défauts. C'est ce qui faisait dire à Piron d'une pièce de Voltaire qui n'avait pas réussi : " Il voudrait bien que j'en fusse l'auteur."

Son histoire. Le premier essai historique de Voltaire fut l'*Histoire de Charles XII*, et c'est une œuvre irréprochable ; une narration vive et brillante, une peinture achevée qui met sous nos yeux avec tout le charme de la simplicité, les lieux, les évènements et les hommes. *Le Siècle de Louis XIV* mériterait les mêmes éloges si le plan n'en était pas défectueux. Il expose d'abord les évènements politiques, puis il rapporte les anecdotes relatives à la vie privée du monarque ; il examine ensuite les questions de finance, l'état des lettres et des arts et finit par les affaires ecclésiastiques. En isolant ces divers éléments, il a dispersé l'unité de l'ensemble qu'il faut reconstruire après l'avoir lu.

Dans l'*Essai sur les mœurs et l'esprit des nations*, Voltaire ouvrait la carrière à l'histoire philosophique ; à côté des évènements politiques, il étudiait les développements de la civilisation, l'esprit, les mœurs, les usages des nations principales. Comme les écrivains de son époque il est injuste pour le moyen âge où il ne roit que barbarie et préjugés ; à part cela, il est peu de livres où se trouvent moins d'erreurs de dates et de faits. Il y a autant de préjugés et moins d'exactitude dans l'*Histoire de Pierre le Grand* et dans le *Siècle de Louis XV ;* ce dernier ouvrage fut écrit pendant que Voltaire était historiographe de France. Dans le *Dictionnaire philosophique* (1769) il donne libre carrière à ses sentiments contre le christianisme au milieu des considérations politiques, philosophiques et littéraires les plus élevées et les plus sensées. On a réuni sous le nom de *Mélanges* des petits ouvrages où se montrent le mieux les idées de Voltaire ; ses *Poésies diverses,* odes, stances, épîtres, satires, contes, épigrammes, petits poèmes sur différents sujets, font voir ses qualités admirables de souplesse, de grâce, de naturel et d'esprit.

Sa *Correspondance* est tellement vaste qu'elle occupe plus du tiers de ses œuvres complètes et se compose actuellement, quoiqu'il en manque beaucoup, de plus de dix mille lettres adressées à six cents personnes environ. C'est dans ce genre que Voltaire est tout entier ; c'est l'histoire de sa vie et de son époque racontée au jour le jour de la manière la plus nette, et les dernières lettres écrites, ou plutôt dictées, par un octogénaire sont aussi belles, aussi pleines d'esprit, aussi vives que celles du début.

Le génie infatigable et capricieux de Voltaire courut comme une flamme mobile sur tous les points du domaine des lettres ; il s'arrêta sur quelques-uns et y jeta une vive lumière. Sa véritable supériorité est dans son ardeur, son étendue et son incomparable netteté. Il manque de profondeur ; il s'est jugé lui-même ainsi : "Je suis, dit-il, comme les petits ruisseaux, ils sont transparents parce qu'ils sont peu profonds." Voltaire est tombé au piège de sa raison, si lumineuse sur les choses qu'il atteignait directement, et de son bon sens si droit et si clairvoyant dans ses limites ; ce qui est au delà, il s'en débarrasse en le détruisant ; il nie hardiment tout ce qu'il ne peut atteindre.

Au milieu des débauches d'irréligion de ses amis et confrères, il ne descendit jamais jusqu'à l'athéisme. Sa ferme croyance en Dieu lui attirait les mépris de Diderot, de Grimm et des " esprits avancés " qui traitaient cette foi " d'infirmité intellectuelle." Disons aussi qu'il fut toujours bienfaisant, généreux, ardent ami de la justice et de l'humanité, qu'il n'épargna ni son temps, ni sa peine pour secourir les opprimés ; qu'il réclama l'adoucissement des lois comme des mœurs, la réforme de la procédure criminelle, l'abolition de la torture, l'indispensable sanction du souverain pour tous les arrêts de mort ; enfin la plus précieuse et la plus définitive de ses conquêtes, c'est d'avoir gagné même l'adhésion de ses adversaires au grand principe de la tolérance religieuse. Sans doute, dans son élan, Voltaire a dépassé le but ; mais c'est grâce à lui que nous l'avons atteint plus tôt. Créature nerveuse, irritable et vibrante, nul n'a été plus que lui en proie à toutes les émotions. Terminons par le mot de Villemain : " Cette grande gloire est bien mêlée ; cette statue d'or a des pieds d'argile."

POÉSIE ET THÉÂTRE.

Louis Racine (1692–1763) cultiva avec talent la poésie lyrique dont le siècle était peu touché. Dans son élégance correcte, il fut poète autant qu'on peut l'être sans génie ; mais s'il n'hérita pas du talent poétique de son père, il recueillit toute sa piété. Son talent honnête et pur lui dicta deux poèmes didactiques et religieux : la *Religion* et la *Grâce* qui manquent de profondeur et sont monotones. Il n'eut de supériorité que dans quelques hymnes tirés de l'Ecriture sainte. Ses *Mémoires sur la vie de Jean Racine*, en prose, sont précieux pour l'histoire et montrent jusqu'à quel point il honorait l'auteur de ses jours. On sait qu'il s'était fait peindre la main posée sur les œuvres de son père et montrant du doigt ce vers de Phèdre :

" Et moi, fils inconnu d'un si glorieux père."

Gresset (1709–1777) entra chez les Jésuites, mais son petit poème badin *Vert-vert* (1734), fine et innocente raillerie des occupations des cloîtres, le brouilla avec eux ; il quitta leur collège au grand plaisir de Voltaire qui disait : " Un poète de plus et un jésuite de moins est un grand bien dans le monde." Dans la comédie du *Méchant,* Gresset peint bien les caractères, mais l'intrigue est faible. Le *Carême impromptu*, et la *Chartreuse*, comme toutes ses autres œuvres pétillent d'esprit ; cette qualité jointe à une versification élégante, sauvera ses œuvres de l'oubli.

La Motte (1672–1731), prudent, raisonneur précis, et qui avait du piquant dans l'esprit, commit cependant l'erreur de se croire poète ; il aborda hardiment tous les genres, et " n'eut de bonheur que dans les préfaces," dit M. Villemain ; pourtant sa tragédie d'*Inès de Castro* (1723) eut un vrai succès et mérite encore l'attention ; l'action en est aisée, et les caractères naturels rachètent un style dur et faible. Ignorant le grec, il eut la malencontreuse idée de traduire l'Iliade, mais en l'abrégeant de moitié ; le poème sortit de cette opération dépouillé de toute grâce et de toute vigueur poétiques, car ce qu'il retranche comme superflu est précisément ce qui fait d'Homère le prince des poètes. Cette profanation fit jeter les hauts cris à Mme Dacier, femme fort instruite, qui la première venait de donner une traduction complète du poète grec ; elle avait raison, mais en se fâchant trop elle parut avoir tort, tandis que La Motte sembla l'emporter, tant il mit d'esprit, d'urbanité exquise, de douce malice dans ses réponses formulées dans le livre *Des causes de la corruption du goût.*

La Motte et son ami Fontenelle rallumèrent la fameuse *querelle contre les anciens et les modernes* que Desmarets avait déjà soulevée au siècle précédent ; querelle infructueuse s'il en fut jamais, et qui fit couler inutilement pendant cinquante ans des flots d'encre et des torrents d'injures.

Marivaux (1688–1763). L'abus que Marivaux fait de la finesse et de l'esprit a donné cours au mot *Marivaudage*, ce qui ne l'empêche pas d'être un écrivain d'une rare distinction. Dans ses comédies : les *Fausses Confidences*, le *Legs*, les *Jeux de l'Amour et du Hasard*, on trouve à peu près les mêmes situations diversifiées par les circonstances, et l'intrigue y est légère. Ses personnages ne sont divisés que par de légers malentendus ; les escarmouches sont agréables, ils n'y font assaut que d'esprit, de bonne grâce et de sensibilité. Les replis du cœur sont effleurés d'une main légère et délicate, l'auteur n'exprime que les nuances les plus fugitives du sentiment dans un langage extrêmement fin, délicat et gracieux, auquel Voltaire " espérait bien ne rien comprendre." Tel est pourtant le parfait accord de la forme avec le fond, de la finesse du langage avec la finesse du sentiment, qu'on ne saurait séparer l'un de l'autre et que ses pièces perdraient beaucoup à être écrites plus simplement. Marivaux a laissé un roman inachevé, les *Infortunes de Marianne*, qui est loin d'être banal.

Destouches (1680–1754) fut un bon peintre de la naïveté et de la malice des paysans, comme des ridicules de la bourgeoisie, il réussit admirablement dans la comédie de caractère. Le *Glorieux* est une agréable satire du luxe et de la vanité des parvenus. Le *Dissipateur* contient un éloge de l'avarice qui est plein d'originalité. *L'Irrésolu* n'est guère connu que par le dernier vers : le héros hésite pendant toute la pièce entre la mère et les deux filles ; il se décide enfin pour Julie, la sœur ainée, et en partant pour conclure le mariage, il dit :

> " J'aurais mieux fait, je crois, d'épouser Célimène."

Piron (1689–1773) est un des hommes les plus spirituels de son temps ; il était ennemi de Voltaire et lui lança plus d'épigrammes qu'il n'en reçut ; il avait la repartie vive, et il n'était pas prudent d'engager avec lui un duel de bons-mots. Il dissipa son esprit en saillies, en essais de tous genres : odes, épîtres, comédies, chansons. A cinquante ans, il composa une des meilleures comédies du siècle, la *Métromanie*, où il se peint lui-même sous les traits de Damis qui a la manie de toujours faire des vers ; il y mit le piquant de son esprit, et toute la chaleur d'une verve étincelante. Piron, repoussé de l'Acadé-

mie à cause des vers licencieux de sa jeunesse, s'en vengea par des épigrammes:
" Ils sont là-bas quarante, disait-il, qui ont de l'esprit comme quatre." Il fit
lui-même son épitaphe :

> " Ci-gît Piron qui ne fut rien,
> Pas même académicien."

MÉMOIRES ET HISTOIRE.

Saint-Simon (Louis de Rouvray, duc de, 1675-1755), grand
seigneur courtisan, janséniste, d'une curiosité infatigable et d'une
incroyable pénétration, ignorant l'art d'écrire, mais dont la plume
devait être un burin et un pinceau, tant son esprit avait de clairvoyance, et son imagination de flamme, écrivait chaque soir, en
secret, les scènes qu'il avait embrassées d'un coup d'œil durant la
journée. C'est un des génies les plus originaux de notre littérature ; le premier des satiriques en prose, inépuisable en détails
de mœurs, et qui peint d'un mot comme Tacite ; créateur d'une
langue tout à lui, sans ordre, sans correction, sans art, il est cependant un écrivain admirable et d'une grande puissance.

Vivant à la cour pendant les dernières années de Louis XIV
et durant la régence du duc d'Orléans, il n'est pas plus entiché
des souillures de celle-ci qu'il ne s'était courbé sous le sceptre
du grand roi. Il va d'un siècle à l'autre la tête haute, l'esprit
libre ou dominé seulement par les préjugés de son choix. Il fut
homme de cour et n'était point né pour l'être ; son caractère et
son éducation y répugnaient ; il avait la parole haute et libre,
blessait le roi et tout le monde. D'un orgueil intraitable, " il ne
voyait dans le monde que la noblesse, et dans la noblesse, que
les ducs et les pairs " ; les évêques qui n'étaient *pas nés*, n'étaient
pour lui que des *cuistres violets*. Mais s'il est pour la noblesse,
il est contre la tyrannie et le libertinage. Saint-Simon est un
noble cœur, sincère, sans restrictions ni ménagements ; impla-
cable contre la bassesse, franc envers ses amis et ses ennemis ;
désespéré quand la nécessité extrême le force à quelque dissimu-

lation ou à quelque condescendance, loyal, hardi pour le bien public, ayant toutes les délicatesses de l'homme véritablement épris de la vertu.

On conçoit comment ce spectateur si intègre, si clairvoyant, si intelligent et toujours ému, assistant à environ trente années de cour, de fêtes, d'intrigues, déchiffre les intentions et copie les personnages qui posent devant lui. Il écrit comme il voit, en artiste, et il fait tout voir, âme, esprit, caractère, intérieur et dehors, gestes et vêtements, passé et présent. On trouve très peu d'imaginations aussi compréhensives que la sienne. Il écrit avec emportement, d'un élan, suivant à peine le torrent de ses pensées. "Il couche, dit Sainte-Beuve, tout vifs sur le papier dans leur plénitude et leur confusion naturelle et à la fois avec une netteté de relief incomparable, les mille personnages qu'il a rencontrés, les mille originaux qu'il a saisis au passage qu'il emporte tout palpitants encore et dont la plupart sont devenus par lui d'immortelles victimes." N'écrivant pas pour la publicité, il n'était guidé ni par le respect de l'opinion, ni par le désir de la gloire viagère ; il racontait des choses personnelles et intimes, uniquement occupé à conserver ses souvenirs et à se faire plaisir. Il est tantôt majestueux, tantôt vulgaire ; il donne aux mots le sens qui lui convient, et quand il n'en trouve pas qui rende sa pensée, il en forge sans hésiter.

Le siècle de Louis XIV avait eu des grandeurs, et il avait aussi eu des misères ; ce sont ces misères, surtout celles de la cour, que Saint-Simon révèle au public. "Ces *Mémoires*, dit M. Taine, sont un grand cabinet secret où gisent entassées sous une lumière vengeresse, les défroques salies et menteuses dont s'affublait l'aristocratie servile." Les *Mémoires* ne furent probablement pas écrits dans leur texte actuel avant l'année 1740. La première édition complète ne parut qu'en 1829.

Parmi les ouvrages posthumes de Saint-Simon récemment publiés, mentionnons le *Parallèle des trois premiers rois Bourbons*, qui est un remarquable ouvrage historique.

Mme de Staal-Delaunay (1684–1750) entra à vingt-sept ans
à la cour de la duchesse du Maine et y passa le reste de sa vie.
Ses piquants *Mémoires* font connaître à fond les misères, les
agréments, les cabales, les fêtes pastorales et poétiques de cette
cour ; un caractère franc et élevé, aussi bien qu'un esprit ferme
et délié s'y marquent en traits nets et vifs. On y admire une
grande sûreté d'idées et de ton ; jamais sa plume ne tâtonne, jamais elle n'essaie sa pensée.

Le point de vue où l'on se place pour écrire l'histoire, n'est
guère différent du siècle précédent, et la liberté dont jouissent
les écrivains n'est guère plus grande non plus. Cependant, le
travail de critique universelle auquel se livrèrent la plupart des
auteurs de ce temps, fut un véritable acheminement vers une
conception plus scientifique de l'histoire, et ce perfectionnement
fut accompli au siècle suivant.

Rollin (1661–1741). Si petite qu'on fasse la place aux écrivains de second ordre dans une histoire aussi sommaire de notre
littérature, il ne faut pas omettre le " bon Rollin " ; ce maître si
aimable et si vertueux, qui fit entrer tant de réformes sensées
dans l'éducation. Il fut professeur au Collège Royal, principal
du collège de Beauvais, et recteur de l'Université de Paris. Nul
ne mérite plus que lui ce nom de " bon " qui lui fut donné ; âme
pure et noble, il consacra sa vie entière à l'éducation de la
jeunesse qu'il aimait, et dont il était adoré. A soixante-cinq ans,
il publia son beau *Traité des études* pour diriger les maîtres et les
élèves ; aujourd'hui encore ce livre n'a rien perdu de sa valeur.
A soixante-cinq ans il ajouta l'*Histoire ancienne*, et il avait
soixante-dix-sept ans quand son *Histoire romaine* parut. Ces
livres enchantèrent le public ; on s'en servit longtemps dans les
écoles, et ils furent beaucoup traduits. Mais ces ouvrages
historiques, compilations excellentes pour le temps, ont perdu
tout leur mérite depuis que les découvertes de la science moderne
ont renouvelé l'histoire, l'histoire ancienne surtout.

Fontenelle (1657–1757) occupe un rang distingué parmi les écrivains de transition, et son influence fut grande. Ce n'est pas un historien à proprement parler, et si nous le plaçons ici ce n'est que parce qu'il a trouvé la gloire dans un genre qui se rapproche le plus de l'histoire. Fontenelle, esprit très fin et très étendu ; hardi par la pensée, très circonspect de caractère, faisait avec La Motte la guerre à l'antiquité mais à sa manière, par des reflexions aiguisées et d'ingénieux paradoxes, plutôt que par des manifestes ; il ne combattait, ni ne disputait, il se contentait de glisser des observations, d'insinuer des doutes qui servaient sa cause sans s'exposer aux coups des adversaires. Il aimait mieux la vérité que l'erreur, mais il préférait toujours ses aises à la vérité, ce qui lui faisait dire : " Si j'avais la main pleine de vérités, je me garderais bien de l'ouvrir " ; en effet, il ne fit que l'entr'ouvrir, et rarement encore. C'était une de ses maximes, " qu'il faut en tout temps avoir le cœur froid et l'estomac chaud " ; il la mit consciencieusement en pratique et vécut cent ans. Mme du Deffand disait de lui : " A la place du cœur Fontenelle a un second cerveau."

Neveu des deux Corneille, il voulut aussi tenter la poésie, mais la chute de sa tragédie d'*Aspar*, de quelques opéras, et de fades pastorales, l'avertit qu'il n'avait pas recueilli l'héritage poétique ; il se tourna vers la prose et écrivit ses *Dialogues des Morts* où il fait parler les anciens comme les esprits raffinés du XVIIᵉ siècle. Les *Entretiens sur la pluralité des mondes habités* ont un mérite réel : c'est de l'astronomie mise à la portée de tous, par des conversations savantes et spirituelles avec une marquise qu'il initie à son système. La frivolité du cadre et des digressions n'empêche pas qu'il n'expose avec beaucoup de justesse et de clarté ce qu'il sait bien.

Nommé secrétaire perpétuel de l'Académie des sciences, il occupa ce poste élevé pendant quarante-trois ans. Cette longue période donnée à la culture des sciences par un esprit si pénétrant, a pro-

duit la belle *Histoire de l'Académie des sciences* qui est la vraie
gloire de Fontenelle, et elle n'est pas médiocre. En parcourant
cette immense série de rapports sur des sujets si divers, on est
émerveillé de sa grande souplesse d'intelligence : physique générale, anatomie, chimie, botanique, mathématiques, astronomie,
optique, acoustique etc., il mit le public au courant de toutes les
sciences traitées à l'Académie par ses collègues, et il rendait tout
aisé par la simplicité de l'exposition. C'est là le premier essai de
cet esprit encyclopédique qui se manifesta durant le siècle. Dans
ses *Eloges des académiciens* il nous donne des portraits finement
dessinés ; et il fit connaître au public qui les ignorait, les grands
travaux des savants ; et comme il avait infiniment d'esprit, il a
su donner de l'agrément aussi bien que de la clarté aux démons-
trations les plus abstraites. Il semble avoir prévu les conséquences extrêmes auxquelles conduiraient les opinions sceptiques,
et les dernières années du siècle, lorsqu'il dit en 1743 : " Nous
sommes dans un siècle où les vues commencent sensiblement à
s'étendre de tous côtés. Tout ce qui peut être pensé ne l'a pas
encore été. L'immense avenir nous garde des évènements que
nous ne croirions pas aujourd'hui, si quelqu'un pouvait les pré-
dire." Il tient le milieu entre l'orthodoxie du XVIIe siècle et
les témérités du XVIIIe, et il eut des imitateurs de ses opinions
et de son style dans la philosophie, les sciences et les lettres.

Boulainvillier (1658–1722) et l'abbé **Dubos** (1670–1742). Plusieurs
écrivains ne cherchaient dans l'histoire, celle de France surtout, que des exemples à l'appui de leurs théories : le comte de Boulainvillier, champion de la
noblesse y trouve des arguments pour défendre tous ses actes et privilèges,
l'abbé en trouve pour la combattre. Dans son *Histoire critique de l'établissement de la monarchie dans les Gaules* Dubos nie la conquête franque; suivant
lui, ce sont les Gaulois qui appelèrent les Germains dans leur pays pour chasser
les Romains. Cette grande théorie historique a été reprise de nos jours par
un brillant historien, M. Fustel de Coulanges.

Histoire littéraire. Il se fit plusieurs ouvrages importants sur l'histoire de
la littérature : **Claude** et **François Parfaict** écrivirent une *Histoire générale
du théâtre français* qui parut de 1745 à 1749; **Goujet** publia la *Bibliothèque*

française, d'**Olivet** continua l'*Histoire de l'Académie* commencée par Pellisson ;
les Bénédictins commencèrent la publication d'une immense *Histoire littéraire
de la France* dont la rédaction est passée de notre temps entre les mains de
l'Académie des Inscriptions et Belles-Lettres qui vient d'en publier le trente
et unième volume, relatif au IIIe et au IVe siècle.

MORALISTES ET PUBLICISTES.

Vauvenargues (1715–1747). La licence des mœurs n'éten-
dit pas sa contagion sur le marquis de Vauvenargues, esprit rare et
noble cœur. Il appartient aux philosophes par sa liaison avec
Voltaire et par l'agitation inquiète de sa pensée ; au parti religieux par les tendances religieuses de son âme, par la sagesse de
sa vie, la candeur de ses écrits et la sincérité même de ses doutes. Longtemps valétudinaire, et mort jeune, à trente-deux ans,
il a laissé des essais plutôt que des ouvrages. Ses divers écrits
portent le titre de *Maximes, Caractères, Méditations, Introduction à la connaissance de l'esprit humain.*

Moraliste du genre de La Rochefoucauld et de La Bruyère, Vauvenargues n'a pas le trait étincelant du premier, ni la vivacité
spirituelle, la phrase lente et savamment construite du second ;
son style manque du relief si saillant de ces deux grands maîtres,
mais il les surpasse l'un et l'autre par l'importance des sujets, et
par l'intérêt sérieux avec lequel il cherche à les approfondir. Il
y a chez lui du Pascal, par le caractère sinon par le génie. Il
cherche la vérité avec amour ; il veut relever l'homme et lui donner la conscience de sa dignité morale. "C'est, dit M. Géruzez,
un ami pour tous ceux qui le lisent, il leur offre des pensées belles et justes, nettement exprimées ; il leur suggère de nobles sentiments." Nul n'a mieux prouvé par son exemple ce mot excellent qui lui appartient : "Les grandes pensées viennent du
cœur." Si l'on ne peut toujours admirer en lui l'écrivain, on ne
peut refuser à l'homme son estime et sa sympathie.

L'abbé de Saint-Pierre (1658–1743). Ce désir d'améliorer qui tourmen-
ta le XVIIIe siècle, n'est nulle part plus sensible que dans les innombrables

écrits de l'abbé de Saint-Pierre, l'homme le plus bienveillant, le plus fécond en
projets honnêtes et impraticables de l'époque, et celui-là même à qui on doit
ce mot admirable "bienveillance." Il fut le martyr de la foi nouvelle, car
l'Académie le raya solennellement de sa liste pour avoir critiqué le gouvernement de Louis XIV. Il frappa sur tous les abus de l'ancienne monarchie et
du gouvernement d'alors, toucha à toutes les questions politiques et religieuses, et proposa des plans pour l'amélioration de toutes. On riait de lui,
mais les abus n'en étaient pas moins discrédités; du reste, il a souvent
trouvé des idées justes, et bien des maux ont été palliés par des moyens analogues à ceux qu'il indiquait. La *Paix Universelle* est celui de ses plans
dont on se souvient le plus aujourd'hui. La collection de ses écrits, la plupart publiés après sa mort, est un programme complet de révolution sociale
dont la hardiesse nous étonne encore.

Montesquieu (1689–1755). Entre les utopies de Saint-Pierre
et les recherches matériellement positives des physiocrates, il y
avait place pour l'étude sérieuse des principes qui régissent les
sociétés. Ce fut l'œuvre de Montesquieu. Né au château de la
Brède, près de Bordeaux, il étudia le droit et les lettres anciennes, devint président à mortier au parlement de cette ville et se
livra à des travaux scientifiques et historiques. A trente-deux
ans il lança dans le monde sous voile de l'anonyme les *Lettres persanes*, tableau piquant et malveillant des mœurs de l'Orient, de
l'Europe, et surtout de la société française durant les premières
années de la Régence. Il suppose une correspondance entre
plusieurs Persans de passage à Paris, à Venise et leurs compatriotes.
Sous cette forme, l'auteur passe en revue la société entière, et met
en contraste les mœurs de l'Europe avec celles de la Perse ; institutions, coutumes, gouvernement, religion, philosophie, commerce,
finances, agriculture, tout y est indiqué d'un ton léger, tranchant et
moqueur, et d'une propriété admirable de tours et d'expressions.
Une voluptueuse intrigue de sérail servait de lieu général à l'ouvrage ; et comme l'auteur ne faisait parler que des infidèles, il
échappait à la responsabilité directe de ses attaques contre la religion et les institutions sociales. Les *Lettres persanes* que Villemain appelle "le plus profond des livres frivoles," firent un éclat

merveilleux. Sous des dehors frivoles Montesquieu s'y montre
observateur pénétrant et ironique, et on découvre dans l'œuvre
le germe des idées sérieuses qu'il devait reprendre et développer
plus tard dans l'*Esprit des lois*.

Voulant fortifier son goût pour les hautes spéculations, il renonça à sa charge de magistrat en 1728, pour se livrer à de profondes études et voyager. Il visita l'Allemagne, l'Autriche, l'Italie,
la Hollande ; à Venise il se lia avec lord Chesterfield qui exerça
une grande influence sur la direction de ses idées ; il passa deux
années en Angleterre, s'éloignant peu de Londres ; et fut surtout
attentif au spectacle nouveau pour lui de la vie politique d'un
pays libre. Il revint d'Angleterre peu après Voltaire et enrichi
comme lui de tout un ordre d'idées nouvelles, mais sans empressement de les produire. Il se retira à la Brède et y mûrit ses
*Considérations sur les causes de la Grandeur des Romains, et de
leur Décadence*, où son génie observateur se révèle dans toute
sa force et sa gravité. Bossuet avait surtout montré la grandeur
du peuple romain ; Montesquieu, le premier, montre sa décadence
et en fait toucher du doigt les causes secrètes et lointaines, la pro-
gression fatale. Cette œuvre est un modèle de raison et de logique, un monument du grand art de composer et d'écrire ; le
style en est distingué, fort et simple.

Après vingt ans de travail, Montesquieu fit paraître, en 1748,
son *Esprit des lois*, ouvrage prodigieux, étude immense qui embrasse les lois et les coutumes de tous les peuples de la terre ;
c'est un cours de législation philosophique et historique destiné à
éclairer le droit des nations. "Les lois, dit-il, dans la signification la plus étendue, sont les rapports nécessaires qui dérivent de
la nature des choses ; et dans ce sens, tous les êtres ont leurs lois,
la Divinité a ses lois, le monde matériel a ses lois." C'est dans
l'étude positive des faits qu'il trouve ces *rapports nécessaires ;* il en
cherche l'origine, et il en examine les effets ; il voit pourquoi
dans tel lieu, dans tel temps, chez tel peuple, les lois se sont pro-

duites avec tel caractère et non autrement, et quelles conséquences en ont découlé. Il étudie les différentes législations dans leurs rapports avec le gouvernement, les mœurs, le climat, le commerce, la religion. "Le genre humain, dit Voltaire, avait perdu ses titres, Montesquieu les a retrouvés et les lui a rendus." Ce livre sérieux, élevé, fait pour honorer une époque et un pays, dut être imprimé à Genève, et ne parut que subrepticement en France sans nom d'auteur. L'ouvrage eut un succès prodigieux, surtout en Angleterre d'où Montesquieu avait rapporté cet amour de liberté légale qui est l'âme de son livre ; la constitution anglaise était à ses yeux le chef-d'œuvre de la législation des temps modernes.

L'*Esprit des lois* qui eut vingt-deux éditions en dix-huit mois, suscita de nombreuses critiques, parmi les philosophes qui le trouvaient trop modéré, aussi bien que parmi les financiers et les gens du monde qui le trouvaient trop avancé. C'est une œuvre colossale, car elle comprend trente et un livres qui tous pourraient offrir la matière de plusieurs volumes. L'ouvrage n'est pas parfait ; la critique qu'en fait Voltaire, lequel n'aimait pas l'auteur, semble être encore une des plus équitables : " J'avoue que Montesquieu manque souvent d'ordre, malgré ses divisions en livres et en chapitres ; que quelquefois il donne une épigramme et une antithèse pour une pensée nouvelle ; qu'il n'est pas toujours exact dans ces citations ; mais ce sera à jamais un génie heureux et profond, qui pense et fait penser. Son livre devrait être le bréviaire de ceux qui sont appelés à gouverner les autres ; il restera. . ." La somme de travail dépensée par Montesquieu dans la préparation de ce grand ouvrage l'avait complètement usé et avança probablement l'heure de sa mort.

L'influence de l'*Esprit des lois* fut immense, mais non pas immédiate, car la résistance des préjugés et des faux intérêts est puissante, et la marche de la justice et de la vérité est lente. Ce fut la première attaque ouverte et franche contre la monarchie absolue, le précurseur de J. J. Rousseau et le germe de la Révolution.

Le propre du génie de Montesquieu est de tout comprendre, de ne rien sacrifier, et de ne rien exagérer ; d'une nature essentiellement modérée et forte, il ne se passionne jamais. Il eut toujours une indépendance entière de jugement, sa pensée est une des plus affranchies de préventions qui se puisse concevoir. Son style est trop concis, saccadé et parfois trop fleuri ; néanmoins par l'éclat, par la précision et la propriété des termes, Montesquieu est grand écrivain.

Ses papiers religieusement gardés jusqu'à ce jour dans le château de la Brède, vont enfin être publiés par ses descendants ; on y a trouvé, entre autres écrits, un ouvrage achevé sur la *Monarchie Universelle.*

ELOQUENCE, RELIGIEUSE ET POLITIQUE.

L'éloquence religieuse a beaucoup perdu de son éclat ; le seul grand représentant est Massillon.

Massillon (1663–1742) appartenait à la congrégation de l'Oratoire. Il succéda à Bourdaloue dans la chaire chrétienne de Versailles. Son *Avent* et son *Carême* prêchés devant le roi et la cour, sont une suite presque continuelle de petits chefs-d'œuvre. Il ne s'adressait pas au raisonnement comme son prédécesseur, il allait droit à l'âme. Il était incomparable dans la peinture du cœur humain ; il en sondait tous les replis les plus cachés, tous les sophismes les plus secrets, et par cette analyse lumineuse et profonde, forçait ses auditeurs à reconnaître leurs passions dans le tableau qu'il leur offrait ; en même temps, son éloquence pleine d'onction et de tendresse subjuguait ; tout en peignant les vices il savait plaire et attacher. C'est là le principe de sa puissance singulière et qui faisait dire à Louis XIV : " Mon père, chaque fois que je vous ai entendu j'ai été fort mécontent de moi-même."

L'harmonie enchanteresse de son style l'a fait surnommer le " Racine de la chaire." Avec Massillon, l'éloquence chrétienne entre dans une phase nouvelle ; sans cesser d'être religieuse, elle devient surtout philosophique ; il est moins un apôtre qu'un moraliste, car il a étudié le cœur humain plus que les traditions de l'Eglise et il parle beaucoup de la morale et fort peu du dogme. Il prononça l'oraison funèbre de Louis XIV autrefois surnommé *le Grand* et débuta par une parole que la situation rendait sublime : " Dieu seul est grand, mes frères." Après la mort du roi il fut fait évêque de Clermont. En 1718 il prononça devant Louis XV âgé de neuf ans, dix sermons connus sous le nom de Petit Carême, remarquables par l'union merveilleuse de l'éloquence et de la simplicité.

D'Aguesseau (1668–1751), homme d'un caractère irréprochable, acquit une haute réputation par sa sagesse, son érudition et sa grande science des affaires et de la législation. A vingt-deux ans, il fut nommé avocat général au Parlement de Paris, et dix ans après, procureur général. L'éloquence et la force de ses réquisitoires tant admirés au Palais, montrent un peu trop de rhétorique ; on peut faire le même reproche à ses fameuses *Mercuriales*. Dans les *Instructions* qu'il rédigea pour son fils aîné ; dans sa correspondance qui est fort étendue et d'un grand prix pour l'histoire, il s'est dépeint lui-même sans y penser ; c'était une âme noble servie par un beau talent.

ROMANS ET CONTES.

Dans ce siècle le roman prit des allures plus hardies : il devint une critique très vive des abus de tous genres, et une peinture plus vive encore des mœurs du jour. Lesage et l'abbé Prévost sont les deux plus grands romanciers de l'époque.

Lesage (1668–1747) né à Vannes, en Bretagne, s'est distingué dans la comédie et le roman. La gaieté franche et vive de sa première pièce, *Crispin rival de son maître*, le fit accueillir favorablement du public. Dans son *Turcaret*, il livre au ridi-

cule une classe puissante, celle des traitants, et il représente avec
une fidélité cruelle les mœurs des parvenus ignorants qui arrivent
subitement à l'opulence.   Les financiers et leur cabale firent
tous leurs efforts pour empêcher la représentation de la pièce,
Lesage fut sourd aux offres d'argent comme aux menaces, sa
pièce fut jouée, grâce à l'appui du dauphin, et eut un grand succès.   Le *Point d'honneur, Don César* suivirent.

Mais c'est le roman qui fait la gloire de Lesage. Il débuta
dans ce genre à quarante ans par le *Diable boiteux*, roman de
mœurs dont la scène se passe à Madrid.   Le démon Asmodée
enlève les toits des maisons et dévoile tout les secrets qui y sont
cachés.   Le succès du livre fut immense, et animé par cette faveur
publique l'auteur fit son chef-d'œuvre, *Gil Blas*.   La scène est encore en Espagne, le héros appartient à la *moyenne* de l'humanité :
il n'a ni talents, ni vertus extraordinaires ; parti de son village pour
faire fortune, il passe par toutes les conditions sociales : tour à
tour valet d'un chanoine, prisonnier chez des voleurs, apprenti
médecin chez le docteur Sangrado qui ne soigne qu'avec la
saignée et l'eau chaude, copiste chez l'évêque de Grenade qui le
consulte sur ses homélies ; mêlé aux petits-maîtres, aux comédiens, aux hommes d'Etat, il a fait connaissance avec tous les
caractères, toutes les conditions, tous les vices, tous les travers,
tous les ridicules.   Par l'exemple d'autrui, et souvent par le sien,
il acquiert lentement, en essayant tous les métiers, cette science
que les livres ne donnent pas, l'expérience.   La note dominante du
livre est : "on ne récolte que ce que l'on sème."   L'art de Lesage
est de faire vivre les personnages qu'il met en scène, de produire
l'illusion par la vérité du langage et la vraisemblance des actes.
Tout est conté d'un ton si simple et si vrai qu'après avoir lu le
livre, on croit connaître les personnages.   La langue est vive,
nette, saine et sans parure.   *Gil Blas* eut une grand influence
sur le roman anglais.   La vie de Lesage s'écoula sans évènements ;
il avait pris pour devise le mot de La Bruyère et s'y renferma :

" Le philosophe use ses esprits à démêler les vices et le ridicule des hommes." Il est considéré, et à juste titre, comme un grand peintre, comme un moraliste d'une profondeur d'observation étonnante, comme un satirique plein d'esprit, et enfin, malgré quelques défaillances, comme un grand écrivain.

L'abbé Prévost (1697–1763). Il n'en fut pas de même de Prévost, qui dans ses fictions prit le côté tragique de la vie humaine, dont il avait éprouvé, pour son compte, toutes les passions et tous les orages. Sa vie fut romanesque comme ses écrits ; tour à tour moine, soldat, bénédictin, il rompit enfin ses liens ecclésiastiques, s'enfuit en Hollande et y vécut du produit de sa plume facile. C'est là qu'il publia les *Mémoires d'un homme de qualité*, son premier ouvrage. Il passa ensuite en Angleterre, entreprit un journal littéraire, le *Pour et Contre ;* fit paraître *Cleveland*, et *Manon Lescaut*, son chef-d'œuvre. Rentré en France par la protection du chancelier d'Aguesseau, il entreprit sa grande collection de l'*Histoire des voyages*. En même temps, il naturalisait dans notre langue les romans de Richardson, et aidait ainsi cette influence du goût anglais que Voltaire avait déjà fait pénétrer parmi nous. Ce qui domine et anime tout dans *Manon Lescaut*, c'est la passion dans sa physionomie la plus ingénue et la plus expressive ; c'est la vérité et la simplicité du récit qui nous attache à l'histoire de deux personnages assez méprisables d'ailleurs. Ce roman vaut à lui seul les cent soixante-dix volumes que son auteur composa, dit-on, pour vivre. Le succès de ce chef-d'œuvre donna lieu à une foule d'imitations ; le nombre des romans au XVIII⁰ siècle est très considérable.

Contes. De 1704 à 1714, **Galland**, qui avait beaucoup voyagé en Orient, mit en français les contes des *Mille et une nuits* qu'il en avait rapportés. On traduisit aussi un grand nombre d'ouvrages perses et arabes qui donnèrent naissance aux *Mille et un quarts d'heure*, les *Contes Chinois*, les *Contes tartares*. En 1740, Mme **Villeneuve** publia les *Contes marins*, où se trouve la fable de *La Belle et la Bête* qui est peut-être la plus belle création de toutes ces sortes de fictions.

DEUXIÈME PÉRIODE DU DIX-HUITIÈME SIÈCLE.
DE 1751 À 1800.
L'ENCYCLOPÉDIE ET LES PHILOSOPHES.

La seconde moitié du XVIIIe siècle appartient dans une grande mesure aux philosophes et aux encyclopédistes ; ils dirigent contre l'ancien état de choses une lutte violente qui aboutit à la Révolution, où tout l'esprit de la littérature est brusquement renouvelé, sans en renouveler la forme.

Vers le milieu du siècle, les "philosophes" entreprirent de réunir sous le nom d'*Encyclopédie,* un inventaire de l'ensemble de toutes les connaissances humaines. "L'ouvrage, est-il dit dans le Discours préliminaire, a deux objets : comme *Encyclopédie,* il doit exposer autant qu'il est possible l'ordre et l'enchaînement des connaissances humaines ; comme *Dictionnaire raisonné des sciences, des arts et des métiers,* il doit contenir sur chaque science et sur chaque art, soit libéral, soit mécanique, les principes généraux qui en sont la base, et les détails essentiels qui en font le corps et la substance." Le programme promettait beaucoup ; aussi les plus illustres personnages de la France et de l'étranger s'empressèrent-ils de souscrire par avance à l'ouvrage complet, et la publication en fut attendue avec impatience. Mais dès l'apparition des deux premiers volumes (1751), l'*Encyclopédie* fut denoncée de toutes parts comme un livre pernicieux, et supprimée l'année suivante ; elle fut tour à tour reprise et interdite ; enfin cette œuvre colossale composée de trente-six volumes in-folio fut terminée en 1780.

Cette œuvre caractérise le siècle en ce qu'elle atteste le progrès des connaissances et le désir de les faire servir au bien de tous ; elle le caractérise aussi en ce que l'esprit général qui anime l'ouvrage était celui du siècle même : des aspirations généreuses, des illusions unies à un esprit d'hostilité à la religion, à la

monarchie, à tout l'ordre établi. C'était un arsenal où se for-
geaient les armes du matérialisme, et qui en faisant pénétrer
les connaissances générales dans tous les rangs de la société, devait en même temps y répandre l'incrédulité. La valeur littéraire
de l'ouvrage était nécessairement inégale, vu le grand nombre de
collaborateurs ; plusieurs parties étaient faibles, mauvaises même.
Voltaire, qui y travailla, la disait "bâtie moitié de marbre et moitié de boue," et d'Alembert la comparait à "un habit d'arlequin
où il y avait quelques morceaux de bonne étoffe et trop de hail-
lons."

Diderot (1713–1784), le rédacteur principal de cette colossale entreprise, qui l'avait conçue, qui sut la diriger et la mener
à terme, était à la fois l'esprit le plus patient et le plus enthousiaste du siècle. Il rédigea la partie qui concerne les systèmes
philosophiques de l'antiquité, et celle des arts et métiers. Artiste et savant, sceptique et passionné, élevé et immoral, aimant
partout la vie, la beauté, lui seul pouvait par le singulier assem-
blage de ses qualités et de ses défauts, être le centre et l'âme de
la phalange hétérogène des encyclopédistes. Nous ne saurions
énumérer tous les écrits de Diderot ; il a dispersé dans vingt ouvrages divers : romans, traités d'histoire et de philosophie, fantaisies morales ou littéraires, théâtre, le génie le plus facile et le plus
fécond qui fut jamais. Son style est inégal ; ici simple, gracieux,
là emphatique et verbeux.

Comme tous les philosophes de ce temps, Diderot a plaidé la
cause de la liberté et de la tolérance. Il a émis sur ces sujets
des idées d'une grande vigueur dans sa *Lettre à mon frère* et
dans les *Salons*, où il inaugura la critique d'art presque inconnue
jusque là en France. Ces *Salons*, écrits pour rendre service à
Grimm, à qui ils furent longtemps attribués, sont merveilleux
d'entrain, d'enthousiasme et de jeunesse, quoique l'auteur eût alors
près de soixante ans.

D'Alembert (1717–1783), le principal collaborateur de Dide-

rot, avait été recueilli sous le portail d'une église par une pauvre
femme qui l'éleva et pour qui il fut toujours un fils dévoué. Ses
parents, qui ne l'avaient pas perdu de vue, subvenaient aux frais
de son éducation. Rien n'était plus opposé à la nature intem-
pérante de Diderot que le caractère et l'esprit de d'Alembert,
géomètre illustre, érudit de premier ordre ; il tempérait par sa
modération calculée la verve de son ami ; mais il lui est inférieur comme critique et comme écrivain. Chargé de faire l'introduction de l'Encyclopédie, il évita avec soin tout ce qui pouvait faire prendre les auteurs en flagrant délit d'incrédulité. Ce
Discours préliminaire est un chef-d'œuvre de netteté et d'élégance simple. Dans son *Histoire des membres de l'Académie
française morts depuis* 1700 *jusqu'à* 1771, il affecte un peu trop
la finesse de l'esprit, à la façon de Voltaire, genre que son naturel servait mal. Rien n'excite son enthousiasme, il raconte
avec vérité, mais il reste toujours calme, froid même.

Sa vie fut simple, modeste, toute consacrée à l'étude. Il
refusa la présidence de l'Académie de Berlin que lui offrait Frédéric II, et un traitement de cent mille francs que lui faisait proposer Catherine II pour aller en Russie faire l'éducation de
l'héritier du trône. Indépendant et fier, il voulait que tout
écrivain prît pour devise : liberté, vérité, pauvreté.

Condorcet (1743–1794) prend place dans le groupe encyclopédiste. Mathématicien savant, écrivain de second ordre, il est au premier par le cœur ; il
a aimé l'humanité avec passion, et lui a consacré et sacrifié sa vie. Compromis avec les Girondins, il se réfugia chez un ami, mais apprenant que son
hôte devenait suspect, il le quitta pour ne pas le compromettre, il fut repris et
incarcéré dans la prison de Bourg-la-Reine où il mourut. C'est pendant son séjour chez son généreux ami qu'il écrivit son meilleur ouvrage, l'*Esquisse d'un
tableau de l'esprit humain*.

Condillac (1715–1780) voulut prouver dans son *Essai sur l'origine des
connaissances humaines*, le *Traité des systèmes* et le *Traité des passions*, que
toute idée, toute connaissance vient de la sensation ; tout devait donc y re-
tourner. C'était une métaphysique facile qui, supprimant l'âme et Dieu d'un
coup, bornait la morale à l'instinct et à l'intérêt.

Helvétius (1715–1771) recueillit les doctrines, les aperçus, les paradoxes des philosophes qu'il conviait chez lui, et les résuma dans son livre *de l'Esprit*. D'après lui, l'homme ne diffère de la brute que par la conformation de ses organes, et la vertu n'est que l'égoïsme sagement entendu.

Le **Baron d'Holbach,** Allemand et résidant à Paris, alla plus loin encore. Son *Système de la nature* est le dernier mot de la philosophie sensualiste; c'est la plus complète, la plus froide négation de tout ce qu'il y a de grand, de noble, de vrai dans le cœur de l'homme. C'était le code d'athéisme le plus complet qu'on eût encore imaginé. Goethe, parlant de ce livre dans ses Mémoires, dit: "Peu s'en fallut que nous n'en eussions peur comme d'un spectre."

Jean-Jacques Rousseau (1712–1778), **ses œuvres et son influence.** — La vie de Montesquieu touchait à son terme, Buffon était dans toute sa gloire, et Voltaire avait produit plusieurs de ses plus belles œuvres, lorsqu'un autre homme de génie entra tardivement, mais avec éclat, dans la carrière littéraire par une double déclaration de guerre aux lettres et à la civilisation. Ce fut J.-J. Rousseau, le plus éloquent écrivain de son siècle.

Il naquit à Genève. Ses premières lectures, des romans héroïques du XVIIe siècle et *Les Vies* de Plutarque, exaltèrent son imagination rêveuse en lui montrant la vie sous un aspect à la fois sublime et faux. Son enfance et sa jeunesse furent une suite d'événements singuliers et de vagabondage; nulle part il ne rencontra une ferme-direction morale. Placé successivement chez le pasteur Lambercier pour y faire ses études, chez un greffier, chez un graveur brutal, il s'échappa, mena une vie misérable, couchant à la belle étoile et manquant souvent de pain. Né protestant, il se fit catholique en Savoie pour quelques pièces d'or, et redevint ensuite calviniste. Il se fit tour à tour laquais, précepteur, copiste, professeur de musique, et trouva enfin un asile à Annecy chez Mme Warens où il resta huit ans. Dans ses pérégrinations il s'était toujours occupé de livres, avait étudié la botanique et surtout la musique.

En 1741, il arriva à Paris avec quinze louis en poche, la comédie de *Narcisse,* et un projet de notation musicale; il vit bien·

tôt la fin de tout cela. Plus tard il fut introduit dans la société
de Diderot et de sa phalange philosophique. Nature poétique, il
se trouva jeté dans un monde qui l'était peu. Il se remit à travailler obscurément pour se rendre maître du grand art d'écrire,
et enfin, après huit années de luttes pénibles, armé de toute
son éloquence, Rousseau âgé de trente-huit ans, engagea la lutte
contre la société qui l'entourait, et la charma en l'attaquant.
L'Académie de Dijon avait proposé cette question : *Le rétablissement des arts et des sciences a-t-il contribué à épurer ou à
corrompre les mœurs ?* Jean-Jacques prit la plume et accusa les
lettres, la civilisation et la société d'avoir gâté l'homme et perverti sa nature. " Tout est bien sortant des mains de l'auteur de la
nature ; tout dégénère entre les mains de l'homme," dit-il. Tout
son système est en germe au fond de cette déclamation passionnée. Cette réponse parut en 1750, deux ans après l'*Esprit des
lois*, et on put comprendre qu'un nouveau personnage avec des
idées nouvelles, était entré sur la scène.

Sous le beau langage de Rousseau perçait une rancune démocratique qui s'en prenait à la philosophie comme aux abus, aux
lettres comme aux grands seigneurs, et frappait les premières pour
mieux atteindre les seconds. Dans ce discours, on sent l'irrita-
tion d'un homme supérieur tenu longtemps en dehors de la société ; il y a là le souvenir de tous les cruels mécomptes d'une vie
pauvre et dédaignée. Son âme froissée par le malheur et par le
monde voulait une autre philosophie que l'épicurisme du temps ;
ses sentiments éclatent dans un blâme amer ; car ce n'était pas
les lettres qui lui déplaisaient. Qui les aima plus que lui ? Ce
qu'il attaque bien plus que les lettres, c'est l'esprit général du
XVIIIe siècle, et par là, ce *Discours* commence la mission politique de Rousseau ; il y commence la double attaque qu'il mena
de front contre le pouvoir et contre l'opposition ; contre la
tyrannie et contre cette " philosophie d'un jour, qui veut étouffer
le cri de la nature et la voix universelle du genre humain " ; il ne

ménage pas plus Diderot et Voltaire que Louis XV. Ainsi dès son premier essai il posait hardiment la cause du sentiment moral en face des dons plus brillants de l'esprit. La nouveauté de son opinion et la vigueur de son style, quelque peu exotique, lui firent adjuger le prix.

L'Académie de Dijon voulut renchérir de hardiesse, et choisit pour programme d'un nouveau prix : *L'origine et les fondements de l'inégalité parmi les hommes*. Rousseau concourut de nouveau et dans son second discours, il dévoila plus nettement son instinct révolutionnaire : il attaqua ouvertement les institutions sociales et prétendit que la civilisation rend l'homme malheureux et coupable ; que le sauvage est seul bon, libre et heureux. "Vous donnez envie de marcher à quatre pattes" lui disait Voltaire, qui n'en était encore qu'aux malices avec lui. Dans son livre, il jetait aussi cet anathème sur l'origine de la propriété : "Le premier qui ayant enclos un terrain s'avisa de dire : *ceci est à moi*, et trouva des gens assez simples pour le croire, fut le vrai fondateur de la société civile." Ce que Rousseau, ami de la justice, attaquait au fond, c'était le despotisme ; mais pour arriver là, il avait prodigieusement forcé toutes les autres parties de sa thèse. On fut effrayé de ses théories, et le prix lui fut refusé.

Les vives attaques que ces deux discours suscitèrent, ainsi que le grand succès de son opéra, le *Devin de village*, que Louis XV même avait voulu entendre, lui donnèrent une énorme célébrité. Alors Rousseau rompit avec la secte philosophique dans laquelle il était enrôlé quoique dissident, quitta Paris pour se retirer dans la belle vallée de Montmorency, où Mme d'Epinay fit bâtir l'*Ermitage* pour son *ours*, comme elle appelait Jean-Jacques. Il passa six ans dans cette retraite, et ce fut l'époque la plus féconde de sa vie. C'est là qu'il écrivit sa *Lettre à d'Alembert sur les spectacles*, violent réquisitoire contre le théâtre. Il oubliait que la vraie moralité consiste à élever l'art, et non à le supprimer. En 1760, parut son roman, la *Nouvelle Héloïse* où tout le monde avait espéré trouver l'histoire de l'auteur.　Ce livre plein de talent, qui abonde en belles pages et en admirables descriptions de la nature, est sans invention et immoral.　Deux ans après parut son fameux *Contrat social* qui sapait les bases de tout gouvernement établi.　" L'homme est né libre " en sont les premiers mots et en forment toute la pensée ; tout pouvoir vient du peuple, le peuple est seul souverain, son caprice est absolu et inviolable, sa décision sans appel.　Rousseau ne fait que déplacer le despotisme en l'attribuant à la multitude ; et l'égalité, telle qu'il l'entend, c'est le pire esclavage.　Le style précis et impérieux de Rousseau, les axiomes tranchants, le mélange de didactique, d'abstractions et de saillies amères firent beaucoup lire le *Contrat social;* la Révolution y puisa plus tard des principes et toute une nomenclature politique dont on retrouve l'influence bien ou mal comprise dans tous les actes de cette époque.

Emile (1762) est la base sur laquelle Rousseau entreprit d'établir toute sa philosophie.　Le principe fondamental de l'ouvrage, ainsi que de toute sa morale, c'est que "l'homme est un être naturellement bon," l'éducation ordinaire le déprave en substituant à la rectitude originelle de la nature, les vices contagieux de la société.　De là, il établit l'éducation négative comme la seule bonne : " elle ne donne pas les vertus, mais elle prévient les vices ; elle n'apprend pas la vérité, mais elle préserve de l'erreur."　Il faut donc isoler l'enfant, le laisser croître en toute paix et toute indépendance ; ne lui donner que des leçons indirectes par des exemples, des ruses ; lui faire inventer les sciences, les arts, la religion, Dieu même, par le seul élan de sa liberté, par l'expansion naturelle et spontanée de son âme.　Cette manière de concevoir l'éducation était chose nouvelle.　L'époque ajoutait encore à l'importance du sujet : les Jésuites, si longtemps maîtres de l'éducation, venaient d'être supprimés, et de toutes parts on faisait de nouveaux systèmes d'éducation ; l'*Emile* devait donc exciter une vive attention.　Tout le fond du livre est faux ; mais dans le détail il y a des observations fondées, des préceptes excellents, des idées de réformes utiles et pratiques. Une partie de l'Emile, célèbre sous le nom spécial de *Profession de foi du vicaire savoyard,* est une puissante attaque contre les doctrines épicuriennes et sceptiques, une énergique affirmation de l'existence immatérielle et immortelle de l'âme et de l'existence d'un Dieu personnel, créateur de l'homme et son juge. A ceux qui prétendaient tout expliquer par l'organisation de la nature, l'influence de l'habitude et l'instinct de la conservation, il oppose l'activité de l'âme, la conscience innée du bien et du mal, et la loi du devoir ; il revendique l'homme moral contre l'homme de la *sensation transformée et de l'intérêt bien entendu.* L'*Emile* suscita une violente tempête ; dénoncé au Parlement de Paris par la Sorbonne, il fut condamné à être brûlé par la main du bourreau. Rousseau effrayé s'enfuit à Genève ; mais la république calviniste eut aussi contre lui des foudres et des anathèmes ; traqué partout, il erra de place en place et enfin se réfugia dans le canton de Neuchâtel, où il passa quelque temps à s'occuper de botanique ; chassé de cet asile, il passa en Angleterre sur une invitation de Hume ; sa raison se troubla, il ne vit partout que des ennemis impitoyables ; revenu en France accablé de déboires et de chagrins, il continua sa vie errante pendant dix ans encore. Son humeur misanthropique s'aigrit de plus en plus et dégénéra en une sombre mélancolie ; enfin M. de Girardin lui donna une retraite dans sa villa d'Ermenonville où il mourut subitement bientôt après, trente-trois jours après Voltaire. A ses ouvrages déjà cités ajoutons ses *Considérations sur le gouvernement de la Pologne,* les *Rêveries,* les *Dialogues,* un *Dictionnaire de musique,* un *Dictionnaire de botanique,* nombre de *Lettres* où avec une grande adresse il réfute ses adversaires et défend ses opinions ; car il avait au plus haut dégré le génie de la controverse et de l'à propos ; là surtout est son irrésistible influence.

Sa correspondance n'est pas non plus, la partie la moins intéressante de ses œuvres. Ses *Confessions* furent écrites durant ses dernières années ; il ne s'y occupe que de sa propre histoire ; il y raconte les fautes de sa vie, et trop souvent celles des autres avec un cynisme que rien ne peut excuser. Rousseau a passé pour le plus inconséquent des philosophes, un ensemble singulier de contradictions ; c'est en effet un curieux mélange de principes et d'actes qui peut surprendre. Farouche adorateur de l'indépendance et affectant le plus grand mépris pour les grands, il est cependant tour à tour recueilli ou protégé par Mme d'Epinay, les ducs de Conti et de Luxembourg ; ennemi du théâtre, il composa des comédies et un opéra ; prêchant toujours les joies du foyer et les devoirs de la famille, il porta lui-même ses cinq enfants à l'hospice. En somme, il a plus prêché la vertu qu'il ne l'a pratiquée. Cependant quand on considère son enfance abandonnée, sa jeunesse malheureuse et pauvre, les tracasseries et les persécutions de toutes sortes qu'il subit, on est moins surpris que son imagination ardente et romanesque l'ait souvent fait dévier de la voie droite. Rousseau était une âme naturellement religieuse, et si l'éloquence consiste à trouver le chemin des esprits et des cœurs, il fut, malgré toutes les erreurs de sa doctrine, un véritable orateur religieux pour son époque. Au milieu du silence timide et des ménagements de la chaire chrétienne, il éleva une voix puissante qui rétablit avec empire les vérités primitives obscurcies ou dénaturées autour de lui. On ne peut donc pas avec justice le mettre au rang des corrupteurs systématiques de la morale, lui qui a protesté avec tant d'éloquence contre la corruption, qui a proclamé si hautement l'autorité de la conscience, et qui n'a pas craint en présence d'un siècle incrédule de la rattacher à sa source divine : "Ame abjecte, c'est la philosophie qui te rend semblable aux bêtes" dit-il à Helvétius. C'est lui qui en réagissant contre la philosophie de son temps a préparé la renaissance du sentiment religieux.

Il n'y a rien de moins étendu, de moins varié que les théories sociales de Rousseau : par là même, elles furent puissantes. A une conviction ardente et erronée, à une éloquence vive, passionnée et parfois déclamatoire, il joignait ce qui impose le plus : la rigueur apparente des déductions et des axiomes. C'est par là, que sans étude profonde de l'histoire et des lois, avec peu de science et nulle pratique, il a exercé tant d'influence ; car son influence fut immense, bien plus positive que celle de Voltaire : les hommes de la Révolution furent presque tous plus ou moins ses disciples.

Rousseau aimait la nature ; à chaque instant cet amour éclate sous sa plume. Il n'a rien écrit de plus simple et de plus charmant que ses surprises et ses joies de botaniste à la découverte d'une petite fleur qu'il rangera le lendemain dans son herbier. Ajoutons qu'il mit à la mode cette sensibilité, ce malaise qu'on a appelé " le mal du siècle " et qu'on retrouve chez nombre d'écrivains à la fin du XVIIIe siècle et au commencement du XIXe.

PUBLICISTES.

En présence de la philosophie sceptique et égoïste qui régnait, les maximes de tolérance, de justice et de liberté trouvèrent aussi d'habiles et d'invariables défenseurs dans un autre mouvement philosophique plus réservé dans ses moyens, qui s'accomplissait au dessous d'elle avec moins de bruit, mais non moins de gloire. Des hommes éminents, et qui appartiennent à l'histoire sous d'autres rapports, se firent les défenseurs de la morale la plus élevée et la plus pure. Nous ne pouvons pas énumérer ici tous les écrits qui furent publiés dans la seconde moitié du XVIIIe siècle ; choisissons seulement les principaux auteurs.

Quesnay (1694–1774), savant médecin, conçut l'idée d'une science nouvelle, *l'économie politique ;* il en dessina les principes dans l'*Encyclopédie* et le *Journal de l'Agriculture*, mais il les expliqua d'une manière claire et précise dans un petit traité intitulé le *Tableau économique* que La Harpe appelle le "Coran" des économistes, où il considère l'agriculture comme la plus grande source de richesse d'une nation ; ce livre fit beaucoup de bruit. Plusieurs autres œuvres sur le même sujet suivirent rapidement.

Mably (1709–1785), frère de Condillac, était un fécond publiciste, un érudit, un classique et un réformateur à la fois. Ses vues sont élevées et profondes, son caractère indépendant. Ennemi des philosophes, il courait cependant, comme eux et comme beaucoup d'autres d'ailleurs, au même but, mais par un autre chemin. Les républiques anciennnes lui offraient un idéal, auquel il compare sans cesse les sociétés modernes dont il fait la censure. Le *Traité des droits et des devoirs des citoyens* est sa meilleure œuvre.

Turgot (1727–1781). On ne peut pas mettre Turgot au rang des grands écrivains, mais il a écrit sainement et judicieusement. C'est un penseur profond, un cœur généreux, une âme loyale et vigoureusement trempée. Il voulait introduire la probité dans l'administration et la justice dans la politique ; il n'y a pas réussi, mais il lui reste l'honneur d'avoir indiqué quels devaient être les avantages des libertés qu'on fut obligé d'accorder plus tard. Parmi ses œuvres on remarque surtout ses *Mémoires sur la guerre d'Amérique*, et un traité de l'*Usure*.

Mentionnons encore : **Raynal**, auteur d'un ouvrage fameux du temps : l'*Histoire philosophique et politique des établissements et du commerce des Européens dans les deux Indes ;* **Le Président de Brosses**, antiquaire et philosophe, qui traita tantôt des sujets obscurs ou détournés du chemin de la foule, tantôt de l'histoire, dans le *Culte des dieux fétiches, Lettres sur l'état de la ville d'Herculanum ;* **Duclos**, auteur des *Mémoires secrets sur le règne de Louis XIV, la Régence, et le règne de Louis XV ;* **Champfort,** qui écrivit des *Éloges,* des *Pensées* et des *Maximes* satiriques et mordantes ; **Rivarol**, critique littéraire qui fit la satire des écrivains contemporains dans le *Petit almanach de nos grands hommes.*

SCIENCES. — HISTOIRE NATURELLE.

Buffon (1707–1788) fit pour la nature ce que Montesquieu avait fait pour l'histoire : il chercha à s'élever jusqu'aux lois par l'étude patiente des faits. Il fit ses études au collège de Dijon,

et ses goûts alors semblaient le porter aux mathématiques.
Ses études terminées, il voyagea en France, en Italie et en Angleterre. De retour au pays natal, il se remit au travail, et quoique
sa vie fût assez dissipée, nul attrait de plaisir ne lui fit jamais
avancer ou retarder la part du temps qu'il avait faite à l'étude.
Dans les derniers temps de sa vie, on voyait encore près de lui
le vieux domestique qui depuis soixante ans avait la charge de le
réveiller tous les matins à six heures. Cette volonté forte, cette
passion pour l'étude et la gloire expliquent le prodigieux travail
de Buffon, et cette volonté était admirablement secondée par une
santé florissante ; grand, vigoureux, "il avait, dit Voltaire, le
corps d'un athlète et l'âme d'un sage."

Les traductions de la *Statistique des végétaux* de Hales, et du
Traité des fluxions, c'est-à-dire, de l'analyse infinitésimale de
Newton, fixèrent d'abord l'attention des savants sur lui. Reçu peu
après à l'Académie des sciences, il y traita quelques sujets techni-
ques ; mais rien n'annonçait encore l'invention scientifique, le génie de l'écrivain. En 1739 il fut nommé intendant du Jardin des
Plantes, dès lors l'ardeur de Buffon se fixa sur un seul objet ; il
conçut le projet de réunir dans un seul ouvrage, l'histoire de l'u-
nivers entier ; d'étudier notre monde planétaire, la composition
du globe, la théorie de la génération, puis de parcourir toute la
création depuis l'homme jusqu'aux minéraux. Ce plan essayé
deux fois dans l'antiquité, par Aristote et par Pline, s'élargissait
encore avec l'expérience du monde, et semblait dépasser les forces d'un seul homme, mais Buffon l'aborda avec l'audace d'un
philosophe antique.

Dix ans après sa nomination au Jardin des Plantes, il publiait
les premiers volumes de son grand travail, l'*Histoire naturelle*.
Le succès en fut immense, l'Académie française ouvrit ses portes
à l'auteur, et le roi le créa comte. Le *Discours sur le style*, la
Théorie de la terre suivirent et ne firent que redoubler l'enthousiasme universel ; on lui éleva une statue portant l'inscription

Majestati naturae par ingenium. Pendant quarante ans ses ouvrages fixèrent l'attention des savants de l'Europe et attiraient la curiosité générale sur cette étude de la nature. Au milieu des querelles qui agitaient le siècle, Buffon jouissait tranquillement de sa gloire. De toutes les parties du monde on lui envoyait en tribut ce qui pouvait éclairer ses recherches; il n'était point d'hommages qu'il ne reçût des savants et des souverains.

Le plan conçu par Buffon était trop vaste, il n'eut pas le temps de l'exécuter en entier. Quand il mourut ce dessein était presque accompli; il avait publié les *Époques de la nature*, l'*Histoire des minéraux*, l'*Histoire des animaux*, le *Traité sur l'aimant.* Dans ce travail immense il appela à son aide d'habiles auxiliaires : le médecin Daubenton était chargé de la partie anatomique, Guéneau de Montbéliard et l'abbé Bexon traitaient les minéraux et les oiseaux, d'autres traitaient les poissons, les insectes. A soixante-dix ans il publia les *Epoques de la nature*, son chef-d'œuvre, auquel il avait travaillé quatorze ans et dans lequel il cherche à expliquer les révolutions primitives du globe. Dans aucun de ses ouvrages, son imagination n'a été plus puissante, ni sa raison plus sûre. "Ce me fut une surprise extraordinaire, dit le sceptique Hume, de voir que le génie de cet homme donnait à des choses que personne n'a vues, une probabilité presque égale à l'évidence. Cela me paraît, je l'avoue, un des plus grands exemples de la puissance de l'esprit humain."

La science dans ses progrès trouve aujourd'hui bien des choses à corriger dans les ouvrages de notre naturaliste, mais il a hâté ces progrès; en intéressant les esprits il appelait de loin les découvertes. Quelques-uns des grands faits qu'il avait soupçonnés plutôt que prouvés, et que, suivant sa belle expression, il "apercevait par la vue de l'esprit," sont devenus par l'observation certains ou plus probables. Il a créé une science qui existait à peine pour les naturalistes : l'idée des espèces perdues, parmi les animaux, fut avancée par lui, dès le temps ou il commençait ses

travaux; le premier, il jetait les bases de l'anatomie comparée
que Daubenton continua après lui; ses prévisions devinrent au
siècle suivant les découvertes de Cuvier, qui en suivant les traces
de Buffon a dévoilé le monde antédéluvien et reconstruit les
races perdues.

Le grand style de Buffon est ce qui assurera à jamais sa réputation. Il est heureux que la nature lui ait fourni une grande
matière, car il était incapable de s'abaisser à un style élégamment simple. Plus le sujet est grand, plus il s'élève, plus il se
trouve dans son naturel. A l'élégance, quelquefois trop pom-
peuse, se joint la sévérité et la précision des expressions, nul ne
connut mieux la valeur des mots. Toujours noble, il n'est cependant jamais monotone; doué d'une grande richesse d'imagination
descriptive, ses couleurs sont toujours pures, son dessin toujours
correct. Il mourut en 1788, à la veille de cette révolution qui
devait envoyer son fils unique à l'échafaud.

L'esprit de recherche qui dominait partout, faisait faire aux
sciences des progrès sérieux dans toutes les directions, mais ces
progrès détournèrent bientôt les savants de la culture des lettres;
les physiciens, les chimistes, les astronomes de la fin du siècle ne
cherchèrent que rarement à donner une forme littéraire à leurs
admirables découvertes.

CRITIQUE LITTÉRAIRE ET HISTOIRE.

Le XVIIIe siècle, si libre dans la critique religieuse et philosophique, fut en général timide dans la critique littéraire. Contra-
dicteur violent du XVIIe siècle dans les questions religieuses et
morales, il en reste le continuateur dans les formes poétiques et
littéraires; mais ces formes n'étant plus animées par les mêmes
sentiments, n'eurent plus le même éclat. La critique méconnut
souvent le simple et beau génie de l'antiquité, parce qu'elle ne le
connaissait pas suffisamment; l'érudition manquait; on cessa de
l'aimer, de le sentir comme l'avaient fait les grands esprits de
l'époque précédente.

Marmontel (1723-1799), disciple et ami de Voltaire, débuta par des fables et des poésies, puis il fit des tragédies médiocres, de jolis opéras comiques, des romans historiques : *Bélisaire*, et les *Incas* qui scandalisèrent la Sorbonne. Ses *Contes moraux*, ne répondent pas toujours à leur titre. Dans les *Eléments de Littérature*, son meilleur ouvrage, qui est rempli d'aperçus fins et ingénieux, il a enseigné à sentir et à admirer les œuvres de l'imagination. Ses *Mémoires* sont pleins de faits curieux concernant l'histoire littéraire et anecdotique de son temps ; ils sont particulièrement précieux à consulter pour l'histoire des salons, ces réunions lettrées dont l'influence sur la littérature fut sensible, et où présidèrent ensemble ou successivement des femmes éminentes par leur esprit ; telles que la Marquise de Lambert qui essaya de recommencer l'œuvre de Mme de Rambouillet ; Mme de Tencin, auteur de jolis romans, qui réunissait chez elle la société du régent ; Mme de Geoffrin qui s'était formée chez Mme de Tencin, recevait les encyclopédistes et les philosophes. Il y avait encore le salon de Mme du Deffant où la raillerie et l'incurable ennui de tout étaient de ton ; celui de Mlle de Lespinasse qui appartient à la période romanesque et tourmentée dont Rousseau est le porte-parole ; celui de Mme Necker, femme du célèbre ministre et mère de Mme de Staël, où l'on rencontrait tous les hommes éminents en politique et en littérature. L'esprit de conversation, une des gloires du siècle, fut un instrument presque aussi puissant que les livres au service des idées ; c'est par les salons et par les conversations que les écrivains gagnèrent les gens du monde aux idées de réforme politique et sociale.

La Harpe (1739-1803). Tout homme, dans ce temps là, débutait par une ou plusieurs tragédies, c'est aussi ce que fit La Harpe ; il en donna une douzaine qui toutes furent sifflées ou froidement reçues, à l'exception de la première, *Warwick* (1763), et de la dernière, *Philoctète* (1785). L'ouvrage qui a fondé sa réputation est son *Lycée ou Cours de Littérature*, résultat des

leçons qu'il avait données au public.   Comme il ne connaissait
qu'imparfaitement l'antiquité, il commit les fautes les plus graves
et les plus inattendues ; il jugea également mal le moyen âge,
par la même raison ; il n'est critique supérieur que dans l'appréciation de nos écrivains du XVIIe siècle.   Quand il touche
au XVIIIe siècle, la passion l'entraîne et son jugement lui fait
défaut.   En général, il fait mieux l'analyse de détail que la synthèse littéraire.

Grimm (1723–1807) né à Ratisbonne, mais résidant à Paris,
est un critique distingué et un esprit original.   Sa *Correspondance
littéraire, philosophique et critique,* en seize volumes, contient une
histoire complète de la littérature française de 1753 à 1790 ; elle
fut très imitée.

Crevier (1639–1763) et **Lebeau** (1701–1778).   Rollin fut continué mais
non égalé par Crevier qui fut sec et froid dans un admirable sujet, l'*Histoire
des empereurs romains,* et par Lebeau qui dans l'*Histoire du Bas-Empire* se
montre érudit consciencieux, mais qui reste terne et fatigant ; **Le Président
Henault** a laissé un *Abrégé chronologique de l'Histoire de France ;* **Anquetil**
(1723–1806) un *Précis de l'histoire universelle,* et une *Histoire de France* en
quinze volumes ; **L'abbé Barthélemy,** savant infatigable, esprit délicat et écrivain élégant, composa un ouvrage plein d'intérêt et d'instruction : *Voyage du
jeune Anacharsis en Grèce.*   Ce livre qui lui coûta trente années de travail
n'est pas, à proprement parler, une histoire ; ce n'est pas non plus une œuvre
d'imagination, mais c'est une peinture vive et animée de la Grèce et des
Grecs.

ROMANS, MÉMOIRES ET FABLES.

Bernardin de Saint-Pierre (1737–1814) est le seul romancier
de l'époque digne d'attention.   Son talent est moins élevé que celui
de Rousseau, dont il fut le disciple et le dernier ami, mais son génie
se développa par cette même puissance des impressions personnelles.   Né au Havre, il montra de bonne heure un goût vif pour la
campagne et la solitude.   Sa lecture favorite était *Robinson Crusoé*
et les *Vies des Pères du désert ;* ces merveilleux récits le rempli-
rent d'enthousiasme pour la vie solitaire, si bien qu'à neuf ans il

se détermina à se faire ermite ; il se rendit dans un bois et y
passa la journée ; sa bonne l'y trouva le soir et le ramena à sa
famille. Passionné pour les voyages, il courut les deux mondes
pendant trente ans ; fut soldat, journaliste, et ingénieur en Rus
sie où il voulait fonder une *Arcadie* sur les bords du lac Aral. I
chercha la fortune dans les aventures les plus singulières, sans la
trouver toutefois ; enfin après quelques années passées dans l'Ile
de France, il revint à Paris, pauvre comme toujours.

Mais pendant toutes ces courses, il avait, comme Rousseau, vu,
senti et souffert ; il avait passé par l'école qui développe les
hommes de talent. Il rapportait de son dernier voyage un livre
inspiré par la vue des lieux, rempli d'intéressantes remarques sur
le climat, les productions de l'île, et des réflexions éloquentes sur
la vie coloniale et le sort des esclaves. Ce livre était le *Voyage
à l'île de France,* qu'il publia en 1773, mais qui ne fit pas une
grande sensation. Bientôt après, il se lia avec Jean-Jacques qui
vivait seul et mécontent au milieu de sa gloire. Ces deux hommes si bien faits pour se comprendre se promenaient souvent ensemble dans les campagnes voisines de Paris ; et la tendre
misanthropie du voyageur s'allumait à la verve encore puissante
de l'énergique vieillard. C'est de ses voyages, de cette solitude,
de cette amitié que naquit le livre des *Etudes de la nature* (1784)
où Saint-Pierre, d'après sa déclaration, voulait démontrer comme
Rousseau l'avait fait avant lui, que la source de nos joies est
dans la nature, et la source de nos peines dans la société, que
"la nature fait l'homme bon et que l'éducation le déprave." Il
avait travaillé onze ans, dans la retraite et la pauvreté, à cet ouvrage qui fut salué par un cri d'enthousiasme malgré les erreurs
scientifiques qu'il contenait. En vertu de l'éclat des descriptions
et de la beauté des peintures, cette partie de l'œuvre est impérissable, et l'auteur tout à coup célèbre fut proclamé le plus sédui-
sant *coloriste* de son temps : Rousseau était mort depuis quelques
années déjà.

Trois ans plus tard, en 1787, parut la pastorale de *Paul et Vir-
ginie,* un des chefs-d'œuvre de la littérature française et la plus
délicieuse de toutes les idylles.   Cet ouvrage ne différait pas au
fond de toutes les autres compositions de Bernardin ; c'était la
même inspiration morale, le même idéal de religion et de vertu
sous l'œil d'un Dieu indulgent et au sein d'une nature imposante ;
seulement l'imagination du poète s'était cette fois concentrée
dans une simple et heureuse fiction.   Le style brillant, lumineux
de Saint-Pierre, l'émotion douce, la mélancolie, la tendresse ca-
ressante qu'il mêle à ses tableaux enchantèrent ses contemporains.
Aujourd'hui que notre goût est plus épris du naturel et du vrai,
cette légère emphase dans le sentiment et dans l'expression,
cette sensiblerie de bon ton alors, nous charme moins, nous semble affectée même.

La Chaumière indienne (1790) présente l'homme à la recherche du bonheur qu'il finit par trouver dans la hutte d'un paria.   Il
écrivit encore les *Vœux d'un solitaire,* et quelques autres opuscu-
les.   Louis XVI le nomma intendant du Jardin des Plantes, et
pendant la Révolution il vécut retiré à la campagne, occupé à
écrire ses *Harmonies.*

Saint-Pierre, peintre inimitable, moraliste aimable, a créé
bien des chimères dans la science et dans la politique, mais
cela n'enlève rien à sa gloire qui est dans la beauté de son style
et dans la pureté des sentiments qu'il exprime.   Dans cette nature, qu'il sentait si bien, il ne vit et ne connut rien d'aussi grand
que la beauté de l'âme et le spectacle de l'innocence ou de la
vertu.

Rousseau et Saint-Pierre firent école dans leur culte passionné
de la nature ; de cette école est sortie une série d'écrivains où
Chateaubriand et George Sand tiennent le premier rang.

Mme Roland (1754–1793).   Nous devons à la Révolution les
admirables *Mémoires* de Mme Roland, femme supérieure qui animait de sa parole éloquente et enthousiaste le parti girondin, et

qui périt comme ses amis sur l'échafaud.   Pour bien connaître Mme Roland cependant, il ne faut pas ne s'en tenir qu'à ses *Mémoires*, mais il faut aussi consulter ses *Œuvres de loisir*, recueil de dissertations et de réflexions écrites par elle avant l'âge de vingt-quatre ans, et la relation des voyages qu'elle fit avec son mari en Suisse et en Angleterre.   Il faut lire surtout les diverses séries de ses lettres qui nous conduisent jusqu'à la fin de 1792.   " Plus on va au fond de sa vie, dans ses lettres, dit Sainte-Beuve, plus l'ensemble paraît simple ; toujours le même langage, les mêmes pensées sans réserve ; pas un pli, nulle complication ou de passion ou de vœux et de tendances diverses."

Florian (1755–1794), dont Voltaire avait bercé l'enfance sans la corrompre, a eu avec mesure toutes les ambitions littéraires ; ne parlons ni de ses *Pastorales* qui ont tant de grâce et de pureté, ni de ses *Nouvelles* qui sont de petits drames ou touchants ou plaisants, ni de son théâtre où Arlequin perd toute sa noirceur et garde toute sa gentillesse, ni de ses épopées en prose : *Numa Pompilius* et *Gonzalve de Cordoue*, où l'héroïsme s'unit à tant de grâce et d'humanité, ni de son *Don Quichotte* où la verve comique de Cervantès fait place à une douce malice ; laissons de côté tous ces agréables diminutifs pour arriver à ses *Fables*, que relève une malice sans aigreur et qu'une saine morale fortifie.   Sans doute, Florian reste bien en deçà de La Fontaine, mais il mérite le second rang dans ce genre.   Ce n'est pas peu de chose que de se faire lire avec plaisir après le grand fabuliste.

Poésie.

Lebrun (Ecouchard, 1729–1807) chanta toutes les puissances, et grâce à sa longévité, ce chant dura longtemps.   Après avoir exalté la monarchie, il put célébrer l'héroïsme républicain et les gloires de l'empire.   Ses vers sont durs, tendus, chargés d'oripeaux mythologiques, mais ils ont du feu, de la vigueur. Il a laissé quelques belles odes, surtout celle sur la catastrophe du *Vengeur*; il n'a pas égalé Jean-Baptiste Rousseau dans l'ode, mais il l'approche dans l'épigramme; son esprit caustique lui inspira plusieurs petits chefs-d'œuvre dans ce genre.

Gilbert (1751–1780), mort à vingt-neuf ans, laissa cependant une trace dans l'histoire. En présence de la corruption des mœurs et de la dépravation du goût, son âme se révolta; il exhala sa douleur dans deux satires: le *Dix-huitième siècle*, et *Mon apologie.* Ces pièces, avec son élégie, *Adieux à la vie,* forment ses titres devant la postérité, et ils sont durables. Dans la satire, il a toute la véhémence de Juvénal, sans avoir au même degré la sève poétique.

Lefranc de Pompignan (1709–1784). Voltaire a bafoué les *poèmes sacrés* de Pompignan: "Sacrés ils sont car personne n'y touche," disait-il, cependant il n'aurait pas réussi à en faire de pareils, car outre la noblesse et l'harmonie ils ont l'élévation du vrai sentiment religieux. Il n'est à dédaigner ni comme poète, ni comme prosateur; comme homme et citoyen, il est digne de beaucoup d'estime. Cœur droit et généreux, il eut le courage de porter les doléances du peuple jusqu'au trône; philosophe lui-même, mais toujours chrétien, il attaqua avec hardiesse la secte philosophique et montra le danger qu'elle faisait courir à la société en portant ses coups au delà de la superstition. Voltaire prit la part de ses amis et accabla l'adversaire sous une grêle d'épigrammes; il s'attaqua au meilleur ouvrage de Pompignan, les *Prophéties,* et lui décocha ce terrible quatrain:

> "Savez-vous pourquoi Jérémie
> A tant pleuré toute sa vie?
> C'est qu'en prophète il prévoyait
> Que Pompignan le traduirait."

André Chénier (1762–1794) est le seul grand poète qu'ait enfanté le XVIIIe siècle. Sa mère, une Grecque belle et spirituelle que son père avait épousée pendant qu'il était consul à Constantinople, fit sa première éducation, et lui inspira le goût de l'art et de la simplicité antiques. Il se révéla poète dès l'âge de seize ans, en traduisant et imitant avec grâce la poésie grecque et latine. Au sortir du collège il entra dans la carrière militaire qu'il quitta bientôt pour voyager. Lorsque la Révolution éclata, il salua avec ardeur les premiers élans de la liberté, croyant comme tant d'autres qu'elle promettait une régénération sociale; ses premiers vers connus sont un hymne d'enthousiasme et de joie sur la fameuse séance du jeu de Paume. Les horreurs qui suivirent bientôt l'indignèrent; plein d'un patriotisme sincère et désintéressé, et sans rejeter les principes généreux et libres qu'il avait

embrassés, il attaqua avec une vertueuse colère tous les promo-
teurs d'anarchie ; mais le torrent qu'il s'efforçait d'arrêter l'emporta, et en embrassant la cause des victimes il fut confondu
avec elles. Pendant ses quatre mois et demi d'emprisonnement à la
Conciergerie il écrivit ses *Iambes* contre les tyrans, ces "bour-
reaux barbouilleurs de lois." Ces poèmes étaient transmis feuille
par feuille à sa famille par un geôlier acheté. C'est là qu'il écrivit
pour Mlle de Coigny, prisonnière comme lui, et coupable comme
lui, le chant si pathétique de la *Jeune Captive*. En attendant
l'heure fatale de l'appel, il crayonnait ces beaux vers :

> " Comme un dernier rayon, comme un dernier zéphyre
>   Anime la fin d'un beau jour,
> Au pied de l'échafaud j'essaye encor ma lyre ;
>   Peut-être est-ce bientôt mon tour !
> Peut-être avant que l'heure, en cercle promenée,
>   Ait posé, sur l'émail brillant,
> Dans les soixante pas où sa route est bornée,
>   Son pied sonore et vigilant,
> Le sommeil du tombeau fermera ma paupière !
>   Avant que de ses deux moitiés,
> Ce vers que je commence ait atteint la dernière,
>   Peut-être en ces murs effrayés
> Le messager de mort, noir recruteur des ombres,
>   Escorté d'infâmes soldats,
> Remplira de mon nom ces longs corridors sombres. . . "

Il n'avait que trente-deux ans lorsque sa tête tomba, et deux
jours après Robespierre, dont la mort l'aurait sauvé, montait à
son tour sur l'échafaud. Chénier n'a laissé que des esquisses ;
son œuvre inachevée est considérable par l'étendue et encore
plus par la valeur ; elle renferme un grand nombre d'*églogues*,
d'*idylles*, d'*élégies*, de fragments de poèmes, d'*œuvres dramatiques*, de *satires* inachevées et cinq *épîtres* où l'auteur raconte ses
voyages, ses souvenirs, ses amitiés, ses jeunes ambitions, ses
espérances qui devaient être sitôt déçues.

André Chénier, las du faux goût d'élégance qui affadissait la

poésie, méditait la reproduction savante et naturelle des formes du
génie antique dans la poésie française ; et c'est en imitant les
poètes grecs qu'il a apporté dans les vers une note nouvelle.
Mais son imitation reste originale et libre ; c'est celle d'Horace
imitant les Grecs, et de La Fontaine imitant les anciens ; il ne
prend que le ton, que la forme, les pensées sont bien à lui.
" Sur des pensers nouveaux faisons des vers antiques," dit-il lui-
même.   La tentative de la Pléïade est ainsi reprise par Chénier,
avec plus de bonheur et avec une intelligence du génie grec bien
plus vive et bien plus exquise.   Aussi ses meilleurs vers ne sont
pas ceux où il rend à sa manière des conceptions antiques ;
quelle que soit la fraîcheur de ses *idylles*, la pureté de ses poèmes
grecs, c'est dans les *Iambes* qu'on trouve ce que la poésie devenait entre ses mains ; là il se montre maître d'une forme qui
conserve à la pensée toute son énergie.   Chénier a le sentiment
profond de la nature animée et vivante.   Sa pensée, comme sa
poésie est toute sensuelle, mais d'un sensualisme purifié par la
beauté.   Son œuvre entière n'a été connue qu'en 1819, vingt-six
ans après sa mort ; avant cette période on n'avait publié que
trois ou quatre de ses poèmes.

Rouget de Lisle (1760–1836), simple officier d'artillerie, se
trouva grand poète un seul jour et pour une seule œuvre, lorsqu'il composa la *Marseillaise*, ce chant patriotique et inséparable
de la Révolution.   Cette fois, le poème et la musique naquirent
ensemble et si indissolublement liés, qu'il est presque impossible
d'en citer une strophe sans y joindre la cadence vibrante qui en est
l'âme.   Rouget composa aussi le *Chant de vengeance*, et le *Chant
de Roland*.

Quand l'inspiration poétique manquait tout à fait, on se
jetait dans la poésie descriptive.   **Saint-Lambert** en donna le
signal ; il chanta les *Saisons*, et **Roucher** les *Mois ;*   **Lemierre** fit
les *Fastes*, tandis que **Rosset** s'évertuait sur son poème de l'*Agriculture*.

Delille (Jacques, 1738–1813), qui est le chef de l'école descriptive, est parvenu à force d'esprit, d'élégance dans le langage et de jolis miracles de versification à couvrir aux yeux de beaucoup de lecteurs, ce qu'il y avait d'antipoétique dans sa manière. Il se vantait d'avoir fait " douze chameaux, quatre chiens, six tigres, trois chevaux, un trictrac, plusieurs hivers, nombre d'étés, une multitude de printemps, cinquante couchers de soleil et des aurores à l'infini. Il eût mieux fait de se féliciter d'avoir élégamment traduit les *Géorgiques* que Chateaubriand appelle "un tableau de Raphaël merveilleusement copié par Mignard."

Le Théâtre.   Tragédie et Comédie.

La tragédie et la comédie avaient grandement dégénéré entre les mains des héritiers de Racine et de Molière. Jamais on ne fit plus de tragédies, et jamais, si on en excepte Voltaire, il n'y eut moins de talent tragique : tous les beaux sujets ayant été traités, les poètes s'épuisaient en inventions froides et artificielles. La comédie se soutenait mieux, grâce à l'esprit qui s'y déployait, mais on était las des mauvaises mœurs qu'on y étalait. Diderot quoique engagé dans l'immense entreprise de l'Encyclopédie, voulut encore réformer le théâtre. Il ne toucha pas aux unités de temps et de lieu, mais il voulut changer l'économie du théâtre, en substituant la vérité à la convention, en faisant du drame une image de la réalité jusque là exclue également de la tragédie et de la comédie. Dans ce but, il écrivit deux drames bourgeois et pathétiques, le *Fils naturel* (1757) et le *Père de famille* (1758), remplis de scènes larmoyantes, de tirades morales boursouflées d'emphase, et certainement aussi éloignés de la vie réelle que la plus artificielle des tragédies. Ces pièces ennuyeuses n'eurent aucun succès, mais la théorie subsista, et fut reprise au milieu du XIXe siècle par des génies plus dramatiques.

Ducis (1733–1816) aussi voulut rajeunir le théâtre et sa tentative fut intéressante et efficace. Ignorant l'anglais et ne connaissant Shakespeare que par la pauvre traduction en prose de Le-

tourneur (1736–1788), il fut néanmoins frappé des beautés
neuves et hardies du grand poète et voulut le révéler à la
France en faisant jouer *Hamlet, Roméo et Juliette*, le *Roi Lear*,
Macbeth, Othello. Ducis ne pouvait pénétrer bien avant dans
l'intelligence de Shakespeare, il avouait lui-même qu'il travaillait
à tâtons ; mais ce n'est pas seulement la langue qui lui échappa,
c'est aussi l'âme, la conception dramatique, le caractère propre
du poète anglais ; aussi sortit-il de ses mains altéré et mutilé.
Non seulement Shakespeare, refondu dans le moule classique,
fut soumis aux règles des unités, mais il devint sentimental, emphatique et philosophe, tout à fait conforme à la mode du temps.
Malgré tout, l'œuvre de Ducis fut utile et porta ses fruits ; elle
prépara l'avènement d'un goût plus large et plus éclairé des littératures étrangères. Avec un beau talent, Ducis a malheureusement un style rocailleux qui a éloigné la postérité de son
œuvre dramatique.

Marie-Joseph Chénier (1764–1811), frère d'André, fut le
poète de la République ; il fit un grand nombre de tragédies qui
durent surtout leur vogue aux idées et aux allusions politiques
qui flattaient les passions de l'époque. Il fit jouer *Charles IX*
(1789), *Jean Calas* (1791), *Henri VIII* (1791), *Caïus Grac-
chus* (1792), *Timoléon* (1794) pour inspirer la haine des rois,
des prêtres et des parlements. Membre de toutes les assemblées
législatives, on l'a accusé de n'avoir pas fait ce qu'il aurait dû
pour sauver son frère. Après le 9 thermidor, Michaud ouvrait
chaque jour son journal, la *Quotidienne*, par cette question :
" Caïn qu'as-tu fait de ton frère ? " Marie-Joseph a repoussé
cette odieuse accusation dans son *Epître sur la calomnie*, remarquable par l'énergie des pensées, la force du sentiment et la
beauté du style ; il avait dédié cette épître à Voltaire. Chénier
a composé plusieurs chants patriotiques, entre autres le *Chant du
départ* qui est fort beau.

Saurin fit des tragédies philosophiques, et **Du Belloy** riposta par des tragédies royalistes; **Lemierre** (1733–1793), auteur de *Guillaume Tell*, ne manque pas de talent mais de goût. André Chénier imite son style dur dans ce vers :

> " Lemierre, ah ! que ton *Tell* avant-hier me charma !
> J'aime ton ton pompeux et ta rare harmonie."

Nivelle de La Chaussée (1692–1754) créa dans la *Fausse Antipathie* (1733), le genre que ses ennemis ont appelé la *comédie larmoyante*. " Ce fut, dit Voltaire, une espèce bâtarde, qui n'étant ni comique, ni tragique, manifestait l'impuissance de faire des comédies ou des tragédies." Cependant inquiet des succès de La Chaussée dans *Mélanide*, sa meilleure pièce, le *Préjugé à la mode*, la *Gouvernante*, l'*Ecole des amis*, etc., Voltaire ne dédaigna pas d'essayer ce genre dans l'*Enfant Prodigue*. La morale de La Chaussée est pure, ses sentiments délicats, sa sensibilité vraie, mais la monotonie des personnages et la faiblesse du style rendent son théâtre ennuyeux. Piron appelait ces drames : " les sermons du révérend père La Chaussée." Tout cela n'empêche pas son théâtre d'avoir eu une grande importance par ses résultats : le drame bourgeois moderne en procède ; et si ses pièces sont oubliées du public aujourd'hui, l'histoire littéraire du moins leur doit un souvenir.

Beaumarchais (1732–1799). Depuis trente ans les historiens, les moralistes, les romanciers, les philosophes, tous appelaient une révolution générale dans les idées, les institutions et les mœurs. Elle arriva, et l'évènement qui en donna le premier signal, fut un évènement littéraire. Aux yeux des hommes clairvoyants, la révolution commença du jour où le *Mariage de Figaro* de Beaumarchais fut représenté, le 27 Août 1784.

Pierre-Auguste Caron, qui prit dans la suite le nom de Beaumarchais, fut d'abord horloger, mais poussé par une ambition plus haute, il ne tarda pas à quitter l'atelier de son père pour traverser tous les étages de la societé de son temps ; il appartint plus ou moins à tous les mondes. Dès l'âge de vingt-quatre ans, il lui fut donné de voir la cour de très près avec des yeux très

clairvoyants ; il y était admis d'abord comme horloger, plus tard
comme professeur de guitare des filles de Louis XV. Il fit une
fortune rapide en s'associant aux spéculations du financier Pâris
Duverney. A la mort de ce dernier, il eut un procès avec ses
héritiers qu'il perdit malgré cent quinze louis et une montre
qu'il avait donnés à Goëzman, un membre du tribunal ; puis il
plaida contre Goëzman pour ravoir son argent et pour se défendre
contre une imputation criminelle, celle d'avoir calomnieusement
accusé de corruption un magistrat. C'est alors qu'il rédigea
ses quatre *Mémoires* judiciaires qu'il faisait imprimer et qui
se répandaient dans toute l'Europe. Il se révélait tout-à-coup
comme un écrivain audacieux et habile. Ces *Mémoires* étaient
de véritables comédies sans cesser d'être des pièces d'éloquence,
et se succédaient avec un applaudissement général, parce qu'il
avait su leur donner l'attrait de pamphlets politiques en attaquant,
dans la personne de Goëzman, tout le parlement Maupeou qui
était déjà impopulaire ; il vilipenda, il immola la justice elle-
même en ne paraissant attaquer qu'un de ses ministres indignes.
M. Villemain a caractérisé ces *Mémoires* dans une page qu'il faut
citer : " Ce talent singulier de l'éloquence judiciaire, plus puissant que moral, analysé par Cicéron avec tant de plaisir et d'orgueil ; cet art d'envenimer les choses les plus innocentes, d'en-
tremêler de petites calomnies à un récit naïf, de médire avec grâce,
d'insulter avec candeur, d'être ironique, mordant, impitoyable,
d'enfoncer dans la blessure la pointe du sarcasme, puis de se
montrer grave, consciencieux, réservé, d'intéresser l'amour-
propre, d'amuser la malignité, d'exciter la crainte, de rendre le
juge suspect à l'auditoire, et l'auditoire redoutable au juge ; cet
art d'humilier et de séduire, de menacer et de prier ; cet art
surtout de faire rire de ses adversaires, au point qu'il soit impossible de croire que des gens si ridicules aient jamais raison ; enfin
tout cet arsenal de malice et d'éloquence, d'esprit et de colère,
de raison et d'invectives, voilà ce qui compose en partie les *Mé-*

moires de Beaumarchais." Ce prince de la polémique sut si
bien élargir la question, que ce procès d'intérêt particulier devint
un problème de liberté publique ; hors le roi et la cour, personne
ne s'y trompa ; de là l'intérêt général et profond qui s'y attacha
dans toute la France ; de là cette curiosité de l'Europe que les
gazettes étrangères entretenaient jour par jour des péripéties de
l'action. Ces *Mémoires* ruinèrent le respect de la justice déjà
bien ébranlé.

Beaumarchais ne s'arrêta pas à ce succès, il porta sur le théâtre
sa verve satirique. En 1767 il avait débuté au théâtre par *Eugénie,*
drame sentimental et larmoyant ; trois ans plus tard il donnait les
Deux amis, dans le même genre ; ces pièces eurent peu de succès.
Il composa ensuite une sorte de trilogie : le *Barbier de Séville*
(1776), comédie vive et spirituelle où il se moque de la noblesse ;
le *Mariage de Figaro* (1784) qui en est la suite, et la *Mère coupable* (1791) qui la complète. *Figaro,* le personnage qui domine
dans la trilogie, est un type expressif ; il représente la lutte de
l'homme du peuple pauvre et intelligent contre la noblesse d'alors,
altière, privilégiée, médiocre et corrompue, personnifiée dans le
comte *Almaviva.* Sous des noms et des costumes espagnols, la
société française y est dépeinte.

La satire hardie dans le *Barbier,* devint insolente dans le
Mariage. L'esprit démocratique, ou plutôt révolutionnaire qui
animait le *Mariage de Figaro* était le même qui agitait depuis
longtemps les esprits ; le porter au théâtre avec la finesse et la
malice qu'y mettait Beaumarchais, c'était donner aux passions une
impulsion dangereuse. Louis XVI, qui s'était fait lire cette
comédie le comprit et refusa de la laisser représenter ; l'auteur
intrigua, alla partout citant ce mot de sa pièce : " Il n'y a que
les petits esprits qui craignent les petits écrits." La reine, le
comte d'Artois, qui devait être un jour Charles X, prirent le
parti de Beaumarchais, et l'interdiction fut levée en 1784 ; la
pièce resta à la scène deux ans de suite. La noblesse accourut

pour applaudir cette comédie qui la bafouait ; aussi l'auteur disait en parlant de son immense succès : " Il y a quelque chose de plus fou que ma pièce, c'est son succès." Ce qui nous semble encore plus fou aujourd'hui, ce fut l'autorisation de la jouer dans un tel temps. Dans cette satire admirable, toute la haute société d'alors, ses principes, sa hiérarchie, ses préjugés, ses croyances, ses goûts, ses travers, tout était honni avec une verve étourdissante et un esprit entraînant, avec des mots piquants et acerbes qui devenaient des proverbes.

Beaumarchais reflétait comme un miroir fidèle ce qui l'entourait en de vives et rapides images ; il recevait du public des opinions qu'il lui rendait aussitôt plus fortes et plus profondes. Ce mélange de vigueur intellectuelle et de relâchement moral, de lassitude et d'activité, d'enthousiasme et d'égoïsme, de scepticisme et d'illusions qui constitue l'état d'esprit de la société française au XVIIIe siècle, se retrouve au complet dans la nature morale de Beaumarchais. La poésie élevée et l'idéal lui manquaient, mais jamais esprit ne fut plus souple, plus pratique et plus avisé, avec une sorte d'ivresse légère qui le transporte et l'excite. Il a tant d'esprit, et cet esprit il le prodigue avec tant d'à-propos ! Sa gaieté est naturelle et franche ; son expression vive et neuve ; son tour est rapide, incisif. Il a des défauts, mais un torrent de verve et d'éloquence les emporte, et on ne les trouve qu'en les cherchant.

Après avoir été l'organe de la haine du peuple contre tous les pouvoirs établis, ce ne fut qu'avec peine que Beaumarchais échappa lui-même à l'échafaud révolutionnaire que son prodigieux esprit avait tant aidé à élever ; il connut la prison et l'exil, et ne rentra en France que sous le Directoire.

Une aventure que Beaumarchais avait eu à Madrid, avec le jeune seigneur Clavijo qu'il fit chasser pour toujours de la cour d'Espagne, a fourni à Goethe le sujet du drame de *Clavigo*. Nos lecteurs aimeront sans doute à savoir que lorsque les colonies d'Amérique se révoltèrent contre l'Angleterre, notre auteur écrivit un éloquent plaidoyer en faveur des braves Américains et obtint que le gouvernement français les soutînt par l'envoi d'armes et de munitions.

Sedaine (1719–1767), artisan illettré, quitta l'équerre et la truelle pour étudier les lettres et le théâtre. Ses pièces ont de l'originalité, de l'esprit et du naturel. Le *Philosophe sans le savoir* est ce qu'il a fait de mieux. Il a produit pour l'Opéra: *Alvine, reine de Golconde;* le *Déserteur, Richard Cœur-de-Lion.* Son *Epître à mon habit* est un petit chef-d'œuvre d'enjouement naïf et de spirituelle bonhomie. Palissot attaque Diderot dans les *Philosophes,* tandis que Desmahis se peint dans l'*Inconstant;* Colin d'Harleville produit le *Vieux Célibataire* et Fabre d'Eglantine, les *Précepteurs.*

ELOQUENCE ET JOURNALISME.

L'éloquence académique ne prit quelque importance qu'à partir du XVIIIe siècle. Les sujets proposés au concours donnèrent l'essor à ce genre; le génie de Rousseau y trouva l'occasion de se révéler; Champfort s'y distingua par les Eloges de La Fontaine et de Molière; La Harpe par ceux de Racine et de Fénelon.

Thomas (1732–1786) est le coryphée de l'éloge, et il remporta bien des succès. Il composa un *Essai sur les éloges,* où il passe en revue tous les panégyristes célèbres; cet ouvrage qui est du plus grand intérêt, peint aussi le caractère irréprochable de l'auteur. Thomas a le sentiment de la grandeur, mais il n'en a pas la mesure; chez lui l'expression des sentiments nobles et vrais est gâtée par l'emphase et une tension continuelle; il élève l'âme, mais fatigue l'esprit.

Durant les quinze années qui précédèrent les troubles civils, on trouve peu d'hommes qui aient consacré leurs efforts à élever un monument dans les lettres; le mouvement est tout politique. Le temps des théories, c'est-à-dire des hommes de lettres, était passé; le pouvoir allait maintenant appartenir aux hommes d'ac-

tion. Ce fut alors sous une forme nouvelle que se manifesta
l'influence de la pensée.

L'éloquence politique avait existé en France avant 1789, mais
sans tribune et sans journaux, sans influence efficace, cachée dans
les parlements ou dans les états provinciaux. Lorsque s'ouvrit
l'Assemblée nationale, cette force nouvelle prit l'essor, et du jour
au lendemain, les orateurs politiques dans tout le pays furent
seuls célèbres, seuls écoutés, seuls puissants. C'est à l'histoire
politique à raconter l'éloquence de ces puissantes assemblées où
toutes les opinions philosophiques du XVIIIe siècle furent représentées tour à tour et proclamées par des orateurs de premier
ordre appartenant aux divers partis. Quelle que soit la violence
des passions qui s'y déploient, un caractère d'abstraction et de
généralité métaphysique se voit dans les discussions et en accuse
l'origine. L'Assemblée constituante voit s'asseoir dans son centre, avec Mounier, Lally-Tollendal, les doctrines de Montesquieu et
de Voltaire ; à sa gauche s'agitaient déjà les théories du *Contrat
social* avec le penseur Sieyès, le général Lafayette, l'éloquent
Barnave et le fougueux Camille Desmoulins ; contre tous proteste
en vain l'ancien régime par l'organe du brillant Cazalès qui représente les nobles, et par Maury qui défend le clergé.

Mirabeau (1749–1791). Au dessus de tous les orateurs s'é-
lève le comte de Mirabeau, le génie de l'éloquence moderne,
qu'on a surnommé le *Démosthène français*. A trente ans, il
avait déjà passé sept ans dans cinq prisons, coupable sans doute,
mais non jugé ; car on l'emprisonnait en vertu des lettres de
cachet obtenus par son propre père, qui, philanthrope envers les
étrangers, était un tyran dans sa famille ; on peut se dispenser de
chercher ailleurs les causes du ressentiment de Mirabeau contre
un ordre politique où florissaient des abus dont il avait si cruelle-
ment souffert. Détruire le pouvoir arbitraire devint le but de sa
vie et l'effort de son éloquence dès le jour où il parut dans l'Assemblée constituante. L'autorité qu'il acquit par la force de sa

parole fut extraordinaire, et sa mort prématurée causée autant par les excès de sa vie que par les travaux, fut regardée comme un malheur public.

Les qualités essentielles de l'éloquence de Mirabeau sont la logique rigoureuse, la dialectique pressante, la noble simplicité, l'heureux emploi des figures de mots ou de pensée. Admirable dans l'improvisation, il maniait avec habileté l'arme du ridicule ; son ironie était mordante et amère ; il était toujours puissant, quelquefois sublime ; cependant son style est incorrect, heurté, inégal, les images sont incohérentes, mais à la tribune ces défauts disparaissaient dans l'entraînement de la parole.

A l'époque de la Révolution le journalisme prit un grand développement ; des centaines de journaux, organes des différents partis politiques, naquirent dans toute la France, à Paris surtout, et les écrivains de tous les genres de talent mettaient leur plume au service de la cause embrassée. Nul, peut-être, ne se distingua plus dans cette polémique que Camille Desmoulins. En 1793 il fonda *Le Vieux Cordelier,* dans lequel il plaida la cause de la modération et de la justice, dénonça la proscription et osa attaquer le Comité du Salut Public dans un article contre la célèbre *loi des suspects.* Son courage le conduisit à l'échafaud.

Les crimes de la Révolution ne doivent pas nous voiler le spectacle de ses grandeurs. Que de nobles élans, de passions généreuses, de paroles et d'actions héroïques entre 1789 et 1799 ! Que de conquêtes définitives pour la civilisation ! Les castes effacées, les privilèges détruits, ceux des individus comme ceux des provinces ; l'unité nationale fondée, la liberté de conscience reconnue, les citoyens devenus égaux devant la loi, les parlements supprimés, la torture abolie, le jury établi, le Code civil esquissé et promis à l'Europe, l'éducation nationale essayée et admise en principe, l'industrie et le commerce délivrés de leurs entraves, tous les progrès futurs devenus possibles et nécessaires, tels sont les fruits précieux de tant de travaux et de tant de pensées, de tant d'écrits spirituels, éloquents, audacieux, qui composent la littérature du XVIIIe siècle en France.

Cette littérature n'a pas agi seulement sur les évènements, son influence s'est fait sentir aussi sur les sciences et sur la littérature de notre siècle. L'esprit de recherche qui possédait les hommes d'alors, a fait faire à la science des progrès immenses dont les hommes d'aujourd'hui ont recueilli les bénéfices; ce même esprit a puissamment contribué aux grandes réformes littéraires de nos jours par trois influences: l'étude du moyen âge par les ouvrages historiques; l'étude des littératures étrangères par les traductions; l'étude de la nature, par les œuvres de Buffon, de Rousseau et de Saint-Pierre.

SEPTIÈME ÉPOQUE.

DIX-NEUVIÈME SIÈCLE.

L'histoire littéraire de notre siècle, en France, peut se diviser en trois périodes ; la première de 1800 à 1820 ; la seconde, de 1821 à 1848 ; la troisième qui dure encore.

PREMIÈRE PÉRIODE.

Les grands et terribles évènements de la Révolution avaient été peu favorables aux arts de l'imagination ; le Consulat et l'Empire ne le furent guère plus ; Napoléon craignait trop le tort que la libre pensée et la libre discussion pouvaient faire à son autorité, pour ne pas faire la guerre à tout ce qui en littérature semblait porter quelque atteinte à son pouvoir ou à ses desseins. De là le caractère particulier de la littérature de ce temps ; elle manque d'élan, d'originalité, de naturel.

Chateaubriand est incontestablement le plus grand nom de la première époque ; il en fut l'inspirateur et l'initiateur, car à partir de 1820, la littérature se renouvela, en partie par l'influence de ses écrits. C'est l'époque de l'efflorescence des esprits : beaucoup d'imagination et de puissance créatrice ; c'est aussi l'ère du romantisme : on se sépare résolument des théories jusqu'alors adoptées, et dont se mourait la littérature appauvrie de la fin du siècle précédent. Cette école romantique est bientôt dispersée, il est vrai, mais ce sera pour renaître plus forte et plus vivace avec Victor Hugo et son Cénacle. La poésie lyrique et le roman prennent un grand développement ; et en même temps les sciences acquièrent chaque jour plus d'importance.

CHATEAUBRIAND ET l'INFLUENCE DE SON ŒUVRE.

Chateaubriand (François-René de, 1768–1848) naquit à St.
Malo d'une famille bretonne noble. Après des études bien
incomplètes, il fut fait à dix-huit ans lieutenant dans l'armée ;
licencié par la Révolution, il partit en 1791 pour l'Amérique dans
le dessein de découvrir le passage polaire ; Washington, à qui il
fut présenté et à qui il expliqua ses projets, lui dit que ce n'était
pas une chose facile : " Plus facile que de créer une nation comme
vous l'avez fait," lui répondit notre poète. Il ne trouva pas son
passage, mais il visita les tribus indiennes en parcourant la région
des lacs, des prairies, la Louisiane, la Floride ; explorant les immenses forêts, les savanes, les fleuves gigantesques, amassant déjà
ses couleurs et faisant sa palette pour peindre ses magiques
tableaux des *Natchez*, de *René*, d'*Atala*. La nouvelle de la mort
de Louis XVI le ramena en France ; il rejoignit les émigrés à
Coblentz, fut blessé dangereusement à Thionville, et parvint à
gagner l'Angleterre où il passa sept ans dans la gêne et l'obscurité.
Pendant ces pérégrinations il n'avait pas négligé ses études et
avait acquis une érudition informe, mais extraordinaire. Doué
d'une énorme puissance de travail, il gagnait son pain le jour par
des traductions, et les nuits il écrivait son *Essai sur les Révolutions* qui parut à Londres en 1797. C'est un livre sceptique,
désolé et désordonné, dont l'idée fondamentale est que l'humanité
tourne à jamais dans un même cercle d'erreurs et de misères.
Ce fut là, le premier jet de sa pensée. Il n'était pas encore en
possession des idées auxquelles son nom est resté attaché : la
double foi chrétienne et royaliste.

La mort de sa mère et de sa sœur, et plus encore peut-être, le
progrès naturel de ses idées, le ramenèrent à des sentiments religieux. Rentré en France, en 1800, il publia *Atala*. Ce petit
roman, détaché du *Génie du Christianisme*, excita beaucoup d'admiration, de grandes critiques, et lui donna la célébrité. Le chris-

tianisme qu'on croyait mort ressuscitait avec lui.   La langue d'une
ampleur et d'une magnificence inouïe qui s'y déployait, était comme la révélation d'une littérature nouvelle.   En 1802, il fit paraître
le *Génie du Christianisme*.   L'épigraphe du livre en explique l'intention : "La religion qui ne semble avoir d'objet que la félicité de
l'autre vie, fait encore notre bonheur dans celle-ci."   Le christianisme y était proclamé *beau*, la source la plus féconde de l'art et de
la poésie ; quand tout le XVIIIᵉ siècle l'avait déclaré ridicule, iné-
légant et grossier.   Jamais ouvrage ne vint plus à propos.   Il ouvrait le siècle par une protestation ardente contre les doctrines
sceptiques du siècle précédent, il fut considéré comme le signal
d'un revirement essentiel dans l'ordre des idées morales et religieuses.   Napoléon venait de faire rouvrir les églises ; l'écrivain
et le politique s'étaient donc rencontrés, et avaient deviné, chacun de son côté, les nouveaux besoins de l'âme que les ruines de
la révolution avaient réveillés.

Le *Génie du Christianisme* se divise en trois parties ; dans la
première, l'auteur démontre le dogme chrétien ; dans la deuxième,
son génie poétique et littéraire ; dans la troisième, il traite du
culte, de toutes les institutions et de toutes les œuvres nées du
christianisme.   Du reste nul plan, nul ordre dans ce livre.   On
s'est beaucoup raillé du christianisme de Chateaubriand ; on lui a
reproché d'être superficiel, de trop mettre en relief le côté
poétique, de s'en tenir aux détails extérieurs et politiques, de
ne pas aller jusqu'à l'âme.   On voudrait sans doute une raison
plus haute, plus d'idées et moins de sentiment, mais Chateaubriand ne cherche pas à prouver le christianisme comme vrai, il se
contente de l'exposer comme beau.   En 1802, il fallait enchanter
par les sentiments les esprits qui se dérobaient aux raisonnements ;
il fallait représenter le christianisme à un point de vue plus ou
moins profane, mais qui le fît aimer, et qui en fît ressortir le
charme et la grandeur : la convenance de l'œuvre avec l'époque
était donc parfaite.

Ce qui contribua à l'immense succès du livre fut tout autant
le style de l'auteur que ses doctrines ; quels que fussent les défauts de sa langue, elle était neuve, hardie, brillante ; les images
avaient de l'éclat, les descriptions étincelaient ; la critique littéraire rajeunie par la comparaison des diverses littératures avait de
la chaleur, éveillait l'admiration, faisait aimer les écrivains qu'elle
louait. Le moyen âge, longtemps méprisé comme une époque de
pure barbarie, était pour la première fois réhabilité ; les beautés
de sa poésie, de son architecture étaient au moins entrevues. Ce
qui charmait surtout dans le livre, c'était la réaction si audacieuse
contre la manière à la mode dans le siècle précédent ; contre le
style sceptique et railleur, la prose sèche et décolorée des philosophes et des encyclopédistes. Chateaubriand proclamait de plus,
la nécessité de rompre avec les anciennes traditions, et d'inau-
gurer pour l'art une vie nouvelle. C'est par là, que le *Génie du
Christianisme* marque une date considérable dans l'histoire des
lettres modernes : c'était le signal de temps nouveaux, l'appel à des
inspirations nouvelles. La révolution littéraire était commencée,
et la littérature moderne naissait.

En 1805 Chateaubriand publia *René*, qui comme *Atala*, était
un épisode du *Génie* et qui obtint un succès plus grand que toutes
ses autres œuvres. *René* est l'histoire de l'auteur lui-même ; cependant c'est moins la peinture d'un caractère que l'étude d'une
disposition de l'esprit assez neuve alors dans notre littérature : la
mélancolie qu'il a dépeinte et exprimée avec une force et une
profondeur émouvantes. Cette mélancolie dans *René* est sans
cause ; elle ne provient pas des accidents extérieurs de la vie,
elle sort de l'âme. Ce "mal du siècle" comme on l'a appelé,
existait aussi à l'étranger. Goethe dans Werther, Byron dans
Childe-Harold ont exprimé des sentiments semblables ; et en
France Chateaubriand avait eu des prédécesseurs dans Jean-Jacques et Bernardin de Saint-Pierre. Cette légion de héros désen-
chantés, chargés d'ennui, troublés d'ambition vague et de vagues

regrets qui ont peuplé le roman, la poésie, et même la vie réelle
pendant la première moitié de notre siècle, sont la postérité
directe de *René.* Ces deux épisodes encadrés dans les paysages
du nouveau monde, respiraient un amour ardent de la nature ;
la peinture brûlante des sentiments vifs et intimes qui les remplissaient, l'inspiration chrétienne, la hardiesse du style, l'exubérance
des images, des métaphores étonnèrent les esprits et forcèrent
l'admiration.

La renommée croissante de Chateaubriand le fit distinguer par
Napoléon, qui le chargea de fonctions diplomatiques à Rome et
en Suisse ; mais l'exécution du duc d'Enghien provoqua sa démission, car au fond, il était toujours demeuré royaliste. Peu après
il partit pour l'Orient, vit la Grèce, Constantinople, l'Asie-Mineure,
la Palestine, et revint par Tunis et l'Espagne, glanant partout des
souvenirs qu'il a fait revivre dans ses immortels ouvrages. En
1827, il fit paraître *le Dernier des Abencerages,* inspiré par la
belle Andalousie qu'il avait trouvée remplie des monuments laissés par les Arabes. *Les Martyrs* (1809) sont la mise en scène des
théories littéraires développées dans le *Génie du Christianisme :*
c'est-à-dire que la religion chrétienne est plus propre que le paganisme à inspirer la poésie. Dans cette longue épopée en prose,
il oppose le christianisme naissant au paganisme mourant. Le
jeune chrétien *Eudore,* après bien des erreurs et des traverses,
épouse *Cymodécée* descendante d'Homère, et nouvellement convertie à la foi ; les deux époux subissent le martyre dans l'amphi-
théâtre de Rome. Les *Martyrs* n'eurent pas le succès qu'avait
espéré l'auteur ; ils soulevèrent des critiques justes et injustes.
Certains épisodes et les descriptions sont admirables, mais l'ouvrage dans son ensemble manque de vie, et, pour ainsi dire, pèche
par excès d'art ; la thèse s'y fait trop sentir ; c'est une épopée faite
dans un dessein de démonstration. Elle a été conçue savamment
et méthodiquement traitée, mais elle nous choque par tout ce
qu'elle contient de convenu et de faux. Les notes recueillies en

Orient fournirent à Chateaubriand un ouvrage où il se montre
encore initiateur : l'*Itinéraire de Paris à Jerusalem* (1811).
Toute la littérature des voyages, inconnue jusqu'à lui, et si féconde
depuis, est sortie de ce livre. C'est un ouvrage à peu près irréprochable ; il offre la perfection de la manière de Chateaubriand.
Il fit moins de bruit que le *Génie*, mais il fut très goûté, et l'est
encore par les lettrés délicats ; c'est qu'il est plus naturellement
sorti de la plume de l'auteur, et qu'il abonde en pages délicieusement simples.

Tant de chefs-d'œuvre appelaient Chateaubriand à l'Académie ;
Napoléon oubliant ses ressentiments le fit nommer en remplace-
ment de Marie-Joseph Chénier ; mais son discours de réception,
une diatribe contre la Révolution, irrita l'empereur ; il exila le
nouvel académicien, et son siège resta vacant pendant quatre ans.

En 1814, il publia un pamphlet intitulé : *de Buonaparte et des
Bourbons*, qui facilita la restauration de la monarchie. Il se
voua à la politique, fut ministre, embassadeur, pair de France.
Après la révolution de 1830, ayant refusé de prêter serment à
Louis-Philippe, il fut exclu de la chambre des pairs, et vécut dès
lors dans la retraite, passant ses soirées dans le salon de sa bonne
et généreuse amie, Mᵐᵉ Récamier, où se réunissait l'élite de la
société littéraire et où il recevait l'hommage dû à son génie et à
sa renommée. Il y lisait souvent des fragments de ses *Mémoires
d'Outre-tombe* commencés en 1811, et qui ne devaient paraître
qu'après sa mort. Ces mémoires ne répondirent pas à l'attente
générale. On y retrouve sans doute la touche du maître, mais
trop d'emphase et de recherche dans le style ; en même temps, il
y montrait une vanité, un égoïsme, une sécheresse de cœur qui
firent regretter cette publication à ses amis, et qui faisait dire à
George Sand : " L'âme y manque. . . On ne sait s'il a jamais aimé
quelque chose ou quelqu'un." Parmi ses autres œuvres, citons :
les Natchez (1826), suite de *René* et curieuse peinture de la vie
sauvage ; les *Etudes historiques ;* la traduction du *Paradis perdu*

de Milton ; les *Quatre Stuarts ;* la *Vie du duc de Berry* et un nombre considérable d'écrits politiques.

Sa vieillesse fut triste ; il mourut à quatre-vingts ans et fut enterré dans un rocher sur l'îlot du Grand-Bé, en rade de Saint-Malo, emplacement qu'il avait lui-même choisi.

Chateaubriand n'a eu d'autre objet dans la vie que lui-même ; il s'est toujours cherché, s'est trouvé et en a conçu un incommensurable ennui. " Je m'ennuie," " Je bâille ma vie," " Qui me délivrera de la manie d'être ?" Cette tristesse trouve ses raisons dans une sensibilité très vive, dans les besoins d'un tempérament violent et capricieux, mais surtout dans un orgueil enraciné en plein cœur, insatiable, à qui ne suffirent pas les adulations qui lui furent prodiguées. Cette admiration de ses compatriotes en le divinisant pour ainsi dire, l'amena souvent à prendre des attitudes devant ses contemporains et même devant la postérité. Dans l'intimité il devenait tout-à-fait lui-même ; l'entrain de sa conversation, la gaîté de ses saillies donnaient à son commerce habituel uñ incomparable agrément ; mais avec les étrangers ou le public, il reprenait ses allures de grand homme et sa raideur d'idole.

Chateaubriand ne supporte pas la traduction. La beauté chez lui, même la beauté de la pensée, tient trop à la forme. Son vrai style est fait avant tout d'éclat, de nombre et d'harmonie. Nul poète ne l'a surpassé dans les descriptions. Son regard perçant voit d'abord l'objet ; puis vient sa royale imagination qui répand sur le dessin ses plus riches couleurs et en fait une toile étincelante. Ducis disait de lui : " Il a le secret des mots puissants," et Joubert l'appelait "l'enchanteur." Il possède aussi au suprême degré l'art de grouper et d'encadrer ; ses comparaisons sont restées célèbres.

Chateaubriand continue Bernardin de Saint-Pierre tout en le surpassant par la richesse et la force de son imagination, par l'étude et la diversité de ses connaissances ; par la multiplicité des aspects sous lesquels il a senti et dépeint la vie. Il a rouvert les sources vives de la poésie taries par la sécheresse des imitateurs pseudo-classiques, et il mérite la double gloire d'avoir donné le signal de la révolution littéraire, et commencé la restauration morale et religieuse du XIXe siècle. Après Chateaubriand, ce fut une femme qui contribua le plus à rajeunir et à renouveler la littérature épuisée du XVIIIe siècle : Mme de Staël.

Mme de Staël et son Influence.

Anne-Louise-Germaine, baronne de Staël (1766–1817), fille de Necker, le ministre philosophe de Louis XVI, reçut sa première éducation dans le salon de sa mère, femme supérieure, d'une sévérité un peu rigide, mais du plus haut mérite. Mme Necker réunissait chez elle tout ce qu'il y avait de plus distingué, en France et en Europe, dans la politique, les sciences et la littérature : Buffon, Thomas, Raynal, Marmontel, Grimm, Hume, etc. La petite Germaine, assise sur un tabouret aux pieds de sa mère, écoutait en silence et avec avidité des conversations, des débats et des dissertations sur mille sujets. " Elle se tut en ces années pour le reste de sa vie," dit M. Sorel. Les impressions qu'elle reçut alors influèrent sur sa vie entière. Un ménage comme celui de ses parents demeura la patrie idéale de son cœur ; un salon comme celui de sa mère, la patrie idéale de son esprit ; le bonheur dans le mariage fut l'utopie, et une royauté de salon, l'ambition de son existence.

La jeune fille, prodigieusement précoce d'intelligence et de cœur, grandit dans ce milieu exceptionnellement favorable et y développa les rares qualités de son esprit brillant et ingénieux. Elle s'occupait de lectures au-dessus de son âge, et s'exerça de bonne heure à l'art d'écrire par des nouvelles et diverses compositions dramatiques, empreintes de cette sensibilité mélancolique, de cet enthousiasme pour le génie que la Nouvelle Héloïse avait propagés. A quinze ans, elle résuma l'*Esprit des lois.* Rousseau

fut sa première idole, et à vingt-deux ans, elle publia des *Lettres
sur le caractère et les écrits de J.-J. Rousseau,* qui révèlent les
tendances de sa pensée et de ses opinions, et font présager ses écrits
futurs.　Ce qui domine déjà en elle, c'est un invincible attache-
ment à la cause de la raison, de la liberté, du progrès.　A vingt
ans, on la maria au baron de Staël, ambassadeur de Suède en
France.　Ce mariage ne fut pas heureux, et au bout de quelques
années, les époux se séparèrent.

Lorsque la Révolution éclata, elle salua avec enthousiasme ce
grand mouvement d'émancipation, mais les violences de 1792 l'ef-
frayèrent, elle quitta la France et suivit son père dans sa retraite
à Coppet, sur les bords du lac de Genève ; quand les jours
de Marie-Antoinette furent menacés, elle écrivit ses *Réflexions
sur le Procès de la reine,* ouvrage plein d'éloquence et de sensibilité.　Sous le Directoire, elle revint à Paris, ouvrit son salon aux
hommes les plus marquants de l'époque, exerça sur eux une
véritable royauté, et un moment joua un rôle politique important ;
essayant de lutter en faveur des libertés constitutionnelles et des
droits des Chambres élues.　Cette gloire lui suscita des ennemis ;
son extrême franchise, son enthousiasme, le sans-façon de ses manières fournirent matière aux médisances de ses adversaires ; Napoléon crut voir en elle un critique dangereux et la surveilla. Un jour
qu'il la tançait rudement au sujet de ses tendances politiques, elle
lui répondit, " qu'on ne pouvait blâmer les femmes de s'intéresser
aux choses publiques, dans un pays où de par la politique on leur
coupait la tête." L'argument était sans réplique.　En 1802 elle publia *Delphine,* roman qui contient les défauts inévitables dans le
style épistolaire, mais où l'on trouve beaucoup de finesse, de
passion, et une pénétration subtile des caractères.　En 1804, son
père, qui avait été l'adoration de sa vie, mourut ; sa santé s'altéra,
elle partit pour l'Italie où la nature et l'art lui furent révélés :
elle écrivit *Corinne* ou l'*Italie* (1807), qui est à la fois un récit de
voyage et une fiction ; et où elle a uni avec un grand art la peinture

du cœur humain à celle des mœurs et des lieux. En 1800 avait
paru le livre *De la Littérature considérée dans ses Rapports avec
les Institutions Sociales* où elle proclame la loi suprême de la
Providence, en même temps qu'elle renouvelle l'esprit de la critique littéraire.

Exilée de Paris à cause de son ardente opposition au gouvernement, elle se fixa à Coppet, et son château devint un centre littéraire et politique où se groupèrent autour d'elle Guillaume de
Schlegel, qu'elle avait donné pour précepteur à ses enfants, Sismondi, Benjamin Constant et d'autres célébrités.

Un second voyage en Allemagne, où elle revit Goethe, Schiller,
Wieland, et s'initia à la littérature allemande, nous valut le livre
De l'Allemagne (1810); les dix mille premiers exemplaires
furent anéantis par ordre de l'empereur; l'ouvrage respirait un
esprit trop large et trop libéral, il contenait des allusions plus que
transparentes au despotisme militaire de Napoléon. Mais il fut
publié à Londres en 1813. La littérature allemande nous était
encore inconnue; bien plus, elle était dédaignée. Mme de Staël
prit une glorieuse initiative en nous révélant les richesses philosophiques et littéraires d'Outre-Rhin; aussi bien qu'en nous
faisant connaître les mœurs et le caractère du peuple allemand,
sa vie intellectuelle, religieuse et sociale. C'est là, peut-être,
le plus grand service que cet esprit généreux ait rendu à la
France et à la philosophie. *De l'Allemagne* est le plus achevé
des livres de Mme de Staël; la composition en est largement ordonnée; les pensées y sont justes, le style soutenu. Elle apporta
à cette œuvre une intelligence d'une compréhension extraordinaire, une sympathie humaine, la passion de la vérité, et un
enthousiasme pour le beau qui n'a été surpassé par personne. Le
livre cependant déplut à Napoléon; elle reçut l'ordre de se retirer à Coppet et d'y rester; on lui défendit même de recevoir ses
amis, ceux qui bravaient la défense étaient punis d'exil comme
elle; toutes ses démarches étaient espionnées. Ce fut pendant

cette retraite qu'elle épousa M. de Rocca, un jeune officier français ; cette union resta secrète jusqu'à sa mort et paraît, malgré
la disparité d'âge, lui avoir donné le bonheur qu'elle avait rêvé
toute sa vie. Trouvant son emprisonnement insupportable, elle
réussit à s'enfuir en Angleterre en passant par la Russie et la
Suède. Elle a raconté avec beaucoup de vivacité les péripéties
de ce voyage dans ses *Dix années d'exil* (1821), recueil de
documents historiques où les jugements sur Napoléon sont em-
preints d'une partialité qu'on peut comprendre. Après la chute
de l'empire, elle s'empressa de revenir à Paris ; son salon se re-
peupla comme autrefois ; elle écrivit alors son dernier ouvrage,
*Considérations sur les principaux évènements de la Révolution
française* (1817) qui est son livre le plus profond et le plus
viril ; c'est son testament politique, où malgré les déceptions et
les traverses dont les évènements politiques avaient semé toute
sa vie, elle juge avec sérénité les hommes et les choses de son
époque, et affirme sa foi profonde en la justice et en la raison
humaines. Elle mourut la même année, âgée de cinquante et
un ans.

C'est un spectacle plein d'intérêt que le développement pro-
gressif et non interrompu de ce brillant génie, qui parti des
opinions du XVIIIe siècle, s'élève naturellement et sans effort,
par le seul épanouissement de ses rares facultés, à ce que l'enthousiasme a de plus grand, et le sentiment religieux de plus
auguste. Douée de tous les talents, accessible à toutes les idées
vraies, à toutes les émotions généreuses, amie de la liberté, passionnée pour les élégances de la société et des arts, parcourant
tour à tour toutes les régions de la pensée, elle réunit les éléments
les plus divers, mais sans confusion, sans disparate. L'impression
générale que laissent ses ouvrages a quelque chose de moral, de
bienfaisant. Si Chateaubriand l'emporte par l'éclat de l'imagination, elle lui est supérieure par l'élévation de la pensée. Son
style est souvent inégal ; elle travaillait trop rapidement et ne

corrigeait pas assez. Le caractère dominant de Mme de Staël
était à coup sûr la conversation. Tous les contemporains sont
unanimes à nous dire que ses pages les plus spirituelles et les
plus brûlantes ne sont rien comparées à sa parole improvisée,
brillante, étincelante, et à la merveilleuse souplesse d'esprit qu'elle
déployait dans la causerie. "Si j'étais reine, disait Mme de Tessé
j'ordonnerais à Mme de Staël, de me parler toujours."

ROMANCIERS.

Xavier de Maistre (1764–1852), frère de Joseph de Maistre,
était officier dans la marine du roi de Sardaigne lorsqu'il écrivit
le *Voyage autour de ma chambre* (1794), piquant et spirituel
badinage. Après les guerres d'Italie, il se réfugia à Saint-Péters-
bourg et y passa le reste de sa vie. C'est là qu'il composa *le Lépreux de la cité d'Aoste* (1811), histoire véritable et profondément touchante ; *la jeune Sibérienne; les Prisonniers du Caucase.*
Ces petites nouvelles sont délicieuses par la naïveté, la sensibilité,
le sérieux du fond, et la modération du ton ; elles sont peuplées
d'observations fines et doucement malicieuses sur la nature humaine qu'il connaît à fond.

Nodier (1780–1844), imagination inépuisable, charmant conteur, savant philologue, curieux naturaliste, a éparpillé sur mille
sujets divers son incroyable facilité. En 1800, il publia une
Histoire des insectes, puis se jeta dans le roman sentimental :
Stella (1803) ; le *Peintre de Saltzbourg.* Il fut un des premiers
à applaudir l'école romantique, et dans ses préfaces il a harcelé
les classiques ; néanmoins à partir de 1820 ses écrits sont moitié
classiques et moitié romantiques. *Jean Sbogar* (1818), son ouvrage de prédilection, et *Thérèse Aubert,* sont plutôt les fantômes
d'une imagination exaltée que des êtres réels. *Smarra* (1821)
est un conte fantastique sur les démons de la nuit. Le *Chien de
Brisquet; le Songe d'or ; la Fée aux miettes,* sont des récits char-

mants pour lesquels il est difficile de trouver un nom; le roman, l'histoire, l'érudition s'y mêlent. Ses œuvres sont presque innombrables, citons encore: les *Etudes sur la Révolution française; le Dernier banquet des Girondins.* Nodier avait l'art de donner aux sujets les plus arides, un attrait qui les rendait populaires. Son style est souple, brillant; c'était un vrai ciseleur de la langue qu'il possédait à un haut dégré. On déplore qu'il n'ait pas laissé un ouvrage durable. "Il ne suffit pas, a dit La Rochefoucauld, d'avoir de grandes qualités, il faut en user avec économie." Cette économie a manqué à Nodier; esclave du caprice, souvent pressé par la nécessité, il travaillait au jour le jour.

Mᵐᵉ de Genlis (1746–1830) gouvernante des princes d'Orléans, a publié plusieurs ouvrages sur l'éducation, un *Théâtre* et des romans: *Mˡˡᵉ de Clermont;* le *Siège de la Rochelle.* Dans ses ouvrages elle enseigne une morale pure, mais le ton est sentimental et monotone.

Sénancour (1770–1846) est l'auteur d'*Obermann* (1804), série de lettres mélancoliques, où l'*ennui* est le trait distinctif du héros, type de tous les génies à faux de cette période. Ce livre publié vers le même temps que *René*, avec lequel il a plus d'un rapport, ne fut guère remarqué d'abord; mais à l'époque du romantisme il eut des admirateurs passionnés et a exercé une influence délétère.

Philosophes, Moralistes et Publicistes.

Joseph de Maistre (1754–1821). Dans le temps où Chateaubriand défendait le christianisme, un grand écrivain soutenait la même cause par des procédés tout différents. Patricien hautain, absolu, religieux, Joseph voua une haine mortelle à toute idée de liberté; c'est dans cet esprit que sont écrites les *Considérations sur la France* publiées en 1796; tout le livre est rempli d'un esprit de réaction violente contre le XVIIIᵉ siècle; une conviction sincère et une éloquence vraie y brillent; le style beau, plein de verve et de force a des périodes dignes de Bossuet. Dans l'*Essai sur le principe générateur des constitutions*

politiques (1810), il fait découler toute autorité du pouvoir monarchique tempérée par l'aristocratie ; dans *le Pape* (1819) il
veut fonder la paix universelle sur une autorité spirituelle et tem-
porelle, supérieure à toutes les autres et donnée au pape ; les
Soirées de St. Petersbourg (1821) sont des entretiens philosophiques, moraux et religieux, dont l'idée principale est : que tout
homme étant pervers, la souffrance comme expiation devient nécessaire. " J. de Maistre, dit M. Villemain, est le prédicateur
de la servitude." Son christianisme n'est ni amour, ni bonté,
mais terreur, obéissance passive, et religion d'Etat. Ces trois
ouvrages sont les anneaux d'une même chaîne ; le même principe
de servitude y est posé régulièrement et hardiment.

J. de Maistre est un de ces esprits, étroits et inflexibles, pleins
de passion et de vigueur, qui ayant plus de raisonnement que de
raison, s'attachent obstinément à un seul principe isolé, exclusif,
et le poussent éloquemment jusqu'à l'absurde. Chez lui, l'homme
est supérieur au penseur ; ses *Lettres* autant que sa correspondance privée publiées après sa mort, ont agréablement adouci
son aspect sévère : il s'y montre homme d'esprit et de cœur,
tendre et clairvoyant, ayant le goût des arts, de la poésie et de
la conversation ; "on ne voudrait pas l'avoir pour législateur,
mais on voudrait l'avoir pour père." Presque tous ses ouvrages
furent écrits en Russie où il séjourna pendant quatorze ans comme
ministre du roi de Sardaigne, son maître.

Le vicomte de Bonald (1754–1840) aussi exposait dans le
même temps les mêmes doctrines, mais encore sous une forme
différente, et plutôt en philosophe et en métaphysicien qu'en
homme d'Etat. Une synthèse hardie, un style ferme, excellent,
tels sont les caractères de M. de Bonald. Ses principaux ouvrages sont : *la Théorie du pouvoir politique et religieux*, et *la Législation primitive.*

Joubert (1734–1824) était un de ces esprits délicats et curieux
qui sentent et goûtent vivement toutes les belles choses de la vie,

mais qu'une certaine langueur d'esprit et de corps empêche de
produire eux-mêmes. "S'il est un homme, dit-il lui-même, tourmenté par la maudite ambition de mettre tout un livre dans une
page, toute une page dans une phrase, et cette phrase dans un
mot, c'est moi." Il n'a laissé que des essais manuscrits d'où
Chateaubriand tira un volume de *Pensées* (1826) qui expriment
une âme noble et généreuse, éprise de l'exquis, du raffiné dans le
sentiment aussi bien que dans l'expression. C'est lui qui dit :
"Quand on aime, c'est le cœur qui juge." "Qui n'a pas les fai-
blesses de l'amitié n'en a pas les forces."

Le comte Claude-Henri de Saint-Simon (1760–1825), petit-
fils du très aristocrate duc de Saint-Simon, était un ultra-démo-
crate ; il renonça à son titre de noblesse, embrassa la carrière
militaire et fit la guerre d'Amérique. De retour en France, il
se livra tout entier à son projet utopique de reconstituer la société en organisant sur une base nouvelle la religion, la famille et
la propriété. Ses doctrines sont socialistes ; il a fondé la secte
nommée d'après lui *Saint-Simonisme*. Le premier principe qu'il
pose, est celui de la domination souveraine de la capacité et de
la science qui doit tout remplacer. Œuvres : *Introduction aux
travaux scientifiques du XIXᵉ siècle ; de la Réorganisation de la
société européenne.*

Courier (Paul-Louis, 1772–1825), caractère indépendant, esprit frondeur et satirique, fit toujours partie de l'opposition au
gouvernement régnant. Il fit d'abord la satire de l'empire, puis
celle de la Restauration dans des pamphlets d'une exquise ironie
alerte, vive, acérée, mordante, cachant le trait qui blesse sous
l'apparence d'une entière bonhomie. La forme est toujours,
chez lui, d'une rare perfection : "Peu de matière et beaucoup
d'art," était sa devise. Son grand style n'était pas moins un
don naturel que le produit de fortes études classiques.

Benjamin Constant (1767–1830) ami intime de Mᵐᵉ de Staël,
et l'un des chefs du parti libéral, avait pris pour devise : "Sola in-

constantia constans." Toute sa vie il délibéra ; non pas sur ce qu'il
avait à penser, nul ne le sut mieux que lui, mais sur ce qu'il avait
à faire. Cette irrésolution n'est pas celle d'un homme mou, mais
d'un homme surexcité et bondissant, actif pour mille buts, et
toujours emporté en impétueuses saillies. Il réunissait en lui
toutes les contradictions : sans aucun sentiment religieux, il a
écrit toute sa vie sur la religion ; d'une moralité excessivement
faible, il appuie son système politique sur le respect de la loi
morale ; c'est encore un homme d'une rectitude merveilleuse de
pensée et d'une extraordinaire incertitude de conduite. Il est
presque grand homme par l'intelligence, presque enfant par la
volonté. Personne d'ailleurs ne le jugea plus sévèrement qu'il
ne le faisait lui-même : "Si je savais ce que je veux, disait-il, je
saurais mieux ce que je fais." Il n'a guère laissé que des fragments ; ses œuvres finies sont : *De la religion*, ouvrage philosophique ; *Adolphe*, un roman où il a admirablement tracé son
caractère complexe ; c'est un chef-d'œuvre en son genre, mais
c'est une confession, celle de l'impuissance de l'auteur à agir, à
faire le bien, à vivre enfin. *Waldstein* est une tragédie. Son
style est riche, flexible, abondant. Son esprit fin, caustique,
mordant, et sa parole insinuante, persuasive, railleuse, en firent
un des meilleurs orateurs de son temps.

Poésie et Théâtre.

Les poètes ne manquèrent pas sous le Consulat et l'Empire ;
ils fleurirent en grand nombre, au contraire ; beaucoup ne furent
que des artisans de style, quelques-uns eurent du talent ; aucun
ne fut original. L'inquiète tutelle du pouvoir, la censure nui-
saient à l'inspiration poétique.

Parny (1753–1814) surnommé le "Tibulle français" pour son talent pur,
brillant et flexible, a fait des *Elégies* qui ont été réputées classiques. D'un
esprit sceptique et léger, il se raille des croyances générales dans son spirituel
poème *La guerre des Dieux anciens et modernes.*

Fontanes (1757–1821) a mis beaucoup d'élégance et de pureté dans divers poèmes : la *Maison Rustique ;* la *Chartreuse ;* le *Jour des Morts.* Il s'inspire de l'antiquité et du christianisme. Ce qui le met au dessus des poètes de cette époque, c'est moins la puissance que la qualité de son talent et de son goût.

Chênedollé (1769–1833) tient de Saint-Pierre et de Chateaubriand par son amour de la nature et sa sensibilité. Œuvres : *Génie de l'homme,* l'*Invention.*

Baour-Lormian (1770–1854) eut une certaine vogue par sa traduction de la *Jérusalem délivrée,* et son imitation des poésies d'Ossian.

Millevoye (1782–1816) a fait une élégie délicieuse : la *Chute des feuilles ;* ses poèmes, *Plaisirs d'un poète, Priez pour moi* ont une grande harmonie et une grande douceur de sentiments.

Désaugiers (1772–1827), fondateur du *Caveau moderne,* fut le vrai représentant de la poésie populaire. Il n'a chanté que l'amour et le vin, mais ses chansons sont vives, légères, pétillantes de verve et d'esprit. Il a aussi fait des comédies.

C'est surtout dans la tragédie que se montre avec évidence la nécessité d'une régénération ; elle est toujours froidement classique. Napoléon, dont la politique était de détourner l'attention publique des affaires de l'Etat, favorisa la littérature dramatique, surtout la tragédie. Il récompensait généreusement les auteurs, en particulier ceux qui avaient le talent de le flatter en favorisant sa politique ; les pièces qui lui déplaisaient étaient interdites. Le génie de Talma, le célèbre tragédien, réussissait presque toujours à dissimuler l'absence totale de génie dans les auteurs ; c'est ce qui fit alors le succès d'un grand nombre de pièces. La tragédie est représentée par :

De Jouy (1764–1846), à qui son talent flexible a valu le nom de *Voltaire au petit pied.* Il a donné quatre tragédies : *Bélisaire ; Tippo-Saïd ; Julien dans les Gaules ; Sylla.* Dans sa comédie, *l'Hermite de la Chaussée d'Antin,* il esquisse avec finesse et malice les mœurs parisiennes. Il s'est aussi illustré dans l'opéra : *la Vestale ; Guillaume Tell.*

Lemercier (1771–1840) a fait de nombreuses tragédies dont la meilleure est *Agamemnon.*

Arnault (1766-1834) chanta Napoléon dans *Scipion*, et dans *Germanicus*. Il a aussi écrit de jolies fables, et les *Mémoires d'un sexagénaire.*

Soumet (1788-1845) écrivit *Jeanne d'Arc ;* une *Fête de Néron ; Norma.*

Les comédies sont généralement très supérieures aux tragédies ; elles ne sont pas plus originales, mais elles sont plus vraies, et les auteurs comiques suivent le précepte d'Andrieux : " La bonne comédie est celle qui fait rire."

Picard (1769-1828) est à la fois le plus fécond et le meilleur auteur comique de cette époque. Doué d'une imagination infatigable, d'un esprit gai, saisissant bien les ridicules de ses contemporains, il fut le peintre de la vie ordinaire, et un peintre amusant. Chacune de ses pièces a pour fond une maxime de morale. Œuvres : la *Petite ville* n'est que le développement d'un paragraphe de La Bruyère qu'il cite presque continuellement dans une des scènes de l'exposition ; les *Marionnettes ;* les *Capitulations de conscience,* etc.

Duval (Alexandre, 1767-1842) fut successivement marin, ingénieur, architecte, peintre, acteur, soldat, bibliothécaire, et enfin auteur dramatique. Dans le théâtre, son talent et son goût ne furent jamais d'accord ; l'un lui assurant le succès dans les petites comédies sans prétentions, l'autre l'entraînant vers les genres sérieux et graves. Il a écrit une cinquantaine de pièces à peu près oubliées aujourd'hui, juste châtiment de son mépris du style. Le *Tyran domestique*, et la *Fille d'honneur* furent les plus estimées. Il composa le libretto du *Richard Cœur-de-Lion* de Grétry.

Etienne (1778-1845), homme d'esprit et de goût, mena longtemps de front la politique, le journalisme et le théâtre. La comédie : *Les deux gendres*, lui ouvrit les portes de l'Académie, d'où il fut exilé cependant sous la Restauration. Il fit aussi une foule d'opéras.

Théodore Leclercq (1777-1851) est un esprit vif et délicat, un cœur bienveillant et expansif. Ses *Proverbes dramatiques* sont de petites comédies qui renferment une foule d'observations ingénieuses, de traits d'un naturel exquis, et une variété étonnante de caractères esquissés avec art. C'est un peintre ravissant du bonheur de la vie de famille.

DEUXIÈME PÉRIODE, DE 1820 A 1848.

LE ROMANTISME.

Le deuxième quart de notre siècle appartient au romantisme. Définir ce mot de *romantisme*, n'est pas très facile : la précision n'étant pas son caractère distinctif, surtout à ses débuts et tel qu'il apparut en 1820. Pendant vingt-cinq ans, on s'est battu en France autour de ce mot sans le rendre bien clair ; les étrangers qui ont cherché à nous expliquer cette question, n'ont fait que la rendre plus complexe encore. Au XVIIIᵉ siècle, ce mot était synonyme de romanesque ; chez J.-J. Rousseau, il prend le sens de pittoresque avec une teinte de mélancolie sauvage. C'est Mᵐᵉ de Staël qui la première lui a donné une signification littéraire ; dans son livre de l'*Allemagne* elle oppose l'une à l'autre deux poésies : l'une classique, née de l'imitation des anciens ; l'autre romantique, née du christianisme et de la chevalerie. Plus tard, la littérature romantique fut simplement celle qui prétendait abolir les règles *classiques*. Mᵐᵉ de Staël avait dit aussi : " Rien dans la vie ne doit être stationnaire ; et l'art est pétrifié quand il ne change plus." Ces lignes remarquables sont bien la préface de l'œuvre romantique : il y eut renouvellement dans la pensée et dans les formes.

Les classiques avaient cherché dans l'antiquité les modèles de leur art et la source de leur inspiration ; les romantiques s'inspirèrent du moyen âge et des littératures étrangères modernes. Si le XVIIᵉ siècle, si religieux, avait banni Dieu de l'art, de la poésie surtout, le romantisme le retrouva ; il retrouva le sentiment religieux dans ses manifestations les plus éclatantes et les plus intimes ; la nature fut enfin comprise et rendue dans son infinie variété, et un lyrisme nouveau fut créé : une poésie individuelle, vibrante et passionnée où le poète parle en son nom de tout ce qui l'a touché.

Dans le théâtre, plus de règles d'unité, plus de songes, plus de chœurs ; mais un milieu historique, des décors compliqués et des costumes authentiques. La langue poétique subit aussi d'heureux changements. A la versification régulière et souvent monotone réglementée par Boileau, on substitua une versification plus variée et assouplie par les césures mobiles, les coupes diversifiées, les enjambements, on créa des rythmes nouveaux et merveilleux ; la phrase poétique reprit son ancienne liberté ; le mot propre fut substitué à la périphrase ; des conventions arbitraires cessèrent de passer pour des lois, et le préjugé du mot noble disparut.

Telle fut l'œuvre des romantiques : ils ont établi la liberté dans l'art. Cette œuvre est une manifestation légitime de l'esprit du XIXe siècle qui est un siècle de liberté.

POÈTES ROMANTIQUES.

Lamartine (1790–1869). Le premier à qui revient l'honneur d'avoir fait entendre des accents nouveaux fut Alphonse de Lamartine. Il naquit à Mâcon, d'une famille noble très attachée aux traditions monarchiques ; fut élevé très doucement, dans un grand calme et une grande liberté ; tout entouré des douces influences de la famille, et au sein d'une belle nature qu'il goûtait profondément. L'instruction qu'il reçut pendant ses jeunes années fut médiocre. On le confia d'abord à un prêtre instruit mais romanesque, puis il fut placé au lycée de Lyon, dont il ne put endurer la discipline sévère ; envoyé ensuite au séminaire de Bellay, il y fit des vers, et revint chez lui à dix-sept ans, ne sachant rien. Alors commença sa véritable éducation intellectuelle, par la lecture de livres qu'il étudia avec passion : la Bible, le Tasse, Ossian, Bernardin de Saint-Pierre, Chateaubriand, et plus tard J.-J. Rousseau, Byron, Platon, Homère.

Il avait trente ans quand il publia les *Méditations* (1820) qui donnèrent le signal de la rénovation de notre poésie. Le succès fut imprévu, mais bien mérité. Le public accueillit le livre

comme il avait reçu dix-huit ans auparavant le *Génie du Christianisme;* cependant il venait d'un auteur qui était littéralement
inconnu.   La grande originalité des premières *Méditations* est
dans leur absolue sincérité, on ne put en méconnaître l'accent de
vérité : Lamartine connaissait alors par expérience les orages de
l'âme et c'était son cœur qui avait parlé dans ses vers.   Ce sont
des chants d'amour, des émotions religieuses, des doutes, des cris
d'espérance et des actes de foi ; c'était toute la jeunesse du poète
sincèrement et simplement racontée dans une langue pleine d'harmonie, et d'une douceur attendrissante.   Rien ne pouvait sembler
plus nouveau après la versification mécanique et glacée des héritiers du XVIII⁰ siècle, que cette poésie qui exprimait des sentiments réels au lieu de n'être qu'une création de l'esprit.   Il est
a remarquer que tandis que Lamartine combattait, par le fond
et la forme de ses vers, les classiques ou plutôt les pseudo-classiques, il n'a jamais consenti à se laisser classer comme romantique.   En 1821 le poète fut envoyé à Florence comme secrétaire
d'ambassade, et en 1823 il publia les *Nouvelles Méditations*, qui
eurent le succès des précédentes, moins l'étonnement.   En 1825,
Byron étant mort, Lamartine eut l'idée d'achever son poème
interrompu de Childe-Harold et donna le *Dernier chant du pèlerinage de Harold*.   En 1830, il fit paraître les *Harmonies poétiques
et religieuses* qui sont de véritables hymnes pleins d'enthousiasme
et de grandeur.

Désireux depuis longtemps de visiter l'Orient, il fréta un vais-
seau (1832), s'embarqua avec sa femme et sa fille, et visita l'Italie, la Grèce, la Syrie, la Palestine.   La mort de sa fille fit abré-
ger son voyage ; il revint en France, et en 1835 il publia son
Voyage en Orient, qui est moins une relation de voyage qu'un récit des impressions reçues dans ce pèlerinage.   L'œuvre est inférieure à celle de Chateaubriand au point de vue de la sincérité
de l'observation, et de la vérité des peintures.   Cependant la
politique attirait déjà Lamartine.   Elu député en 1833, et sans

avoir encore d'idées très nettes, il se rangea peu à peu du côté
de l'opposition et s'éprit en poète de l'idée démocratique avec
ce qu'elle a de généreux et de confiant. C'est dans cet esprit
qu'il écrivit l'*Histoire des Girondins* (1847), son meilleur ouvrage
en prose ; l'histoire s'y revêtait de toute la poésie d'une épopée
et de tout l'intérêt d'un roman ; ce qui faisait dire à Dumas père :
" Lamartine a élevé l'histoire à la dignité du roman." Après
avoir fortement contribué à la chute de la monarchie de Juillet,
notre poète fut nommé membre du gouvernement provisoire en
1848, et en fut le chef incontesté ; par ses discours admirables,
son langage élevé et sage il calma pour un temps les passions
populaires. Lorsque Napoléon III se saisit du trône par le coup
d'état du 2 décembre (1851), Lamartine refusa, avec sa noblesse
de caractère accoutumée, les offres brillantes qu'on lui fit et
rentra dans la vie privée. Sa vieillesse fut triste ; des difficultés
financières le condamnèrent à travailler énormément à de la
littérature de pacotille indigne de son génie ; mais on y trouve
encore de belles pages.

Avant de se livrer à la politique, Lamartine avait donné en sus
de ses *Méditations* et de ses *Harmonies* trois volumes de vers :
Jocelyn (1836), sorte d'idylle épique que M. Brunetière appelle
le plus beau poème de notre langue ; la *Chute d'un ange* (1838),
essai de poésie philosophique, sujet étrange, et qui serait au dessus de toutes ses œuvres si l'exécution répondait à la conception ; mais il en a négligé la forme. Ces deux poèmes n'étaient
que des épisodes d'un poème épique chrétien dont Lamartine
avait conçu l'idée, mais qui ne fut jamais terminé. Les *Recueille-
ments poétiques* parurent en 1839. Parmi ses œuvres en prose
mentionnons encore : *Trois mois au pouvoir ; Geneviève ; Gra-
ziella ; Histoire de la Restauration ;* les *Confidences.*

Lamartine, âme d'artiste, ardente et légère, a touché à toutes
choses, a marqué chaque objet d'une empreinte de maître, et ne
s'est attaché à rien. Il a été grand poète, grand orateur, homme

d'état, romancier, historien, mais toujours en passant. Il n'avait
nulle morgue, nul pédantisme ; sa vanité même ne blessait point,
tant il y mêlait de noblesse, de générosité et de grâce. "Caractère si grave, si fier, si naturellement héroïque, si désintéressé, si
généreux, si fastueux, si imprudent, qu'on ne l'en aime que plus,"
s'écrie M. Lemaître dans un élan de noble admiration.

Personne en France, avant Lamartine, n'a possédé au même
degré quelques-unes des plus rares qualités de poète : l'abondance
et l'ampleur, l'éclat et la facilité, la profondeur et l'aisance, le
nombre et l'harmonie, le charme et la noblesse. Il est le plus
souverainement naturel, le plus universellement vrai et sain de nos
grands poètes. Ses rimes sont peut-être moins riches, moins
retentissantes que celles de Victor Hugo, mais l'accent est toujours juste ; on sent que le poète lui-même est ému, qu'il
n'a pas seulement vu, mais qu'il a vécu ses impressions. Son
art consiste, non pas à extraire des objets les plus vulgaires
ce qu'ils renferment de poésie latente, comme les Lakistes
auxquels on l'a comparé, mais plutôt à répandre sur ces
objets eux-mêmes, lorsqu'il les rencontre sans les chercher,
toute la richesse et toute la noblesse de son imagination de poète.
En restant poète, et grand poète, avec les mots de la langue ordinaire, il n'est guère de détails de la vie simple, humble ou même
commune, qu'il n'ait su exprimer ; pas toujours sans quelques
périphrases ou quelques métaphores dont son éducation même
et son extraordinaire facilité ne le défendaient pas assez ; mais
toujours avec clarté et avec grâce. Ce qui éclate toujours et partout chez lui, c'est la distinction d'âme, l'élévation naturelle, la
noblesse. Rien n'est plus beau que ses vers, par la fluidité et à
la fois par la plénitude, par quelque chose d'involontaire et
d'inspiré, par le large et libre essor ; "*chant*, est le mot qui convient à ces choses si profondes et si ailées " dit Nisard.

Victor Hugo (1802–1885) et son Œuvre.

" Ce siècle avait deux ans," nous dit le poète, lorsqu'il naquit à Besançon. Fils d'un général de l'empire, il suivit dès sa naissance la marche forcée de l'existence paternelle : son enfance se passa en France, en Italie et en Espagne. Vers l'âge de onze ans, il revint à Paris avec sa mère et ses deux frères ; ils habitèrent l'ancien couvent des Feuillantines que Hugo a immortalisé dans ses vers. C'est là qu'il grandit dans une liberté d'esprit et de lecture absolue. Mis à la pension Corbier pour se préparer à l'Ecole polytechnique, il y fit surtout des vers, et dès quinze ans il prit part à un concours pour l'Académie qui le distingua, et pour les Jeux Floraux de Toulouse ; cette société le couronna deux fois. Il comprit que sa vocation était toute littéraire et abandonna les mathématiques.

En 1822, deux ans après l'apparition des *Méditations*, il lança les *Odes*, vers inspirés par la double foi chrétienne et royaliste que lui avait léguée sa mère vendéenne ; ce recueil qui annonçait un talent hors ligne, lui valut une pension de Louis XVIII et le plaça au rang qu'il n'a plus quitté. Il fut dès lors chef de l'école romantique, et autour de lui se groupa plus tard le second *Cénacle* (1829), formé de jeunes gens très libéraux en politique et en religion comme en littérature : Alfred de Vigny, Antoine et Emile Deschamps, Sainte-Beuve, Delatouche, Gautier. Il fut reçu à l'Académie française en 1841, nommé pair de France en 1845, et élu représentant de Paris à l'Assemblée Constituante en 1848. Désormais il prit une part active au mouvement politique de son siècle. Exilé après les évènements de 1851, il passa les dix-huit années de l'Empire à Bruxelles, à Jersey, puis à Guernesey, et revint à Paris à la chute de Napoléon III. Après 1870 il fit partie quelque temps de l'Assemblée Nationale en 1871. Après le vote de la Constitution il fut élu sénateur par le département de la Seine (1876) ; il occupa ce poste jusqu'à la fin de sa vie. Il mourut à quatre-vingt-trois ans, et son corps fut déposé au Panthéon après les funérailles les plus magnifiques que la France ait vues depuis Mirabeau.

Son œuvre est colossale ; elle embrasse une grande variété de genres et de sujets. C'est par la poésie lyrique qu'il a débuté ; et ses premières *Odes* contenaient de grandes beautés, mais n'étaient encore que l'œuvre timide d'un très jeune homme, plusieurs pièces ayant été composées au collège. En 1826 parurent les *Odes et Ballades*, inspirées par le moyen âge, et qui sont si curieuses et d'un art si puissant. On y trouve l'éclat de l'imagination, le trait hardi et fier, l'instinct du contraste, l'antithèse qui a trop souvent séduit le poète ; ses qualités et ses défauts ont déjà une vivacité et un relief frappants. A partir de ce temps, l'inspiration primitive de Hugo s'étend et s'enhardit d'année en année ; il embrasse et exprime toutes les aspirations, toutes les ardeurs, tous les sentiments contradictoires de l'époque, sans jamais cesser d'être sincère. "Tout, dit-il,

> " Fait reluire et vibrer mon âme de cristal,
> Mon âme aux mille voix que le Dieu que j'adore
> Mit au centre de tout comme un écho sonore."

Les *Orientales* (1829), la plus magnifique efflorescence de l'imagination du poète, ne sont pas encore l'expression de sentiments intimes, "les couleurs étincelantes qu'il semble avoir dérobées aux heureuses contrées qu'il chante," les brillantes images, la richesse des rimes et la science du rythme, ne dissimulent pas toujours une certaine insuffisance de pensée et de sentiment. Dans les *Feuilles d'automne* (1831), les *Chants du crépuscule* (1835), les *Voix intérieures* (1837), les *Rayons et les Ombres* (1840), les *Contemplations* (1856), il devient plus personnel et plus profond ; sous l'artiste on sent l'homme avec ses joies, et ses douleurs. L'inspiration qui a dicté ces poèmes est multiple et variée : l'amour de la liberté, l'admiration pour Napoléon Ier, l'orgueil des anciennes victoires, la pitié profonde pour

toutes les infortunes, pour toutes les misères, royales ou populaires ;
le culte de la famille et du foyer domestique, l'amour des enfants,
tout trouve son expression dans cette œuvre large et généreuse.
Les *Châtiments* (1852), satire politique contre le second empire,
sont un cri de haine et de vengeance parti du cœur. La *Légende des siècles* publiée en 1859 fut grandement augmentée dans
une nouvelle édition qui parut en 1877 ; c'est une épopée de
l'humanité qui fait passer sous nos yeux des tableaux des temps
bibliques, du moyen âge, de la Renaissance, des temps modernes,
et nous montre l'homme marchant toujours de l'ombre vers la
lumière. C'est la meilleure œuvre poétique de Victor Hugo ; la
forme y est plus simple, la langue plus sobre et le vers plus souple,
en même temps que la pensée acquiert plus de profondeur et de
variété. Les *Chansons des bois et des rues* (1865) sont de gracieuses pastorales. *L'Art d'être grand-père* est sorti de sa profonde
affliction causée par la mort de sa fille et de ses deux fils. La
domination de la faiblesse, la toute-puissance de l'enfance n'ont
jamais été plus glorieusement célébrées que dans l'*Art d'être
grand-père*. La fécondité du poète ne tarit pas avec l'âge, témoin :
l'*Année terrible* (1872), les *Quatre vents de l'esprit* (1881).
Parmi ses œuvres posthumes mentionnons la *Fin de Satan, Dieu*.

Si tout est "chant" dans Lamartine, tout est force, vigueur,
couleur dans Hugo. Si, il faut l'avouer, on aimerait souvent à
voir son génie tempéré par beaucoup de raison et de sagesse, on
ne peut lui refuser le sentiment de la grandeur surtout ; et malgré
quelques défauts il n'en demeure pas moins l'un des plus grands
poètes lyriques et l'un des plus originaux ; comme écrivain de
vers il est absolument merveilleux.

Victor Hugo, non content des innovations qu'il avait faites dans
la poésie, voulut aussi renouveler le théâtre de fond en comble.
En 1827 il écrivit *Cromwell* qui ne fut jamais joué. La préface
de ce drame, dont nous reparlerons plus tard, était le manifeste
de l'école romantique en même temps qu'une déclaration de

guerre à l'école classique.   Appuyant ses préceptes par des exemples, il fit représenter successivement *Hernani* (1830), sa meilleure tragédie ; *Marion Delorme* (1831), le *Roi s'amuse* (1832),
Lucrèce Borgia (1833), *Marie Tudor* (1833), *Angelo* (1835),
Ruy Blas (1838), les *Burgraves* (1843).   M. Stapfer juge ainsi
le théâtre de Victor Hugo : "Si l'art dramatique a pour fin dernière de produire un exemplaire général de l'homme et une variété infinie de types individuels, on ne peut pas dire que Victor
Hugo soit un grand poète dramatique.   Il manque de profondeur
et de vérité ; il vise d'abord à l'effet, il veut étonner, frapper fort,
et ce besoin extraordinaire le fait quelquefois tomber dans le
faux."   Si les personnages de notre poète ne sont souvent que de
brillantes fictions et ne vivent pas toujours, si l'action est mal conçue
et mal conduite, les beaux vers, les sentiments élevés, les grands
mouvements oratoires, les traits hardis et touchants abondent, et
par là, ses drames ne peuvent périr entièrement.

L'esprit d'innovation de Victor Hugo se montra de bonne
heure dans deux romans étranges, *Han d'Islande* (1823) et *Bug
Jargal* (1826), qui sont des productions bizarres et invraisembla-
bles, fruits d'une imagination jeune et exubérante.   Le *Dernier
jour d'un condamné* (1829) est un plaidoyer contre la peine de
mort ; *Notre-Dame de Paris* (1831) est regardé par beaucoup
comme son chef-d'œuvre en prose ; il y démontre le pouvoir et
les abus du clergé au XVe siècle.   Dans ce roman, aussi bien que
dans les deux premiers, on trouve ce mélange du beau et de l'horrible, du sublime et du grotesque qui se rencontre si souvent dans
l'œuvre du poète ; ce qui fait la grandeur du livre, c'est le profond
intérêt humain aussi bien que l'éclat du style et la puissance de
l'imagination.   Les *Misérables* sont une vaste épopée où il plaide
la cause des pauvres et des faibles contre la société qu'il met en
accusation.   Il y remue, retourne et fouille en tous sens toutes les
misères sociales.   Ce livre a été sévèrement critiqué, et justement sur plusieurs points ; mais ce qui reste au-dessus de toute

atteinte, en dehors de toute controverse, c'est la puieté de son intention, la hauteur de son point de vue, la modération de ses jugements, la bienveillance et la pitié qui en sont l'âme et le remplissent de son rayonnement ; l'exécution, malgré les défauts ordinaires de l'auteur, est d'une beauté terrible et d'une incomparable énergie. Dans les *Travailleurs de la mer* (1866) il raconte la lutte de l'homme contre les éléments ; l'*Homme qui rit* est une fiction extravagante ; *Quatre-vingt-treize* (1874) peint la lutte entre la royauté et le peuple ; c'est un roman sans amour, pas d'amant, le seul héros est la Révolution. Victor Hugo a aussi écrit des œuvres de critique et de littérature dont le mérite est inférieur quoiqu'on y trouve encore de très belles pages.

Ce n'est pas par l'originalité, ni par la vigueur de la pensée que Victor Hugo est remarquable, mais par l'imagination qui est sa faculté maîtresse, et cette imagination singulière, puissante, est servie par une capacité, une fécondité, une variété d'expression sans pareille. Il ne reconnaît d'autre loi, ne subit d'autre servitude que celle de son imagination. Sa sensation capitale et prédominante est la vision ; partout elle est vive, ardente, intense jusqu'à l'hallucination, elle grandit et grossit toutes choses au point de rendre les plus insignifiantes colossales et tragiques. Il voit intérieurement avec la même netteté de contours, le même relief les formes et les couleurs, et les objets réels n'ont point de traits plus marqués, de détails plus achevés que les objets fantastiques qui traversent son cerveau. C'est cette intensité de vue qui lui fait voir entre les idées des rapports inaperçus des autres ; c'est dans la juxtaposition inattendue d'idées généralement séparées que réside un des grands secrets de sa puissance ; c'est aussi ce qui lui fait faire un abus de l'antithèse.

Dans la description, qu'il a absolument renouvelée, l'originalité de la conception, et la richesse de la forme sont étonnantes ; les choses sont à ce degré rendues qu'elles deviennent palpables et

visibles. Il pense *en tableaux*, pour ainsi dire ; ses pensées ne se
présentent pas en mots, mais en images vives, distinctes, avec des
contrastes, des points lumineux et des ombres épaisses ; la moindre idée banale lui fournit matière à de magnifiques successions
d'images étranges, inattendues, qu'il développe, déploie, remanie
et change en un vaste enchantement, par une élocution prodigieuse, grandiose. De cette puissance de description naissent
des longueurs et des répétitions qui sont souvent fatigantes ; ses
résumés historiques deviennent des inventaires ; décrit-il une
tempête, c'est un *sommaire* de la tourmente qu'il développe, et
son style tient tête à toutes les convulsions de la nature.

Les *Discours* qu'il a prononcés dans différentes assemblées ne
sont pas assurément la meilleure partie de sa gloire, mais souvent
il s'est élevé à la vraie éloquence ; celui qu'il prononça sur la revision de la constitution contient des périodes dignes de nos plus
grands orateurs.

Musset (Alfred de, 1810–1857), le troisième grand poète du
siècle, n'a été qu'écrivain ; sa vie s'écoula sans évènement. A
dix-huit ans il débuta dans l'arène littéraire par les *Contes d'Espagne et d'Italie.* Séduit par l'exemple de l'école romantique, il
y prodigua les effets de couleur locale et de fantaisie pittoresque ;
la hardiesse cavalière de ses idées et les bizarreries affectées de
sa versification étonnèrent le public. Mais bientôt il abandonna
cette première muse ; son caractère et la tournure naturelle de
son esprit l'éloignèrent des exagérations de la nouvelle école et
il se tourna vers l'analyse et la peinture des sentiments. Deux
autres recueils, les *Poésies diverses* (1831) et le *Spectacle dans un
fauteuil* (1832) le rendirent célèbre. Les *Poésies nouvelles* contiennent ses meilleures pièces : *Rolla*, la *Nuit de Mai*, l'*Ode à
la Malibran*, l'*Espoir en Dieu*, la pensée y est plus profonde, le
sentiment plus élevé. Le prosateur, chez Musset, vaut le poète ;
ses *Comédies* et *Proverbes*, qu'il ne destinait d'abord pas à la
scène, sont de délicates analyses morales ; plusieurs sont de vrais

bijoux littéraires. Ses *Contes et nouvelles* ont les mêmes qualités de charme et d'élégance ; la *Confession d'un enfant du siècle*, sa propre histoire, est l'analyse d'un cœur malade, impuissant à lutter contre la tristesse et le découragement.

Musset est resté enfant, et enfant gâté, toute sa vie. D'une sensibilité incroyable ; éprouvant tour à tour et toujours à un degré extrême les sentiments les plus opposés, et les impressions les plus diverses. C'est de là que vient l'originalité de sa poésie. Il n'a ni la variété d'inspiration de Victor Hugo, ni l'élévation de Lamartine, mais il a l'esprit, la légèreté, l'élégance, et surtout la sincérité. Il a aussi une grande variété de tons et de sujets ; dans les genres légers, nul n'a plus d'esprit, il est gai, étincelant, piquant ; s'il est ému, il a des cris de passion, une tendresse, une grâce qui pénètrent l'âme. Son influence sur le développement de la littérature n'a pas été bien grande, car il n'a pas répandu sur tous les sujets une imagination toujours féconde ; son génie s'étend moins en largeur qu'en profondeur. Il a lui-même estimé sa propre valeur par un vers très juste :

"Mon verre n'est pas grand, mais je bois dans mon verre."

Pourtant dans son œuvre il y a des pièces qui dureront, parce qu'elles expriment avec intensité les souffrances et les angoisses de l'âme humaine qui appartiennent à tous les temps.

Béranger (1780–1857) s'est acquis le premier rang dans la chanson ; il en a fait sur tous les sujets et il a exprimé tous les sentiments, les sentiments du peuple surtout ; car sa muse est éminemment démocratique. " Les chansons de Béranger, dit Goethe, ont chaque année fait la joie de millions d'hommes, elles sont devenues l'admiration non pas seulement des Français, mais de l'Europe entière." Notre poète a transformé la chanson ; de légère qu'elle était, il en a fait une œuvre souvent sérieuse et profonde qui s'élève quelquefois au rang de l'ode ; il en fait aussi une œuvre patriotique en y faisant entrer la politique.

Sincèrement attaché à l'idée républicaine, il combattit constamment le rétablissement du trône, et ses couplets audacieux le
firent plus d'une fois condamner à la prison ou à l'amende.   On
l'accusa d'avoir, par ses chants patriotiques et libéraux, contribué
plus que tout autre écrivain au renversement de la monarchie en
1830 ; il accepta cette accusation comme un honneur pour lui et
une gloire pour la chanson.   Béranger est un artiste admirable ;
il a ce bon sens exquis qui est ennemi de toute enflure et de toute
fausse grandeur.   Ses vers sont simples et ingénus, mais pleins d'i-
mages charmantes et vraies ; son style est sobre, piquant et souple.

Vigny (Alfred, comte de, 1797–1863).   Lorsque Victor Hugo,
au comble de la gloire, ouvrait son salon aux jeunes talents, Alfred
de Vigny fut un des premiers à répondre à l'appel du maître ;
mais il eut le grand mérite de ne pas se laisser entraîner dans les
excès de la nouvelle école littéraire, et de garder un juste milieu
entre les classiques et les romantiques : alliant toujours la pureté
de la forme à la pureté des idées.   Dans les *Poèmes antiques et
modernes* il met en scène, comme il le dit lui-même, des pensées
philosophiques sous une forme épique ou dramatique ; *Eloa,
Moïse* sont parmi ses meilleures pièces de vers.   Ses œuvres en
prose sont : *Stello, Servitude et Grandeur militaires; Cinq-Mars,*
roman historique où il maltraite fort Richelieu, est son chef-d'œuvre en prose.   Après sa mort on publia un volume de ses poésies,
le *Destin,* et des notes personnelles sous le titre de *Journal d'un
poète.*   Vigny excelle par la pureté du style, la grâce des sentiments et l'originalité de l'inspiration ; mais il est froid, dédai-
gneux, sombre, il se tient à l'écart ; se souciant peu de parler à
la foule, il n'en fut pas entendu et n'eut pas toute la réputation
qu'il mérite.   Il a donné au théâtre : *Othello,* la *Maréchale
d'Ancre, Chatterton ;* ces drames ont les qualités et les défauts de
ses autres œuvres.

Mme Desbordes-Valmore (1787-1859) a fait dans son style pur et correct
des fables, des élégies, des idylles, des romances.

Emile Deschamps (1791–1871) traduisit des drames de Goethe, de Shake-speare, et les poèmes de Schiller; ses *Etudes françaises et étrangères* eurent de l'éclat par l'appui qu'elles donnèrent à l'école romantique. Son frère **Antoine** traduisit Pétrarque et le Dante.

Barbier (Auguste, 1805–1882) doit sa réputation à de violentes satires qu'il écrivit sous le coup des évènements de la révolution de 1830: les *Iambes* où il a stygmatisé les vices de l'époque en traits audacieux et sanglants.

Brizeux (1806–1858) chante la Bretagne dans *Marie*, les *Bretons;* **Moreau** (Hégésippe, 1810–1838) sa vie de misères et d'infortunes dans le *Myosotis*.

Gautier (Théophile, 1811–1873) s'adonna d'abord à la pein-ture, mais comme il était très myope il dut l'abandonner. Après quelques hésitaticns il choisit la poésie comme offrant plus de ressources à son talent, qui certainement est un des plus plastiques qui ait paru dans l'histoire de notre littérature. Le titre d'*Émaux et Camées* que porte un de ses recueils de vers, caractérise et loue tout à la fois l'ensemble de ses œuvres poétiques. Il n'a guère de sensibilité et d'émotion; ce n'est qu'un brillant coloriste, le plus vigoureux de l'école romantique. Sa poésie, pleine de relief et de couleur, a peu d'âme; elle éblouit les yeux, caresse l'oreille par le luxe des images et des ciselures chatoyantes du style, mais nous laisse froids, même dans les sujets les plus émouvants. Ses romans en prose, le *Capitaine Fracasse*, *Albertus*, *Fortunio*, *Spirite* ont peu de vérité dans la conception des caractères et dans le plan. Ses relations de *Voyages en Espagne*, en *Russie*, à *Constantinople* sont des chefs-d'œuvre par la netteté, le dis-cernement et la puissance de description. Personne n'a mieux que lui connu la langue du XIXe siècle; comme V. Hugo, il a une science inépuisable du terme technique et de l'archaïsme; son style est souple, pénétrant, incisif; il est toujours d'une propriété et d'une exactitude qui étonnent.

LE THÉÂTRE.

Delavigne (Casimir, 1793–1843) forme la transition entre l'école classique et le romantisme; il était disciple de la pre

mière par son talent, et il était porté vers la seconde par le goût du
jour. Ses *Messéniennes* (1818), inspirées par les revers de la
France à la fin de l'Empire, eurent un succès momentané parce
qu'elles étaient l'écho de la pensée nationale et elles contribuèrent
à la même œuvre que les chansons de Béranger. L'année suivante il fit jouer les *Vêpres siciliennes*, tragédie toute classique, qui
fut suivie par des drames romantiques : le *Paria ; Marino-
Faliero ; Louis XI ;* les *Enfants d'Edouard,* etc. Chez Delavigne tout est combinaison, habileté, travail ingénieux ; il a de
l'esprit mais peu d'invention et point d'individualité réelle et forte.
Son théâtre manque de mouvement, de spontanéité ; on y sent
l'effort ; son style est souvent déclamatoire, sa versification toujours habile, il excelle à couvrir de brillants détails des idées peu
originales.

Le Théâtre romantique et Victor Hugo. — La jeune école
romantique voulut porter sa réforme sur le théâtre, et Victor
Hugo en proclama les principes dans la préface de sa tragédie de
Cromwell (1827) avec la hardiesse de touche qui caractérise ce
puissant esprit. Le drame, forme littéraire propre par excellence
aux temps modernes, devait s'inspirer de la vérité pure ; la vérité consistait à prendre l'homme complet, c'est-à-dire le beau et
le laid, le sublime et le grotesque, et à tout exprimer dans une
œuvre unique. "Tout ce qui est dans la nature est dans l'art,"
dit-il. La règle des unités est arbitraire et fausse ; la seule unité
vraie et nécessaire est l'unité d'ensemble ou d'impression. Fidèle à ses théories, Hugo mêla le grotesque au sérieux, le sublime
au hideux, la bouffonnerie au pathétique. L'antithèse, son procédé favori, prit une forme extraordinairement agrandie ; ce ne
fut plus seulement antithèse de mots, mais de rôles : un roi opposé à un brigand dans *Hernani ;* antithèse aussi dans la conception d'un seul personnage : *Cromwell*, tyran de l'Europe et
jouet de sa famille ; *Lucrèce Borgia*, la mère sublime chez la
femme dénaturée.

Hernani, la meilleure de ses pièces, fut représentée le 25 février 1830, et le premier jour ce fut, entre les classiques et les romantiques, une mêlée des plus orageuses dont les annales du théâtre aient gardé la mémoire : les sifflets retentirent comme des balles, les applaudissements comme des fanfares ; mais cette mêlée se termina par la victoire des nouveaux sectaires : *Hernani* fut joué cinquante-trois fois en une année, et fut pour la génération d'alors ce que le *Cid* avait été pour les contemporains de Corneille : tout ce qui était jeune, vaillant, poétique, en reçut le souffle. De 1838 à 1851 cette tragédie fut représentée plusieurs fois, mais depuis 1867 elle a toujours le plus grand succès sur la scène ; *Ruy Blas* s'y maintient également. Si l'on juge *Hernani* comme poème, il étincelle de sublimes beautés, de choses "qui font frissonner" comme disait Mme de Sévigné des pièces de Corneille ; comme drame, il a tous les défauts du théâtre de Victor Hugo.

Quelques auteurs, très inférieurs à Victor Hugo comme écrivains, étaient cependant mieux que lui doués de qualités dramatiques.

Alexandre Dumas père (1803–1870) était vraiment né auteur dramatique. Son grand défaut est d'avoir abusé de son génie et gaspillé sa verve au théâtre comme dans le roman. *Henri III et sa cour,* drame romantique, fut joué un an avant *Hernani.* Dumas a fait d'innombrables pièces de théâtre, en prose et en vers ; puisant ses sujets partout et offrant toujours, avec une complète variété de mise en scène et de décor, d'évènements et d'épisodes, les mêmes ressources d'imagination, de vivacité, de mouvement, d'intérêt superficiel et banal, mais toujours attachant et même amusant. Il ne faut lui demander ni justesse, ni vérité, ni profondeur, ni idéal, mais il émeut fortement et tient en haleine la curiosité. Il a laissé peu de choses durables, cependant son influence sur le théâtre a été féconde. Il donna dans *Antony* (1835) le vrai type du drame intime, où les misères et

les douleurs de la famille sont étalées violemment ; ce genre
est aujourd'hui le plus fécond et le plus florissant sur notre
scène.

Quatre mois avant la première représentation d'*Hernani*
Alfred de Vigny faisait jouer *Othello*, traduit de Shakespeare.
La *Maréchale d'Ancre* est un drame historique, et *Chatterton*
une analyse psychologique. Ces pièces sont pathétiques, sobres
de style, bien faites et bien conduites, mais elles manquent
d'action, de mouvement. La lutte entre les romantiques et les
classiques dura plus de dix ans et se termina en 1843 par la
chute d'un nouveau drame de Victor Hugo : les *Burgraves ;* le
poète renonça dès lors au théâtre. L'entreprise romantique
échoua parce qu'elle avait fait dévier le théâtre dans des excès
qui dépassaient les limites de la saine raison ; la vérité lui manquait ; cette image parfaite de la vie qu'on cherchait lui faisait
absolument défaut. Néanmoins, l'école nouvelle a rendu de
grands services, des services réels, ne l'oublions pas : elle a surtout fait faire des progrès à la langue poétique ; nombre de conventions arbitraires, dans les vers et dans le drame, ont cessé
de faire loi, il existe plus de liberté dans les idées et dans les
formes.

Ponsard (1814–1867). Un jeune poète inconnu jusqu'alors,
saisit avec beaucoup d'à-propos l'heure de la réaction, et parut
original en faisant jouer une tragédie classique qui eut un succès
éclatant, succès dû, il faut le dire pourtant, en grande partie à la
fameuse tragédienne, Rachel ; *Lucrèce* (1843), *Agnès de Méra-
nie* et *Charlotte Corday* qui suivirent, sont des drames empruntés
à l'histoire de France ; *Ulysse*, autre tragédie classique, est d'une
extrême froideur. Plus tard, pour satisfaire au goût populaire,
Ponsard produisit des comédies assez sérieuses et d'une haute
portée morale : l'*Honneur et l'argent ;* la *Bourse ;* le *Lion amoureux ; Galilée* dont la représentation fut tout un évènement.
Ses pièces manquent d'invention forte et d'un vrai mouvement

dramatique ; mais son talent est pur et délicat dans les tableaux, le détail et le style.

Scribe (Eugène, 1791–1861). La comédie du temps n'est ni classique, ni romantique, et pendant que les deux partis adverses se disputaient la scène, Scribe, sans se piquer de théories littéraires, obtenait de grands succès en se contentant d'amuser la foule par la fécondité de son imagination aidée d'une merveilleuse habileté de combinaisons scéniques. Son succès est presque un phénomène. Pendant cinquante ans il a défrayé la scène, et toujours satisfait le public. Il a donné près de quatre cents pièces de tout genre, où il n'y a pas beaucoup de style, encore moins d'observation des mœurs, mais un savoir-faire qui permet de se passer provisoirement de l'un et de l'autre. Il est vrai qu'il avait des collaborateurs, mais le plus grand nombre de pièces lui appartiennent en propre. Citons : un *Mariage d'argent,* contre l'avarice ; *Avant, Pendant et Après* (1828), trilogie politique en faveur du gouvernement de Louis XVIII ; *Bertrand et Raton ; Adrienne Lecouvreur* écrite en collaboration avec Legouvé ; le *Verre d'eau ;* la *Bataille des Dames ; Une Chaîne.* Scribe a aussi attaché son nom à un grand nombre d'opéras : la *Dame blanche ;* la *Muette ; Robert le Diable ;* la *Juive ; Fra Diavolo ;* le *Prophète,* etc.

Bayard et **Clairville,** collaborateurs de Scribe, remportèrent aussi pour eux-mêmes des succès dans le genre comique; le premier fut très applaudi dans le *Gamin de Paris ;* les *Premières armes de Richelieu ;* le second fit des comédies, des vaudevilles.

Mme de Girardin (Delphine Gay, 1804–1855) donna *Judith ; Cléopâtre; Lady Tartuffe* imitée de Molière, et la *Joie fait peur* qui est encore très populaire.

ROMANCIERS.

Alexandre Dumas père (1803–1870) exploita le roman historique avec une imagination intarissable, un style plein de verve, et nuls scrupules historiques : les mensonges des anciens romans de

chevalerie ne sont rien à côté de ses inventions; mais il y met
tant d'intérêt, tant d'esprit, que l'on est tenté de tout croire. Il
trouva dans sa merveilleuse imagination de quoi inonder la France
et l'Europe de ses romans en même temps qu'il alimentait le théâtre. Il écrivait ordinairement trois ou quatre romans à la fois,
qui paraissaient d'abord en feuilletons dans différents journaux
quotidiens de Paris. Il est vrai qu'il avait des collaborateurs, mais
il faisait le plan de ses livres et leur donnait la dernière retouche.
Dumas n'est pas un observateur aussi profond que Balzac, mais il
conte avec plus de vivacité, dialogue avec plus de verve, de naturel et de finesse, et il écrit dans une meilleure langue. Parmi
ses innombrables romans mentionnons : *Monte-Cristo*, les *Trois
Mousquetaires*, *Vingt ans après*, le *Chevalier de Maison Rouge ;*
ses *Impressions de voyage* en Europe, en Asie et en Afrique, sont
le fruit de l'imagination de l'auteur, plus que des réalités.

ROMANCIERS IDÉALISTES.

George Sand (1804–1876). Lucile-Aurore Dupin était d'une
très ancienne et riche famille bourgeoise ; elle s'éleva à peu près
seule, entre sa mère douce et frivole, et sa grand'mère, Mme
Dupin, femme froide, cérémonieuse et solennelle. Son enfance
et son adolescence se passèrent en liberté dans les campagnes du
Berri, qu'elle a toujours adorées par la suite. Ses lectures préfé-
rées étaient Chateaubriand et J.-J. Rousseau. A treize ans, on
la mit dans un couvent ; d'une imagination ardente, elle s'éprit
de la vie monastique et eut l'idée de se faire religieuse ; sa famille l'en détourna. A dix-sept ans, elle épousa le baron Dudevant,
mais se sépara de lui au bout de huit ans, garda ses deux enfants,
et à l'âge de vingt-sept elle vint à Paris, pour y gagner sa vie et
celle de ses enfants, mais avec si peu d'ambition littéraire qu'elle
fit d'abord de la peinture industrielle ; cette occupation étant peu
lucrative, elle commença à écrire pour le *Figaro*, toutefois elle ne

réussit pas. En 1832, en collaboration avec Jules Sandeau, de qui elle prit plus tard son pseudonyme, elle fit *Rose et Blanche,* roman assez médiocre qui ne faisait nullement entrevoir le grand talent qu'elle développa la même année dans *Indiana,* signé *" George Sand."* Le succès en fut considérable, et dès lors sa réputation littéraire fut faite.

Pendant quarante-six ans elle produisit avec une fécondité prodigieuse, sans ralentissement ; en moyenne elle écrivait deux volumes par an ; plus, quelques nouvelles, des articles pour la *Revue des Deux Mondes,* des pièces de théâtre, et une énorme correspondance, qui, très écourtée, a fourni six volumes. Elle voyagea beaucoup et s'instruisit chemin faisant : lisant beaucoup et écoutant avec une ardeur infinie. Elle était merveilleusement habile et prompte à s'assimiler tout ce qui venait à ses oreilles où à ses yeux, et à le transformer en l'embellissant : " C'est un écho qui agrandit la voix," disait De Latouche.

Dans la première partie de sa vie littéraire, elle écrit sous l'empire d'émotions et de douleurs personnelles : son troisième roman, *Lélia* (1833), semble le cri passionné d'une femme en révolte contre tout l'ordre social. La lecture de Chateaubriand se fait sentir dans *Jacques, André,* où elle imagine des êtres infiniment mélancoliques et brisés ; elle se rapproche plus de la vérité dans *Mauprat.* Tant que *Le Monde* fut édité par Lamennais, avec qui elle était très liée, elle s'occupa de politique, de spéculations philosophiques et théologiques ; on trouve cette influence dans *Spiridion,* les *Sept cordes de la lyre* (1840). Un voyage en Italie lui inspira *Consuelo* et la *Comtesse de Rudolstadt* qui en fait la suite ; elle y discute la musique, les sciences occultes, les croyances religieuses. *Horace, Jeanne* sont profondément imbus de sentiments et d'idées démocratiques qui deviennent socialistes dans le *Meunier d'Angibault, le Péché de M. Antoine,* le *Compagnon du tour de France.* Lors de la révolution de 1848 elle se jeta dans la politique, mais quand la catastrophe de Juin mit

à néant ses rêves de régénération sociale, elle dit adieu à la politique et revint aux champs, à la vie tranquille, à son cher Berry
qu'elle avait déjà décrit dans une série de tableaux d'une richesse
et d'une délicatesse incomparables.   En 1846 elle avait produit
la *Mare au diable*, idylle délicieuse, qui est tout simplement un
petit chef-d'œuvre, et dont le charme ne passera pas ; elle continua cette veine heureuse du roman champêtre dans *François le
Champi* (1849), la *Petite Fadette*, histoire racontée dans le langage naïf des paysans ; les *Maîtres sonneurs* (1852), une de
ses meilleures œuvres.   Mentionnons encore les charmants contes de fées composés pour ses petits-enfants : le *Château de Pec-
tordu*, *Contes d'une grand'mère*, et le *Théâtre de Nohant*.

· George Sand, que M. Lemaître appelle " jardin d'imagination
fleurie," était candide, et la bonté même.   C'est cette bonté, cet
amour des faibles qui lui a inspiré toute sa politique chimérique,
confuse et attendrissante.   Trois sources d'inspiration semblent
inépuisables chez elle : l'amour, la passion de l'humanité, le sentiment de la nature.   C'est un narrateur ému et gracieux des
sentiments tendres du cœur et un peintre de scènes rustiques
d'une originalité exquise.   George Sand ne préparait jamais le
plan de ses livres ; quand elle commençait un roman elle ne savait pas comment il devait finir ; elle ignorait la veille ce qui
arriverait à ses héros ou de ses héros, elle les livrait à la facilité
de son art comme la vie les livre au hasard des évènements.   De
là ce contraste saillant dans la plupart de ses œuvres : un commencement enchanteur, puis une sorte de fatigue.   Le monde réel
est peu de chose pour elle ; elle vit surtout dans un monde idéal.
Ses caractères sont souvent bien saisis à l'origine, bien dessinés,
mais ils tournent vite à un certain idéal ; ils ne vivent pas d'un
bout à l'autre, il y a un moment où ils passent à l'état de type.
Ceci soit dit avec toutes les réserves convenables pour tant de
situations et de scènes charmantes et naturelles.   Nul n'a mieux
peint le vrai paysan ; elle ne l'a pas idéalisé, comme on l'a dit,

elle l'a mieux compris et conséquemment mieux jugé. Quant au style, c'est chez elle un don de la première qualité et de la meilleure trempe ; il a une richesse, une souplesse, une suprême beauté poétique qui tiennent du miracle. Elle a écrit des romans entiers, comme *la Petite Fadette*, les *Maîtres sonneurs*, dans le style dont userait un paysan, s'il était né avec l'imagination d'un poète. Le problème est délicat à resoudre et elle s'en tire aussi merveilleusement que possible. George Sand prend place au premier rang parmi les prosateurs du XIXe siècle.

Sandeau (Jules, 1811–1883) fit, comme on vient de le dire, son début littéraire avec George Sand dans le roman de *Rose et Blanche*, mais il réagit bientôt contre les tendances de sa collaboratrice. La pensée qui se retrouve au fond de tous ses ouvrages, c'est celle du retour de l'âme vers la réalité après une course effrénée vers l'idéal ; la raison paraît toujours à côté du sentiment ; il montre l'idéal dans la vie de famille, dans le dévouement au devoir qu'elle impose. Un goût exquis préside à la composition de ses œuvres où la sensibilité se joint au naturel ; son style est correct et élégant. Dans *Mlle de la Seiglière*, son meilleur ouvrage, *Sacs et Parchemins, Marianne*, il met en présence, d'une manière comique et souvent touchante, l'égoïsme bourgeois et l'égoïsme aristocrate. Citons encore *Madame de Somerville, Madeleine*. Le roman de *Mlle de la Seiglière* qui a été dramatisé, et le *Gendre de M. Poirier* écrit en collaboration avec Émile Augier, comptent parmi les meilleurs pièces de théâtre du siècle.

Souvestre (Emile, 1806–1854) a écrit de charmants ouvrages au style simple, naturel et qui se distinguent par le sentiment moral et élevé. Il a fait une peinture savante et colorée de son pays natal, la Bretagne, dans les *Derniers Paysans, Derniers Bretons* où il raconte avec charme les légendes de la vieille Armorique ; *Un Philosophe sous les toits* fut couronné par l'Académie française.

Saintine (1798–1865), vivra longtemps par son roman de *Picciola*, touchante histoire d'un prisonnier et d'une fleur.

Toepffer (1799–1846). Après avoir étudié à Paris, il ouvrait à Genève, sa ville natale, un pensionnat de jeunes gens, et c'est pendant ses heures le loisir qu'il composait et ornait de dessins les histoires humoristiques de *Vieux-Bois, Jabot, Crépin* qui le firent connaître. Chaque été, il faisait avec ses élèves, de longues excursions à pied, qu'il a racontées dans les *Voyages en Zigzag*. En 1832, il publia la *Bibliothèque de mon oncle*, plus tard parurent le *Presbytère, Un Héritage, Nouvelles génevoises, Rose et Gertrude*. Moraliste aussi bien qu'artiste, il attaque avec vigueur les tendances démoralisantes d'alors. Ses écrits sont pleins de naïveté, de grâce rustique et de belle humeur.

ROMANCIERS RÉALISTES.

Henri Beyle (1783–1842), plus connu sous le nom de **Stendhal,** est un homme de talent et un impie, mais il est sincère, loyal et incapable d'une bassesse. Son esprit vagabond se refusait à toute contrainte ; toujours dominé par son imagination, il ne fit rien que brusquement et d'enthousiasme tout en se piquant de n'agir que conformément à la raison, comme il se piquait de libéralisme en tout, quoiqu'il ne comprît jamais qu'on pût avoir d'autres opinions que les siennes sur les hommes et sur les choses. C'est pourquoi il détestait les discussions auxquelles il coupait court en disant : "Vous êtes un chat, je suis un rat." Pour lui la vie est une loterie ; le hasard est la règle suprême, pas de providence ; ces tendances se trouvent dans *le Rouge et le Noir,* la *Chartreuse de Parme,* romans chargés de petits détails qui en rendent la lecture fatigante. Chaud partisan du romantisme, Stendhal a écrit dans *Rome et Shakespeare* un éloquent plaidoyer en faveur de la nouvelle école. Il a parlé des arts dans *Promenades dans Rome ; Histoire de la peinture italienne,* et les *Vies de Haydn, Mozart, Rossini, Metastasio.*

Mérimée (1803–70), fils d'un peintre habile, reçut une forte éducation classique, puis fit son droit ; mais il abandonna le barreau pour entrer dans l'administration et consacrer ses loisirs à la littérature. Au moment de la lutte entre les romantiques et les classiques, il prit chaudement parti pour les premiers en publiant le *Théâtre de Clara Gazul, comédienne espagnole* (1825), sous le pseudonyme de Joseph l'Estrange. Peu après il fit paraître la *Guzla*, recueil de prétendues poésies illyriennes dont il se donnait simplement comme le traducteur ; la *Jacquerie*, inspirée par le moyen âge ; la *Chronique du règne de Charles IX*. Ces divers écrits eurent un succès éclatant et le placèrent au nombre de nos meilleurs écrivains. Dès lors il signa ses charmantes nouvelles : la *Vénus d'Ille*, le *Vase étrusque*, l'*Enlèvement de la redoute*, *Colomba*, *Carmen*. Nommé inspecteur des monuments antiques et historiques de France, il fit des rapports archéologiques très instructifs et très intéressants. On lui doit encore des *Mélanges historiques et littéraires*, des *Etudes sur l'histoire romaine*, etc.

Ses courts récits sont des documents complets et de longue portée sur la nature humaine : mécanisme des passions, caractères d'hommes, paysages, tristesse des choses, effroi de l'inexpliqué, tout s'y trouve noté brièvement dans un style sobre, simple ; le naturel et la propriété de l'expression y sont admirables, tout est net, direct, un peu hautain. Au fond de ces contes si alertes, si rapides, où jamais l'artiste n'exprime directement son opinion sur les hommes et sur les choses, où il semble se moquer un peu de tout, on trouve une philosophie affranchie d'illusions, une sagesse libre et sûre. Il y avait en Mérimée, nous dit M. Taine, deux personnages : le premier, l'homme naturel qu'il cachait soigneusement, était loyal, bon, tendre même ; le second, l'homme du monde, était d'une suprême distinction, retenu, hautain, froid. Doué d'un esprit supérieur, d'un savoir immense, il n'a pourtant pas tiré de lui-même tout le service qu'il pouvait rendre, ni atteint le bonheur qu'il pouvait espérer ; c'est qu'il se défiait trop de lui-même, des autres, et de tout ; il a été dupe de sa propre méfiance. Ses *Lettres à une inconnue*

publiées après sa mort, en 1873, nous font entrer dans son intimité, et pour qui sait les lire, il y est gracieux, aimant, délicat,
et même poète parfois.

Balzac (Honoré de, 1799–1850), chef de l'école réaliste, naquit
à Tours. Il montra dès son enfance une imagination active, et
un grand amour du merveilleux. Ses études furent peu suivies ;
au collège de Vendôme, il ne se distingua que par sa passion
pour la lecture ; il dévorait tous les livres qui lui tombaient sous
la main. Son père l'envoya à Paris, pour y faire son droit,
mais entraîné par sa passion littéraire, il abandonna la juris-
prudence pour les lettres. Sans moyens d'existence, il s'in-
stalla dans une pauvre mansarde et se mit à écrire avec ardeur au
milieu de privations de toutes sortes, et fit des tragédies qui
n'eurent aucun succès. De 1821 à 1829, il publia une trentaine
de romans qui lui procurèrent à peine le pain nécessaire. En
1829, il attira enfin l'attention du public par le *Dernier chouan*,
roman historique ; deux ans plus tard il publia la *Peau de chagrin*
qui le classa parmi les romanciers contemporains les plus en
vogue. A partir de ce moment, il travailla avec une vigueur
extraordinaire jour et nuit, chassant le sommeil en buvant de
l'essence de café. En moins de six années, il fit paraître plus de
soixante volumes.

Balzac s'était assigné pour tâche de peindre la société entière ;
c'est pourquoi il a donné à ses récits le titre de *Comédie humaine ;* il les divise en *Scènes de la vie publique*, de *la vie privée*,
de *la vie parisienne*, de *la vie de province*, de *la vie politique*, de
la vie militaire ; d'autres ont pour titre *Etudes philosophiques*.
Ses chefs-d'œuvre sont *Eugénie Grandet*, la *Recherche de l'absolu*,
le *Père Goriot* et le *Curé de Tours*.

Balzac est un phénomène intellectuel bien plus qu'un artiste ;
son œuvre est vaste comme un monde. Deux traits originaux et
neufs marquent et distinguent ses romans dans la multitude des
romans éclos à la même époque. D'une part, l'analyse patiente,

exacte et minutieuse des passions et des caractères ; les éléments
de l'âme sont décomposés avec des procédés qui rappellent ceux
de la chimie.   D'autre part, l'étude des circonstances infiniment
diverses au milieu desquelles une âme peut se mouvoir et se
développer ce qui contribue à faire mieux connaître le personnage
éclairé ainsi comme d'une double lumière, par le dedans et par le
dehors.   Ainsi analysés, ses personnages restent dans la mémoire
comme si on les avait connus.   Il peint avec une impartialité
complète le bien et le mal.   Dans les descriptions, il déploie
une virtuosité incomparable ; il est impossible de peindre avec
plus de soin, d'amour et d'abondance.   Ces descriptions
minutieuses presque toujours trop longues, n'en forment pas
moins l'un des caractères du talent de Balzac, et si elles nous
fatiguent aujourd'hui, elles contiennent des observations qui
seront de la plus grande importance pour la postérité.   Son style
est pénible et heurté ; on peut même dire qu'il écrit mal ; mais la
pensée est forte et la peinture large.   Malgré ses défauts Balzac
est un grand écrivain dont l'influence, en France et ailleurs, a été
très grande, trop grande même.

Charles de Bernard (1804–1850), de l'école de Balzac, a publié un grand
nombre de romans et de nouvelles.   S'il n'a pas le génie de son maître, il lui
est supérieur par la convenance du ton, et par le style qui est le plus pur français.   Le *Paravent ; Gerfaut ;* la *Peau du lion* sont pleins d'esprit, d'élegance
et de grâce.

Reybaud (1799–1879) raille avec esprit l'école romantique dans *Jérôme
Paturot à la recherche d'une position sociale ;* ses *Etudes sur les Réformateurs
ou socialistes modernes* furent couronnées par l'Académie française.

Eugène Sue (1804–1857), qui avait beaucoup voyagé comme
chirurgien de marine, commença par des romans maritimes : *A-
tar-Gull ;* la *Vigie de Koatven*, puis il passa au roman historique
et philosophique ; mais sa popularité ne commença que lorsqu'il
se posa en réformateur dans les *Mystères de Paris* (1842), mélange de réalité repoussante et de fantaisie ; le *Juif errant* est
comme le roman précédent une protestation contre l'état social

actuel ; ces deux ouvrages furent traduits dans toutes les langues. Ses autres œuvres sont : *Arthur, Mathilde,* les *Sept péchés capitaux,* les *Mystères du peuple.* Sue a une imagination puissante, beaucoup de talent dramatique, et une grande facilité à enchaîner les évènements et les personnages ; son style est peu châtié, souvent incorrect. Il est pessimiste ; sa thèse favorite c'est le triomphe du mal sur le bien, l'impuissance de la vertu à donner le bonheur.

LES PHILOSOPHES.

Royer-Collard (1763–1845), après avoir étudié les philosophies anciennes et modernes, trouva dans celle de Thomas Reid, chef de l'école écossaise, l'idéal de sa propre philosophie, et s'en servit avec une rare éloquence pour renverser les idées de Condillac. Cette méthode consistait à transférer dans le domaine de la philosophie l'observation comme seul moyen d'arriver à la vérité, et à abandonner l'esprit de système qui avait causé tant d'erreurs.

Cousin (1792–1867), disciple de Royer-Collard, fut chargé à vingt et un ans des conférences de philosophie à l'Ecole normale ; il commença avec la philosophie écossaise, mais pendant trois voyages assez prolongés en Allemagne, il étudia Kant, Fichte, Schelling et Hegel ; ses idées subirent l'influence de ces philosophes et se modifièrent. Cousin est le chef de l'école éclectique ; il ne s'est rattaché d'une manière exclusive à aucune secte, et n'a exposé aucun système nouveau ; il s'est attaché à choisir dans les doctrines des grands philosophes ce qu'elles ont de meilleur. Dans ses cours à la Sorbonne, suivis par plus de deux mille personnes, il racontait dans un splendide langage l'histoire de toutes les doctrines et de tous les systèmes, et ramenait les esprits à ces nobles études si longtemps négligées. Il embrassait tout dans ses conférences, les idées et les faits, les sciences et les arts, les philosophies et les religions, la civilisation et la politique, le présent et l'avenir de l'homme. Cousin avait une belle **voix**

et parlait lentement ; sa parole puissante, colorée, variée, libre et pourtant correcte, se prêtait aux déductions les plus difficiles de la métaphysique sans rien perdre de sa limpidité.

La Révolution de 1830 arrêta son enseignement pour toujours. Il fut nommé membre du conseil royal de l'instruction publique, conseiller d'Etat ; puis créé pair de France. Après 1848 il se donna aux lettres ; c'est alors qu'il publia sa belle série d'études sur le XVIIᵉ siècle. Il commença par faire sur Pascal une œuvre de critique qui est tout à fait hors de pair. Il s'attacha surtout à l'histoire des femmes et donna successivement *Jacqueline Pascal;* la *Jeunesse de Mᵐᵉ de Longueville; Mᵐᵉ de Longueville pendant la Fronde ; Mᵐᵉ de Chevreuse ; Mᵐᵉ de Hautefort; Mᵐᵉ de Sablé;* la *Société française au XVIIᵉ siècle.* Les principaux ouvrages de philosophie sont : *Histoire générale de la Philosophie* et *Du vrai, du Beau et du Bien.*

Dans tous ses écrits historiques ou philosophiques, le style de Cousin est haut, ferme et pur ; et ce rare mérite fera vivre ses œuvres quelle que soit la fortune de sa philosophie. Il est impossible de mentionner tous ses ouvrages, ils formeraient une bibliothèque ; et pourtant notre auteur trouvait encore le temps de tenir la première place comme causeur dans les salons parisiens où il avait peu de rivaux.

Comte (Auguste, 1798–1857) fut le fondateur du *positivisme.* Dans son *Cours de philosophie positive,* et son *Système de politique positive,* il élimine totalement toute idée religieuse de la vie des individus et des sociétés ; la science doit tout remplacer.

Les Orateurs.

Après la Restauration la tribune recouvra la liberté dont elle avait joui au moment de la Révolution, et dont elle avait été privée sous l'Empire. Un grand nombre d'orateurs se distinguèrent au parlement et à la tribune : Benjamin Constant,

Royer-Collard, le général Foy, Guizot, Thiers, Montalembert, Lamartine ; d'autres dans la chaire chrétienne : Ravignan, Frays- sinous, l'abbé Félix, le pasteur Monod ; mais nous ne parlerons que de Berryer, Lamennais et Lacordaire.

Berryer (1790–1868), avocat distingué, prit d'abord la défense des victimes de la Restauration, mais plus tard il prit fait et cause pour le parti légitimiste et en fut un des plus fermes soutiens. En 1851 il protésta de toutes ses forces contre le coup d'Etat. La nature l'avait doué de tous les avantages extérieurs qui viennent en aide à la puissance oratoire : une physionomie noble, un geste impérieux et dominateur, une voix retentissante. A cela s'ajoutait une forte mémoire, un esprit vif et pénétrant, une grande facilité d'improvisation. Tour à tour souple, hardi, véhément, habile à l'attaque et à la riposte, serré dans ses arguments, ingénieux à tirer d'une cause tous les avantages qu'elle comporte, prenant au besoin tous les tons, depuis le plus familier jusqu'au plus pom- peux ; toutes ces qualités faisaient de Berryer un modèle accompli de l'orateur.

Lamennais (1782–1854), philosophe et théologien, est un grand et singulier personnage qui a présenté sous une forme ai- guë et dramatique le spectacle étrange d'un complet revirement d'idées. De prêtre catholique romain, il se convertit à la pensée libre, et même révolutionnaire ; et cela, dans la pleine maturité. Sa vie se partage en deux parties bien tranchées. Dans la pre- mière, il est l'apologiste passionné de la religion catholique et le défenseur déclaré de l'autorité pontificale au spirituel et au temporel ; il fait cause commune avec les royalistes et les ultra- montains. C'est durant cette période qu'il fait paraître *Réfle- xions sur l'état de l'Eglise en France ; Essai sur l'indifférence en matière de religion ; Traditions sur l'Eglise ; De la religion.* Dans la seconde partie, il passe au service de la démocratie, arbore le drapeau révolutionnaire, combat au premier rang dans le parti républicain. En même temps il se sépare de l'Eglise, et renie son titre d'abbé ; c'est alors qu'il écrit *De l'esclavage moderne ; Esquisse d'une philosophie.* Mais entre ces deux périodes, il y en a une intermédiaire où il est l'initiateur du mouvement considérable appelé aujourd'hui le catholicisme libéral. C'est pendant cette époque de transition qu'il publia les *Paroles d'un croyant* où, dans un style biblique, il oppose le sombre tableau des misères terrestres à l'image idéale de la cité affranchie où régneront la justice et la fraternité ; certaines parties du livre peuvent être comparées, pour l'horreur, à l'*Enfer* de Dante ; d'autres à l'*Imitation,* pour la douceur. Lamennais est un grand écrivain ; il déclame souvent, mais il est toujours éloquent, et il possède le don d'émouvoir, sinon de convaincre, que peu d'écrivains ont possédé au même dégré depuis Rousseau. Il a été très discuté comme politique et comme penseur, mais il était très estimé de ceux qui connaissaient sa parfaite sincérité.

Lacordaire (1802–1861) fut reçu avocat en 1822, et deux ans plus tard il renonçait au barreau pour entrer au séminaire de Saint-Sulpice. Partisan des idées libérales, il chercha quelque temps à les faire prévaloir dans le journal l'*Avenir* qu'il fonda de concert avec Lamennais, Montalembert et d'autres laïques. Les rédacteurs demandaient la liberté complète de l'Eglise, de la presse et de l'enseignement ; Rome condamna le journal, et Lacordaire se soumit, puis se sépara de Lamennais quand celui-ci quitta l'Eglise. Comme Berryer, Lacordaire avait toutes les qualités qui font l'orateur ; la voix vibrante, le regard perçant, l'accent passionné et convaincu. Il rajeunit le sermon en renouvelant l'exposition du dogme et de la morale par une éloquente intervention dans toutes les questions politiques et sociales qui agitaient le plus vivement les esprits. La nouveauté de ses idées, la hardiesse de son langage, attiraient et captivaient la foule ainsi que les plus grands esprits de l'époque ; tous accouraient à Notre Dame pour entendre ses conférences. C'est le plus grand prédicateur français de notre siècle. En 1848 il fut élu membre de l'Assemblée Nationale et siégea parmi les républicains avancés, mais il donna bientôt sa démission. Œuvres : *Considérations sur le système de M. de Lamennais, Vie de Saint-Dominique,* et des *Conférences* en huit volumes.

HISTOIRE.

Il y a une gloire qu'on ne peut contester à notre époque : c'est d'avoir renouvelé la science historique. L'histoire dans notre siècle s'est élevée aux régions de la science ; elle est remontée aux sources en interrogeant les documents, négligés jusqu'alors. Dans son investigation passionnée, rien ne lui a échappé : monuments écrits, textes de lois, chroniques, traditions, légendes, mœurs, religions, langues, arts, tout a été fouillé ; l'âme même des époques disparues a été retrouvée. L'histoire, en reconstituant ainsi la vie d'autrefois, est devenue une résurrection. Ce grand mouvement, où le génie et l'érudition eurent part ensemble, commença sous la Restauration, et il se forma deux classes d'historiens, l'école philosophique et l'école descriptive. L'une ne cherchant dans les faits que l'enchaînement des effets et des causes, et dégageant de l'histoire le développement politique, moral et national ; l'autre s'abstenant avec scrupule de toute considération, et s'attachant exclusivement au récit pur et simple des faits, à la couleur locale et contemporaine des évènements, racontant plus qu'elle ne disserte. Le chef de l'école philosophique fut M. Guizot.

Guizot (1787–1875) a été tour à tour littérateur et grammairien, historien et publiciste, professeur et orateur, ambassadeur et ministre ; partout sa haute raison domine, sa science éclate, et ses vertus publiques et privées commandent le respect et l'estime.

Guizot, né à Nîmes d'une famille protestante royaliste, vit périr son père sur l'échafaud révolutionnaire ; il émigra en Suisse avec sa mère, et vint en 1805, à Paris où il se fit bientôt connaître en publiant d'abord son *Nouveau Dictionnaire des synonymes*, puis un ouvrage sur Corneille. Professeur d'histoire à la Sorbonne de 1812 à 1830, il publia en 1828, sous le titre de *Cours d'histoire moderne* l'ouvrage qui est devenu l'*Histoire de la civilisation en France*, et l'*Histoire de la civilisation en Europe*, mine précieuse de documents et d'aperçus élevés et profonds, où, pour la première fois, se trouvent éclaircis l'obscurité de nos origines et la formation des sociétés modernes. La civilisation, pour Guizot, est le développement simultané de la société et de l'homme lui-même; d'une part le développement politique et social, de l'autre le développement intérieur et moral. En 1821, il avait publié l'*Histoire du gouvernement représentatif en Angleterre*, et en 1827, l'*Histoire de la révolution d'Angleterre*. La politique l'occupa mais sans l'empêcher de produire; il fit paraître successivement : *Collections de mémoires ; de la Démocratie en France; Mémoires pour servir à l'histoire de mon temps; Histoire de France racontée à mes petits-enfants* et nombre d'autres ouvrages sur des questions religieuses, politiques et littéraires.

Dans tous les écrits de Guizot où trouve deux idées maîtresses auxquelles se rattachent toutes les autres : la foi religieuse et la foi libérale. Esprit exact, logicien par-dessus tout, quand il se propose un but il y va droit et ne prend dans chaque matière que ce qui se rapporte à son sujet. Dans l'histoire, il s'attache surtout à découvrir la naissance et à suivre le développement des institutions politiques, sociales et religieuses. A côté de la philosophie générale des évènements, on trouve une très subtile psychologie des petites causes, mais il relègue au deuxième plan les récits de batailles et les traités; s'il raconte une anecdote, c'est qu'elle prouve un fait politique. Il possède la grave éloquence que demande la grande histoire; son style est toujours approprié à son sujet, il est sobre, clair, d'une vigueur étonnante; quand l'occasion l'a voulu, il a produit des morceaux d'une

éloquence admirable, d'autant plus entraînante qu'elle est con-
tenue, et que l'historien s'efface pour laisser parler les évènements. L'originalité de Guizot consiste dans une grande modération d'esprit unie à une grande fermeté de caractère. En
résumé, il possède toutes les qualités du véritable historien :
netteté lumineuse, parfait dégagement d'esprit et vérité rigoureuse ;
il inspire la confiance, on sent qu'il ne dit que la vérité.
"Guizot, dit Sainte-Beuve, a l'air d'avoir su de toute éternité ce
qu'il enseigne."

Thiers (Adolphe, 1797–1877) naquit à Marseilles. Il fit son
droit à Aix où il publia un *Eloge sur Vauvenargues*, qui lui valut
un prix de l'académie de cette ville. En 1821, il vint à Paris et
y joua depuis un rôle important comme journaliste, comme
orateur et comme ministre. De 1825 à 1827, il publia son *Histoire de la Révolution française* qui fut accueillie avec une faveur
extrême, car il y réhabilitait courageusement les actes des différents
gouvernements de la Révolution sans jamais chercher pourtant à
en justifier les crimes ; il se montrait impartial. L'*Histoire du
Consulat et de l'Empire* publiée de 1845 à 1862 en vingt
volumes est un chef-d'œuvre d'information précise et d'exposition
lucide. Thiers s'était préparé à ce travail par de longues et
patientes recherches en France, en Espagne, en Allemagne, en
Italie et en Angleterre. Par un heureux concours de circonstances, il avait eu en main une quantité innombrable de pièces
et de papiers d'Etat qu'il dépouilla et analysa au complet ; aussi
ne va-t-il que d'un pied sûr. Sa méthode d'exposition bien
développée et lumineuse ne nous dérobe rien des erreurs de
l'époque et de leurs conséquences ; il ne laisse rien dans l'ombre,
et cette méthode est telle, par le détail des preuves, qu'elle
permet au lecteur de se former une opinion propre qui peut,
sur certains points, différer de celle de l'historien et la contre-
dire, ou du moins la contrôler. Thiers, doué d'un esprit curieux,
clair, vif, vigoureux, et avant tout pratique et positif, embrasse

tout, lois, commerce, finance, tactique militaire, il expose tout
comme il l'a étudié, avec précision, continuité, jusqu'au dernier
détail. Il y a bien quelquefois trop de détails militaires, mais il
ne faut pas oublier que c'est l'histoire de Napoléon Iᵉʳ qu'il écrit,
celle du plus grand capitaine des temps modernes. Il raconte
naturellement et simplement, avec une rare facilité, comme il
parlait à la tribune ; il laisse les choses se reproduire dans leur
ordre naturel. C'est trop peu dire que de louer sa clarté continuelle : il a cette clarté qui fait plaisir ; il est lucide.

Mignet (1796–1884), né à Aix, y fut reçu avocat la même
année que Thiers, avec qui il se lia d'une amitié que rien ne
troubla dans la suite. Les deux amis se tournèrent bientôt vers
les lettres, et tandis que Thiers cueillait ses premiers lauriers par
son *Eloge de Vauvenargues*, Mignet obtenait un prix de l'académie
de Nîmes par son *Eloge de Charles VII*. En 1821 tous deux
vinrent à Paris et se lancèrent dans la politique. Mignet aussitôt nommé professeur d'histoire à l'Athénée y fit un cours sur la
Réformation et le XVIᵉ siècle, qui lui donna une grande réputation.
En 1824, il publia une *Histoire de la Révolution française*, qui eut
un succès inouï et fut immédiatement traduite dans toutes les
langues de l'Europe. C'est un résumé substantiel et raisonné,
un tableau rapide et animé des principaux évènements de la
Révolution, qui permet d'en saisir l'ensemble facilement. Il
penche au fatalisme en entreprenant de démontrer ce grand
bouleversement comme une nécessité imposée par la situation
politique et sociale, comme un développement naturel dans
lequel chaque fait isolé était nécessaire.

La faculté maîtresse de Mignet, comme historien, est la faculté
de la généralisation, le talent de condenser toute une époque en
quelques traits. En deux volumes, il a fait tenir toute la Révolution qu'il résume ainsi : " Elle a remplacé l'arbitraire par la loi,
le privilège par l'égalité ; elle a délivré les hommes des distinctions des classes, le sol des barrières des provinces, l'industrie des

entraves des corporations, l'agriculture des sujétions féodales et
de l'oppression des dîmes, la propriété des gênes et des substitu-
tions, et elle a tout ramené à un seul état, à un seul droit, à un
seul peuple." Il est impossible de dire plus de choses en moins
de mots.

Mignet, élu secrétaire perpétuel de l'Académie des sciences
morales en 1837, commença sa belle série de *Notices* et *Mémoires
historiques* sur ses confrères défunts ; il rappelle Fontenelle par la
finesse des jugements et la largeur des vues, mais il le surpasse
infiniment par la pureté et la gravité du style. Le nombre de
ses ouvrages est assez considérable, mentionnons : *Antonio Perez
et Philippe II ; Marie Stuart ; Charles-Quint et son abdication ;
Rivalité de François Ier et de Charles-Quint.*

Tocqueville (1805–1859) fut envoyé avec M. de Beaumont
aux Etats-Unis pour y étudier la question pénitentiaire qui occupait vivement les esprits ; il étudia en même temps les institutions et les mœurs américaines pour se rendre compte du fonc-
tionnement d'un état véritablement démocratique. Telle fut
l'origine du grand ouvrage qui a fait sa réputation, la *Démocratie
en Amérique ;* son *Ancien régime et la Révolution* n'est guère
inférieur. Le talent, la raison, la hauteur des vues, la ferme simplicité du style, l'éloquent amour du bien, caractérisent ses œuvres.

ECOLE DESCRIPTIVE.

Barante (1782–1866) débuta à vingt-sept ans par son *Tableau de la littérature française au XVIIIe siècle*, qui montrait
déjà une grande maturité d'esprit et beaucoup de connaissances.
De 1824 à 1827, il fit paraître l'*Histoire des ducs de Bourgogne*,
en treize volumes ; c'est son œuvre capitale, et elle eut un prodigieux succès. C'est un tableau vivant et fidèle des XIIIe, XIVe
et XVe siècles. Se modelant sur nos vieux chroniqueurs, sur
Froissart principalement, il ne discute, ni ne conclut ; il se con-

tente d'exposer les faits, laissant au lecteur la liberté de ses appréciations. La narration, vive, captivante, a tout le charme d'un poème épique ; les peintures pittoresques, les épisodes dramatiques nous entraînent. Il est aussi l'auteur de l'*Histoire de la Convention; Des communes et de l'aristocratie,* où il change un peu de système, le philosophe s'y montre souvent à côté du peintre, et le juge à côté du narrateur.

Augustin Thierry (1795–1856), chef de l'école descriptive, a exploité le côté pittoresque et dramatique de l'histoire, mais avec plus de critique que Barante. Il comprend l'histoire comme une complète résurrection du passé, il la veut tout à fait vivante, mais aussi tout à fait exacte, et une fois en possession de la vérité, il ne néglige rien pour donner à ses récits l'intérêt dramatique qu'ils peuvent avoir. En 1825 parut l'*Histoire de la conquête de l'Angleterre par les Normands,* œuvre immense d'érudition, et qui lui coûta la santé et la vue ; car à force de travailler sur les manuscrits, il devint complètement aveugle. Il accepta cette cruelle épreuve sans un murmure : " J'ai fait amitié avec les ténèbres," disait-il ; mais grâce au dévouement de sa femme et de ses amis, il put continuer ses travaux et publia successivement : *Dix ans d'études historiques ; Récits des temps mérovingiens ; Essai sur l'Histoire du Tiers-Etat.* En lisant les *Récits* on croit avoir vécu soi-même dans ces temps barbares, tant l'impression en est vive et fraîche ; il a restitué à cette période la physionomie qui lui appartient. Dans ses *Lettres sur l'Histoire de France,* il met surtout en lumière le mouvement si considérable des communes. Chacun de ses ouvrages a fait sensation dans le monde des lettres, car il y a partout l'empreinte d'un talent neuf, original, d'une sincérité complète. Après Guizot, il est l'homme qui, à cette époque, a le plus contribué aux progrès des études historiques.

Amédée Thierry (1797–1873), frère du précédent, publia en 1829 l'*Histoire des Gaulois* qui est resté son meilleur ouvrage.

Comme suite à ce premier travail, il écrivit l'*Histoire de la Gaule
sous la domination romaine;* il publia encore *Histoire d'Attila et
de ses successeurs; Tableau de l'Empire romain; Récits de l'histoire romaine,* etc.

Michelet (1798–1874), devint en 1830 suppléant de Guizot
à la Sorbonne; en 1837, il fut nommé professeur au Collège de
France; son éloquence vive et spirituelle attirait une grande
foule et passionnait ses auditeurs, mais il fit bientôt de sa chaire
une véritable tribune politique.   La hardiesse de ses idées politiques, sociales et religieuses, l'enthousiasme extraordinaire qu'il
excitait parmi les jeunes gens, inspirèrent des craintes au gouvernement et ses cours furent suspendus en 1851.   Dès lors il consacra tous ses loisirs à des travaux littéraires.   En 1828, il avait
prélude à ses grandes œuvres historiques par la publication du
Précis de l'histoire moderne; en 1832 avait paru l'*Histoire romaine,* et l'année suivante, le premier volume de sa grande *Histoire de France,* qui ne devait être terminée qu'en 1867.   De
1843 à 1847, il fit paraître son *Cours sur les Jésuites,* écrit de
concert avec Edgar Quinet; le *Prêtre, la Femme et la Famille;
Histoire de la Révolution française.*   Après sa démission il fit
l'histoire du mouvement démocratique en Europe dans ses livres
sur la *Pologne,* la *Russie,* les *Principautés danubiennes,* les *Légendes démocratiques du Nord.*   Comme intermède à ses travaux
historiques, et pour se détourner de "la dure, la sauvage histoire
de l'homme," il publia l'*Oiseau,* l'*Insecte,* la *Mer,* la *Montagne,*
qui sont de charmants poèmes en prose.

La qualité dominante de Michelet est l'imagination.   Après
Victor Hugo, il peut être considéré comme l'écrivain qui au XIXᵉ
siècle a le plus le don de l'image et de la couleur.   Dans les premiers volumes de son *Histoire de France,* son chef-d'œuvre, ses
grandes qualités d'historien et de poète se font encore équilibre;
plus tard, il consulte trop, comme on l'a dit plaisamment, les
archives de son imagination, et les tomes suivants peignent plutôt

l'état de son esprit que les époques disparues. Son histoire a
toutes les qualités de l'inspiration : mouvement, grâce, esprit,
couleur, éloquence, passion ; elle n'a pas celles de la science :
clarté, justesse, certitude, mesure, autorité. Son imagination
impressionable est touchée par les faits généraux aussi bien que
par les faits particuliers ; il les saisit et nous les fait saisir ; il
sympathise avec la vie du siècle comme avec la vie des individus ; il voit les passions d'une époque entière aussi nettement
que celles d'un homme, et il peint tout avec une égale vivacité :
les images brillantes, les réflexions, les récits, les anecdotes
piquantes ; tout ce mouvement passionné est contagieux et nous
entraîne. " Michelet, dit Jules Simon, est toujours dans le pa-
roxysme de l'admiration ou de la colère ; " en effet, il s'abandonne à sa sensibilité exaltée, tous les personnages importants
sont ses amis ou ses ennemis et avec lui on les aime ou on les
hait ; en dépit des répugnances, des doutes, des objections, en le
lisant on pense et on sent comme lui. Aucun poète n'exerce
plus que lui cette domination puissante. Cependant l'impression
que laisse son livre est le doute ; sa bonne foi et son immense
érudition sont irrécusables, mais ses jugements manquent de
sûreté, de profondeur ; il est trop dominé par sa sensibilité
pour être toujours juste. Son admirable *Histoire* séduit, mais
ne convainc pas : " Trop historien pour n'être que poète, et
trop poète pour n'être qu'historien," a-t-on dit. Le style de
Michelet est tout de flamme comme son imagination, plein de
surprises, de finesse et de malice. Il a un dialecte à lui qui rend
tout avec une force extraordinaire ; il retourne et bouleverse la
langue, en refait la syntaxe ; il l'enrichit de mots qui viennent
on ne sait d'où, mais qui peignent et qui gravent. Le goût se
révolte peut-être, mais en même temps on a reçu l'impression
qu'il voulait donner. C'est un des écrivains les plus originaux
de la prose moderne.

Martin (Henri, 1810–1885) est un esprit sincèrement libéral

et éclairé, bon, honnête, intègre, sa carrière fut sans tache ; son
grand cœur l'éleva audessus de tout ce qui était petit et vil.
Après avoir fait son droit, il débuta dans la littérature par des romans historiques, puis s'adonna à l'histoire nationale qui devint
la passion de sa vie.   Il avait à peine terminé l'*Histoire de
France* (1836) qu'il se mit à la refondre sur un plan plus vaste :
il consacra sept ans à ce travail de remaniement pour mettre son
œuvre au niveau des récentes découvertes de la science ; aussi
cette *Histoire* en vingt volumes y compris l'*Histoire de la Révolution* est un des plus consciencieux et des plus complets résumés
de la science moderne.   Le style en est net et concis.

Quinet (Edgar, 1803–1875) qui fut professeur de littérature
méridionale au Collège de France de 1842 à 1851, s'est essayé
dans bien des genres ; poésie, histoire, philosophie, critique,
polémique et voyages.   Il est de l'école de Chateaubriand par le
coloris et l'éclat du style, mais il y ajoute quelque peu l'exagération et l'emphase.   Quant aux idées, il est démocrate en politique,
panthéiste en philosophie, et partout hostile au christianisme.
Il a le sentiment des plus hautes questions de notre âge et il les
a posées hardiment ; c'est pourquoi, malgré ses erreurs, il est
resté un maître.   Ses principales œuvres sont, à part quelques
poèmes, *Idées sur l'histoire de l'humanité ; Du Génie des religions ;* les *Jésuites ; Philosophie de l'histoire ;* les *Révolutions
d'Italie,* et la *Révolution,* son ouvrage le plus parfait.

HISTOIRE LITTÉRAIRE ET CRITIQUE.

En même temps que le nouveau génie historique jette de si
vives lumières sur le passé des nations, l'attention se porte aussi
sur les langues et les littératures nationales et étrangères.   M.
Guizot inaugura ce mouvement en traitant l'histoire littéraire
comme une partie, et non la moins intéressante, de l'histoire générale ; innovation féconde d'où sortit la critique littéraire mo-

derne qui n'est pas une des moindres gloires du XIXe siècle. Appuyée de l'histoire, elle se fit plus pénétrante, et apprit à jeter sur les hommes et les œuvres passés un coup d'œil plus clair-voyant.

Raynouard (1761–1836) s'était acquis une assez grande répu-tation par ses tragédies des *Templiers* et des *Etats de Blois ;* mais c'est par des recherches intéressantes sur la langue et la poésie provençales qu'il s'est surtout fait connaître ; il est vrai qu'il leur donne trop de prépondérance dans l'histoire de la litté-rature en France, mais elles n'en ont pas moins été d'un grand secours pour l'étude et l'appréciation du génie des troubadours, et la connaissance de leurs œuvres. Ses principaux ouvrages sont : les *Eléments de la grammaire romane ; Choix de poésies originales des Troubadours ;* un *Lexique roman.*

Fauriel (1772–1842) s'appliqua surtout aux langues et aux littératures étrangères : une chaire spéciale fut créée pour lui au Collège de France et il y donna un cours sur l'*Histoire de la poésie provençale* qui fut publié deux ans après sa mort. En 1824 il avait donné les *Chants populaires de la Grèce mo-derne*, et plus tard une *Histoire de la Gaule méridionale.*

Sismondi (1773–1842), né à Genève, fut à la fois historien, économiste et critique ; son savoir est immense ; il a tout lu, tout discuté, tout apprécié. Son *Histoire des Français* en vingt-huit volumes, et plusieurs autres ouvrages historiques prouvent sa vaste érudition. Sa *Littérature du midi de l'Europe* a ouvert une voie féconde à la critique, en appelant l'attention sur les origines des langues néo-latines.

Villemain (1790–1870), comme Guizot et Cousin ailleurs, s'ouvrit une carrière nouvelle dans la critique littéraire ; il en ra-jeunit les méthodes en s'élevant à des vues plus larges, plus fé-condes et plus indépendantes surtout. A peine sorti du collège où il avait fait de brillantes études, il fut nommé professeur de rhétorique au lycée Charlemagne. Il fut couronné trois fois par l'Académie ; pour un *Eloge de Montaigne*, un discours sur les *Avantages et inconvénients de la critique*, et un *Eloge de Montesquieu*. Promu à la chaire d'éloquence et de littérature françaises à la Sorbonne en 1816, il y donna ses cours célèbres sur notre littérature.

Villemain ne se contente pas de pénétrer dans les œuvres particulières de la littérature française, par cette analyse ingénieuse et délicate où il excellait, il s'efforce de les éclairer par la comparaison impartiale des autres époques et des autres pays ; ainsi il nous intéresse non seulement aux chefs-d'œuvre de la France, mais aussi à ceux de l'Angleterre, de l'Italie, de l'Allemagne et de l'Espagne. Il juge avec hardiesse et indépendance sans s'attacher à aucune théorie d'école. Mêlant la politique à la littérature, il a été neuf, éloquent et utile à son pays. Le plus bel éloge qu'on ait fait de cette critique littéraire rajeunie, se trouve dans ces paroles d'Augustin Thierry : "Je trouvais là dans sa plus haute perfection, l'alliance de la critique et de l'histoire, la peinture des mœurs, avec l'appréciation des idées ; le caractère des hommes et le caractère de leurs œuvres ; l'influence réciproque du siècle et de l'écrivain. Cette double vue reproduite sous une multitude de formes, avec une variété d'aperçus vraiment merveilleuse, élève l'histoire littéraire à toute la dignité de l'histoire sociale, et en fait comme une science nouvelle dont M. Villemain est le créateur."

Lorsque Cousin, Guizot et Villemain rouvrirent en 1827 leurs cours que le gouvernement avait suspendus, on vit en eux les organes de la pensée libre trop longtemps comprimés, et tout Paris accourut pour voir et entendre les éloquents professeurs. "Villemain, dit M. Demogeot, se distinguait dans ce triumvirat par le charme de sa parole et l'irrésistible attrait de son esprit. C'était un spectacle plein d'intérêt que d'assister, grâce à son improvisation hardie, à l'enfantement toujours heureux de l'idée ; d'entendre un homme plein de savoir, qui en présence de deux mille auditeurs s'abandonnait à tous les souffles de l'inspiration, à toutes les saillies de sa facile intelligence, tantôt familier et ingénieux, tantôt inspiré et éloquent ; enfin de voir cette figure peu regulière, se transformer tout à coup et s'illuminer d'un rayon de sa pensée. Les cours de Villemain n'étaient pas seulement des leçons, mais encore des modèles d'éloquence." Il fit beaucoup d'ouvrages sur la littérature et l'histoire, tels que l'*Histoire de Cromwell ; Lascaris ou les Grecs au XVe siècle ; Etudes de littérature ancienne et étrangère; Tableau de la Littérature au moyen-âge ; Tableau de la littérature au XVIIIe siècle.*

Saint-Marc-Girardin (1801–1873) suppléa d'abord Guizot comme professeur d'histoire à la Sorbonne. En 1834, il occupa la chaire de poésie française, et c'est là que pendant plus de vingt-cinq ans il a exercé une influence réelle sur la jeunesse. Ce cours, moitié lu, moitié improvisé, offrait toujours un piquant intérêt par le bon sens, la finesse, la parole vive, souple et déliée du professeur. Chez cet écrivain, il n'y a point de parti pris littéraire, point d'exclusion pour telle ou telle poétique. Admirateur et disciple de l'ancienne école, il est bienveillant pour la nouvelle sans se laisser entraîner dans ses illusions. Ce n'est pas tant par l'histoire que par la psychologie qu'il renouvelle la critique : elle devient entre ses mains l'étude d'un fin moraliste. Il aime à disserter, se plaît aux antithèses morales, et trouve à dire les choses les plus ingénieuses et les moins prévues ; sa critique est pleine d'invention et de fertilité. Ses meilleures œuvres sont : le *Tableau de la littérature française au XVIe siècle; Cours de littérature dramatique ; Lafontaine et les fabulistes.*

Sainte-Beuve (1804–1869) est celui qui a porté la critique au plus haut degré de clairvoyance et de précision dans la littérature Nul n'a plus contribué à introduire dans la critique littéraire la méthode et les scrupules de la critique historique.

Après quelques préludes sur la géographie de la Grèce, question alors toute vivante, il ouvrit dans le *Globe* la campagne romantique par des articles d'histoire, de critique, de philosophie qui furent très remarqués.   En 1829, il publia son *Tableau historique et critique de la poésie et du théâtre français au XVIe siècle*, dans lequel il entreprenait la réhabilitation de Ronsard et des poètes de cette époque ; cet ouvrage établit sa réputation comme un des meilleurs critiques du temps.   L'année suivante il fit paraître un recueil intitulé *Vie, poésies et pensées de Joseph Delorme*, où il feint de n'être que le confident et l'éditeur d'un malheureux ami emporté par la mort ; les *Consolations*, et les *Pensées d'Août* suivirent.   Sainte-Beuve a lui-même mis le doigt sur le vif du défaut de sa poésie, il se plaint que ce sont :

> "Des vers à force d'art et de vouloir venus . . .
> Des vers tout inquiets et de leur sort chagrins."

Il en a fait qui ont une originalité charmante, un accent suave de poésie intime, mais le plus souvent ils manquent de souplesse, il y a plus de science que d'inspiration ; en un mot, c'est la poésie d'un critique.   Dans son roman, *Volupté* (1834), il veut prouver que la recherche continuelle des plaisirs et du bonheur déprave l'homme intellectuellement aussi bien que moralement ; ce livre contient des analyses psychologiques très délicates. L'*Histoire de Port-Royal*, en sept volumes, publiée de 1840 à 1860, lui coûta vingt années de travaux.   Mais sa vraie vocation était la critique littéraire ; il y revint dans ses *Portraits contemporains, Portraits littéraires, Portraits de femmes, Chateaubriand et son groupe littéraire*.   Les *Causeries du lundi*, et les *Nouveaux lundis* publiés de 1849 à 1869, sont une œuvre extraordinaire qui forme à elle seule une bibliothèque.

L'abondance de Sainte-Beuve n'a de mérite que parce qu'elle a sa source dans de vastes connaissances, mais cette érudition à son tour ne tire tout son prix que d'une exactitude extrême, poussée jusque dans les derniers détails, jusque dans la nuance.   Il a puisé à toutes les sources, réuni toutes les informations, écouté

tous les témoignages avant de parler d'une œuvre. Il a mis l'é‹
tude de l'homme dans l'étude des ouvrages de l'esprit humain
et a cherché l'auteur sous ses écrits ; il s'est appliqué à signaler
dans les livres l'empreinte à la fois du caractère individuel et des
circonstances, les mille traces d'une humanité tout ensemble
éternellement la même et éternellement diverse. Ce qu'il y a
d'essentiel en lui, c'est sa vive et souple intelligence qui n'est voi-
lée par aucune passion ; il est si avide de voir les choses telles
qu'elles sont, que pour lui la justice fait un avec la vérité. Il
donne une admiration cordiale à tous les mérites, rend un hommage
spontané à toutes les supériorités. Esprit délicat et flexible, il
sait tout comprendre, tout deviner, tout exprimer avec finesse
et avec une grâce charmante.

Nisard (Désiré, 1806–1888) succéda à Villemain dans la
chaire d'éloquence à la Sorbonne. Vers 1829 il se montra partisan du mouvement romantique et le défendit, mais plus tard il se
fit le champion du passé en politique et en littérature, et prit une
part agressive contre la nouvelle école ; c'est de là qu'est sorti son
Manifeste contre la littérature facile. Dans ses études sur les *Poètes
latins de la décadence,* il établit un parallèle constant entre les défauts de la littérature latine à l'époque de Lucain et ceux qu'il
trouve chez les romantiques. Sa magistrale *Histoire de la littérature française,* en quatre volumes, représente la critique ancienne, morale et dogmatique ; celle qui goûte, apprécie et juge
les œuvres sans s'occuper beaucoup des écrivains. Ce qu'il cherche surtout à dégager c'est l'esprit national, aussi bien que
l'esprit qui anime les grands écrivains, car l'histoire littéraire, à
ses yeux, est une construction de l'esprit, un mouvement de la
pensée, c'est ainsi qu'il la conçoit et l'exécute. Comme Nisard
est un admirateur passionné des classiques, le XVIIe siècle
occupe naturellement le gros du récit, mais les autres époques ne
sont pas négligées. L'ordonnance de l'ouvrage est admirable ;
toutes les parties unies et conjointes en parfait rapport entre

elles, attestent la force de la conception, de grandes ressources
de vues et d'aperçus. Les détails biographiques, les renseignements littéraires sont artistement disposés. Il n'y a ni sécheresse,
ni abus de détails. De plus, l'ouvrage est aussi soigneusement
écrit que composé ; il est semé de traits sans prétention qui
naissent du sujet et qui décèlent l'homme de goût et d'observation
aussi bien qu'un esprit calme, sévère, à vues élevées. Parmi ses
autres œuvres mentionnons : *Etudes sur la tragédie française depuis Athalie jusqu'à la fin du XVIIᵉ siècle ;* la *Comédie après Molière.*

Ampère (Jean-Jacques, 1800–1864) doué d'une infatigable curiosité intellectuelle a embrassé le domaine entier des lettres. Il
satisfait cette curiosité par des voyages dans toutes les contrées
de l'Europe, en Asie, en Afrique, en Amérique, et par l'étude
des langues et des littératures de l'Europe et de l'Orient. De là
une singulière variété de connaissances, et le caractère original
de sa pensée et de son talent qui mêlait d'une manière piquante
les impressions reçues par le touriste, l'imagination du poète,
l'érudition de l'archéologue, le goût libre et les connaissances
étendues du littérateur. Œuvres : *De l'Histoire de la poésie ;
Histoire littéraire de la France avant le XIIᵉ siècle ; Introduction
à l'Histoire de la littérature française au moyen âge ; La Grèce,
Rome et Dante ; l'Histoire romaine à Rome.*

Géruzez, Demogeot et **Vinet** ont eux aussi, laissé des ouvrages
d'un grand mérite.

TROISIÈME PÉRIODE DU XIXᵉ SIÈCLE.
LES CONTEMPORAINS.

A mesure que nous approchons de l'époque contemporaine, nos
jugements sur les hommes et les choses deviendront nécessairement plus généraux et plus sommaires. Il est si malaisé d'es-
timer équitablement des ouvrages encore si nouveaux. Le
temps est un incomparable élément d'appréciation, en littérature

aussi bien qu'en politique et en histoire ; lui seul peut faire avec sûreté le départ de l'ouvrage qui doit durer, et de celui qui n'avait qu'une vie éphémère et une renommée de pure mode et de circonstance. Nous nous contenterons donc d'énumérer rapidement les plus illustres écrivains qui ont paru depuis 1848 ; de rappeler leurs œuvres principales ; de distinguer les écoles et les partis littéraires auxquels ils ont appartenu ; sans prétendre à juger définitivement des hommes qui sont morts d'hier ou qui vivent encore.

LES POÈTES.

La réaction contre les extravagances de l'école romantique commencée même avant 1848, comme nous l'avons déjà vu, s'accentua davantage après cette époque. Les *Parnassiens*, dont le manifeste fut la publication d'un recueil de poèmes intitulé le *Parnasse contemporain* (1866), posèrent en principe la nécessité d'une poésie impersonnelle, sans sentiment et sans émotion, et ne professèrent de goût que pour l'exactitude de la forme et la précision de l'idée. Le vague et le laisser-aller romantiques furent absolument proscrits ; et ainsi une pièce de vers pourrait se définir : une pensée nette écrite dans une forme irréprochable. Cependant comme il arrive souvent, les *Parnassiens* ont poussé ce souci de la forme jusqu'à l'idolâtrie. En se piquant de maîtriser tous les secrets de la versification, les plus puissants comme les plus délicats, et plusieurs y ont réussi, ils péchèrent par un autre excès ; l'expression belle et riche ne sert souvent que d'enveloppe à l'indigence de la pensée. D'autres, les *Symbolistes*, cherchent à révolutionner toute la versification, trouvent que l'obscurité est de rigueur : "Ils estiment, dit M. Brunetière, que le vague et l'imprécis, que le flottant et le fugitif, que l'aérien et l'impondérable sont une partie de la poésie, si même, peut-être, ils n'en font pas tout le charme." De cette tendance, il arrive que les *Symbolistes* sont aux antipodes des *Parnassiens*. Cepen-

dant nos poètes de toutes les écoles ont perfectionné le mécanisme
du vers français; mais ceux-là seuls dureront qui auront fait
rendre à leur instrument si bien affiné des pensées et des sentiments.

Leconte de Lisle (1820–94) a hérité de Victor Hugo le don
d'évoquer les civilisations éteintes, et de les faire revivre dans des
strophes d'une beauté sculpturale et d'une harmonie sans défaut;
mais il n'a pas, ni ne veut avoir cette grande pitié des hommes
et des choses qui est au fond de toute la poésie du maître. Rien
ne trouble la sérénité majestueuse de son rythme; il a l'éclat,
la solidité, la blancheur du marbre, il en a aussi la rigidité; il y
met son imagination, jamais son cœur. Il dédaigne le sentiment, l'idéal, la passion; la nature matérielle, la science, la philosophie lui suffisent; il plane au-dessus de tout comme un dieu
qui en connaît le néant. La régularité classique de sa versification ajoute encore à la netteté sereine de la forme; il la sculpte
longuement et patiemment avec un art infini, et il est arrivé ainsi
à une pureté superbe et à une ampleur d'expression qui séduit
l'oreille et donne à l'âme la sensation d'une solennelle et froide
grandeur. Œuvres: *Poèmes antiques ; Poèmes tragiques; Poèmes
barbares ; les Erinnyes.* M. Leconte de Lisle a fait des traductions remarquables du grec.

Sully-Prudhomme (1839), à l'opposé du poète précédent,
s'intéresse à tous les problèmes d'où le sort de l'humanité dé-
pend. Son imagination, belle et puissante, ne va jamais sans la
pensée qui se plaît aux profondeurs philosophiques comme aux
aspirations vers l'idéal. Il est tour à tour gracieux et grave, simple et grandiose; son talent est toujours pur, ses opinions toujours sincères et honnêtes. La forme de ses vers est savante et
simple, pleine de précision et de grâce. Il débuta comme Par-
nassien dans les *Stances et poèmes*, les *Epreuves*, puis revint au
classique dans les *Destins; les Vaines tendresses ; le Bonheur;*
la *Justice* qui est son plus bel ouvrage.

Coppée (François, 1842) excelle à dégager des êtres les plus humbles et des choses les plus vulgaires ce qu'ils recèlent de poésie, et ce qu'ils peuvent donner d'émotion ; dans cette appropriation très habile et neuve de la poésie au réalisme, il est tout à fait lui-même et sans rival. Ses vers, avec leur vérité familière, sont ondoyants, berceurs, pittoresques, d'un rythme lent, d'une grande simplicité. Son œuvre est étendue et variée, elle comprend des poèmes : le *Reliquaire ;* les *Humbles ;* *Arrière-Saison ;* la *Grève des Forgerons ;* la *Bénédiction*, etc. ; des pièces de théâtre : le *Passant ;* le *Luthier de Crémone ;* *Fais ce que dois ;* *Severo Torelli ;* des *Contes rapides* qui sont admirables de naturel et de vivacité.

Laprade (Victor de, 1812–1883) débuta par les *Parfums de Magdeleine*, dont le tour harmonieux et mélancolique indique un disciple de Lamartine. *Psyché ;* les *Symphonies ;* *Pernette ;* le *Livre d'un père* sont des poèmes philosophiques et religieux.

Baudelaire (1821–1867) n'a publié qu'un volume de poésies : *Fleurs du mal.* Esprit subtil, raffiné, paradoxal, il s'est complu à étonner, à mystifier, et à peindre l'horrible; mais il a un talent immense et une connaissance absolue de la langue et des lois de la versification. En prose nous lui devons une excellente traduction des œuvres d'Edgar Poë.

Banville (Théodore de, 1823–1891) est un poète fantaisiste, aussi excessif que Baudelaire, mais plus léger et plus gracieux. La facilité avec laquelle il manie les vers les plus difficiles, l'a fait surnommer "le roi des rimes," mais il écrit la prose aussi bien que la poésie. Il est à la fois poète lyrique, critique et auteur de comédies et de contes. Œuvres : les *Pauvres saltimbanques ;* les *Cariatides ;* les *Stalactites ;* *Odes funambulesques ;* *Ballades joyeuses ;* *Gringoire* qui est une pièce de théâtre, etc.

Soulary (Joséphin, 1815–1890) est tout à fait poète dans *A travers champs,* les *Éphémères ;* *Sonnets humoristiques*, où il a très agréablement remis le sonnet à la mode; les *Diables bleus ;* la *Chasse aux mouches d'or,* etc. En 1879, il fit représenter deux comédies : *Un grand homme qu'on attend*, en vers, et la *Lune rousse*, en prose. Il possède au plus haut degré la concision, l'art de réduire une image en une épithète.

Déroulède a trouvé une veine heureuse dans ses *Chants du soldat* qui lui ont fait une réputation passagère. Ses drames historiques, *Messire Duguesclin, La mort de Hoche, Frédégonde* ont eu du succès.

LE THÉÂTRE.

Le théâtre contemporain, beaucoup plus encore que la poésie, a remplacé l'esprit romantique par l'esprit positif ; il procède visiblement de Balzac. Les deux traits dominants dans l'œuvre du grand et fécond romancier sont une profondeur subtile dans l'analyse des sentiments et une exactitude scrupuleuse dans l'énumération des circonstances. Son but est avant tout de donner au lecteur la sensation très vive d'une reproduction exacte du vrai. Tel est aussi l'objet, et tels sont les procédés du théâtre contemporain. La plus haute ambition des maîtres est d'être vrais, et ils ont cherché à obtenir la vérité par la rigueur dans l'analyse, et par la précision pittoresque des détails. Nous ne ferons que choisir parmi les auteurs ceux dont l'œuvre dramatique représente le plus vivement les tendances et les caractères dominants de la scène entre 1850 et l'époque où nous sommes parvenus.

Notre théâtre contemporain naît avec Augier et Dumas fils. Tous deux sont nettement réalistes ; le premier l'est devenu avec son temps, après un peu d'hésitation ; le second le fut dès la première heure. Tous deux cherchent à obtenir la vérité par la vigueur dans l'analyse des faits et des causes, par la précision pittoresque des détails dont ils encadrent l'action. Tous deux ont renoncé au drame historique, suspect de ne supporter qu'une vérité conventionnelle et transitoire, et peignent exclusivement les mœurs contemporaines ; de préférence dans ce qu'elles ont de déréglé et de violent, mais sans négliger de mettre en scène le ridicule à côté du vice, et les simples travers du cœur à côté des pires noirceurs. Tous deux ont fait rire et ont fait pleurer, souvent dans la même pièce, et quelquefois dans la même

scène; mais il ont pratiqué ce mélange du comique et du
pathétique avec plus d'adresse que n'avaient fait les romantiques.

Augier (Emile, 1820–1889) débuta au théâtre à vingt-trois ans
par la comédie de la *Ciguë*, où il donnait de graves leçons au libertinage à la mode; l'*Aventurière*, et *Gabrielle* accusent encore
plus vivement cette tendance hautement morale; mais dans les
pièces qui suivirent, il fit une adhésion éclatante aux procédés
réalistes : le *Mariage d'Olympe ; Maître Guérin ;* la *Contagion ;*
les *Fourchambault ;* le *Gendre de M. Poirier* (p. 285), etc.

Deux grandes qualités seront toujours à louer dans son vaste
répertoire : la variété des figures et la vie qu'il excelle à leur donner. Il a eu le rare bonheur de créer des types qui resteront.
Il excelle surtout à peindre les sots et les coquins, aussi bien que
les désordres et les ridicules qui naissent, dans la société moderne, de l'importance excessive que l'argent y a usurpée. Sa
langue dramatique est éclatante et solide; elle manque un peu,
quelquefois, de souplesse dans la prose, et de poésie dans les
vers, mais elle est excellente au théâtre, où le style n'a pas besoin
d'une perfection aussi délicate que celle qui convient à un livre.
De tous les auteurs comiques du XIXe siècle, Augier est assurément le plus grand par la force et la franchise de la forme et du
fond; il s'est le plus approché des maîtres classiques et méritera
le mieux d'être nommé avec eux, sinon parmi eux.

Alexandre Dumas fils (1824–95) commença par des romans
dont les meilleurs devaient fournir ses premières pièces. La *Dame
aux camélias*, tirée de son premier livre, eut un succès immense,
car jamais le souci de rendre vivement l'aspect de la vie réelle
n'avait encore été poussé si loin. Dans ses drames le pathétique
et le tragique se mêlent très habilement au comique; nul n'a su
mélanger ces deux éléments opposés d'une main plus habile. Il
sait donner à des personnages, parfois très peu réels, une allure
de vie très intense, et un relief de forme très frappant. Il a, au

plus haut degré, l'instinct de la scène, le don du mouvement, l'art d'intéresser, de captiver même.

La plupart des pièces de M. Dumas sont des thèses, c'est-à-dire qu'il les compose pour démontrer et prouver quelque chose ; car il est didactique autant que dramatique. Depuis plus de quarante ans et dans plus de vingt pièces, il introduit le public dans un monde très étrange et très corrompu. Il a fait dans ses peintures une très grande place aux mauvaises mœurs, qui enfin ne sont pas les seules. Les situations fausses ou cruelles, tragiques ou ridicules qui naissent du dérèglement des mœurs ; les conséquences douloureuses ou honteuses qu'entraînent les violations faites à la loi morale et sociale dans la famille et dans la cité, tels sont les graves sujets qu'il a constamment portés sur la scène, et traités avec une hardiesse étonnante, un talent hors pair, et un bonheur qui s'est rarement démenti. On peut maintenant se demander si le théâtre de M. Dumas est aussi moral qu'il l'a cru et voulu faire. Suffit-il de peindre le vice pour faire aimer la vertu? Parvient-on à améliorer la société par l'étalage de la corruption au théâtre? Il est permis d'en douter, de ne pas croire même qu'il ait réussi à jeter le germe d'une seule vertu dans l'âme d'un seul de ses millions de spectateurs.

Sardou (Victorien, 1831) a en commun avec Scribe une extrême habileté de l'arrangement dramatique et n'a pas montré une imagination moins féconde en ressources. Depuis trente ans, il a donné plus de quarante pièces de tous genres ; et la variété de son œuvre étonne encore plus que sa fécondité ; mais ses plus grands et ses plus durables succès sont dans la comédie de mœurs. Il excelle à résumer vivement, dans un tableau animé, sans confusion, toute une face mobile et brillante des mœurs, des modes, des travers contemporains ; et nul mieux que lui ne s'entend à faire servir le décor et la mise en scène à la conduite de la pièce ; chez lui tout joue son rôle, jusqu'aux accessoires. Les pièces qui ont eu le plus de vogue sont : les *Pattes de mouche ;*

la *Famille Benoîton ; Patrie ; Fernande ; Séraphin ; Nos bons villageois.*

Legouvé (Ernest, 1807), collaborateur de Scribe dans *Adrienne Lecouvreur*, et la *Bataille des Dames* a composé plusieurs comédies qui se distinguent par la verve, l'esprit, la finesse d'observation et le soin du style. M. Legouvé a de plus écrit des ouvrages sérieux ; sur l'éducation : les *Pères et les Enfants du XIXe siècle ;* et sur la diction : *l'Art de la lecture ;* la *Lecture en action.*

Labiche (Eugène, 1815–1888) a su quelquefois incarner le véritable génie comique dans la bouffonnerie ; car c'est dans la farce qu'il excelle. Rien de plus amusant que la *Cagnotte ;* le *Chapeau de paille d'Italie ;* le *Voyage de M. Perrichon.*

Pailleron (Edouard, 1834–99), auteur de poèmes satiriques : les *Parasites ; Amours et Haines,* a obtenu de grands succès dans des pièces pleines d'une ironie fine et légère : le *Monde où l'on s'amuse ;* le *Monde où l'on s'ennuie ;* la *Souris.*

Meilhac (1832–92) et **Halévy** (1834–97) ont semé sous différents titres les actes décousus, mais amusants et colorés de leur théâtre singulier. Dans leurs comédies, l'intrigue est comme supprimée ; l'action presque nulle tient à un fil ; les scènes se succèdent à peu près au hasard comme les verres enluminés d'un kaléidoscope. L'unité de la pièce est dans l'esprit qui ne tarit pas, et dans un accent de vérité qui consiste plutôt dans la façon vive de rendre l'aspect extérieur du ridicule, que dans une analyse profonde des sentiments qui le produisent. Tous ces traits se trouvent dans l'*Eté de la Saint-Martin,* tandis que *Froufrou* qui commence presque comme une farce se termine par la mort de l'héroïne ; c'est un des drames les plus touchants du théâtre contemporain. La *Petite Mère* est un mélange de bouffonnerie et de sensiblerie. Plusieurs de leurs farces amusantes ont été mises en opérettes par Offenbach : *Orphée aux Enfers ;* la *Belle Hélène ; Barbe-bleue ;* la *Grande duchesse,* etc.

M. Meilhac a fait seul un grand nombre de comédies fines, où il a montré les travers de ses contemporains avec une ironie délicate et un réalisme discret.   M. Halévy s'est aussi distingué dans le roman : l'*Abbé Constantin; Criquette.*

Citons encore les noms d'**Ennery**, auteur des *Deux Orphelines;* **Théodore Barrière, Gondinet, Mallefille.** Combien d'autres noms encore ont retenti à la scène ; les uns, par une gaieté spirituelle, les autres par une rare entente de l'art dramatique, plusieurs par mille inventions touchantes ou plaisantes. Chaque année voit surgir un nombre infini de pièces nouvelles de tout genre, car à aucune époque le théâtre français, pris dans son ensemble, n'a fourni plus d'œuvres agréables que dans la seconde moitié du siècle ; jamais on a dépensé plus de talent et plus d'esprit à la scène.

LES ROMANCIERS.

Le fait littéraire le plus éclatant dans l'histoire du XIXe siècle, c'est le développement prodigieux du roman ; en même temps, il est devenu la chose du monde la moins romanesque.   Nombre de nos romanciers modernes ont prétendu en bannir l'imagination et la personnalité de l'auteur ; ils l'ont réduit à une pure analyse tout à fait comparable à celle que le zoologiste ou le botaniste appliquent à la nature animale ou végétale.   Cet art nouveau a reçu le nom de *réalisme.*   Mais Boileau avait déjà dit : " Rien n'est beau que le vrai " ; et quelle école sérieuse a jamais prétendu que l'art ait pour objet de travestir et de défigurer ?   Au fond le réalisme n'est quelque chose de nouveau qu'à condition de devenir excessif ; et en devenant excessif il a abouti au *naturalisme.*   Le *réalisme* en reproduisant la nature, s'attribuait encore un certain pouvoir de choisir et de combiner ; le *naturalisme* nous la présente toute crue et tout incohérente ; partout il exclut l'art ou le réduit à la juxtaposition brutale des documents qui éclairent un fait.

Un romancier naturaliste caractérise et explique son œuvre en
ces mots : " Le roman *expérimental* est une conséquence de l'é-
volution scientifique du siècle ; il continue et complète la phy-
siologie, qui elle-même s'appuie sur la chimie et la physique. Il
substitue à l'étude de l'homme abstrait, de l'homme métaphysique, l'étude de l'homme naturel, soumis aux lois physico-chimiques, et déterminé par les influences du milieu." Heureusement
que ceux-là mêmes qui professent le plus haut ces théories, n'y
demeurent pas entièrement fidèles dans le détail de leurs ouvrages ; et plus heureusement encore, le talent chez plusieurs résiste à la doctrine ; et dans beaucoup d'ouvrages récents on
trouve une peinture vraie et une analyse exacte des passions sans
étalage des "lois physico-chimiques" dont elles sont la " résul-
tante."

Dans la longue liste de nos romanciers, nous ne pouvons, dans
ce court esquisse, que choisir les maîtres.

LES IDÉALISTES.

Feuillet (Octave, 1821–1890) est un écrivain d'une suprême
élégance. qui a poussé jusqu'aux extrêmes limites le tact, la politesse et la délicatesse de l'art. Esprit élevé, il a voulu faire servir
le roman à de nobles usages en revendiquant pour l'art en général,
et pour le roman en particulier, le droit de discuter les idées les
plus hautes, comme les plus saines ; et il est un de ceux qui ont
habilement enveloppé le plus de nobles et hautes leçons dans ses
livres. Tous ses romans sont dramatiques ; il y a peu de portraits, peu de descriptions, à peine quelques dissertations ; mais
des faits, des sentiments, et les personnages presque uniquement
caractérisés par leurs discours ou par leurs actions. Il a une
grande vérité d'observation, et un goût inné de la distinction ;
il raconte dans une langue ferme, simple, élégante et souple.
Œuvres : le *Roman d'un jeune homme pauvre* a un peu trop de

sentimentalité et de convention ; *Histoire de Sybille ; Julie de Trécœur ; Un mariage dans le monde ; Scènes et Proverbes*, etc.

Murger (Henri, 1822–1861) lutta tout sa vie contre la misère. Dans les *Scènes de la vie de Bohême*, les *Buveurs d'eau*, le *Pays latin*, il a spirituellement raconté la vie de privations, de hasards et de lutte de cette société de jeunes gens pauvres dont il était le chef, et où tous étaient solidaires les uns des autres pour la vie matérielle. On y mettait aussi en commun l'étude et l'expérience ; se produire, grandir, arriver, était le but principal. Murger a commencé par des vers et des satires ; son premier ouvrage en prose, les *Amours d'un grillon et d'une étincelle*, d'un style soigné et d'une grâce parfaite, le fit connaître.

Erckmann (1822–99) et **Chatrian** (1826–90), qu'un critique appelle "les frères siamois" de la littérature, eurent d'abord beaucoup de peine à se faire imprimer ; ce fut le conte de l'*Illustre Docteur Mathéus*, publié en 1858 dans la *Revue de Paris*, qui leur ouvrit les portes de la renommée et de la fortune. Ce roman fut suivi par des récits relatifs à la Révolution et à l'Empire : *Mme Thérèse ; Histoire d'un conscrit de* 1813 ; l'*Invasion ;* la *Guerre ; Histoire d'un paysan ;* les *Rantzau*, etc. Les deux romanciers ont le mérite d'avoir fait contre la guerre les plus éloquents plaidoyers et d'avoir disposé la masse du peuple à la paix. Ils donnent ordinairement des récits de village, dans lesquels ils font passer devant nous, avec les beautés naturelles des Vosges, avec les mœurs et les coutumes de l'Alsace, toute une galerie de portraits originaux, et cela avec un art très sûr et très fin. Ces récits sont animés, remplis de détails qui nous font toucher les choses du doigt et révèlent toutes leurs qualités : l'observation, la naïveté, la rustique poésie. Cette série d'ouvrages, à la fois si nouveaux, si sains, si sincères, est un durable enrichissement de notre littérature.

About (Edmond, 1828–1885) débuta par des récits de voyages : la *Grèce contemporaine ; Tolla ;* le *Roi des montagnes.*

L'*Homme à l'oreille cassée;* le *Nez d'un notaire;* les *Mariages de Paris;* les *Mariages de Province* pétillent d'esprit. Il est mordant et satirique ; son style coule de source et a une allure légère, une verve ingénieuse et preste qui ne languit jamais.

Cherbuliez (Victor, 1828–99), formé à l'école des Grecs et à celle des écrivains français du XVIIᵉ siècle, reproduit dans un mélange gracieux la phrase ample et flottante des uns, le tour tout à la fois naïf et recherché des autres. Son style est spontané, portant le sceau d'une inspiration toute personnelle. Le *Comte Kostia;* le *Roman d'une honnête femme;* les *Aventures de Ladislas Bolski;* le *Comte Ghislain* sont dramatiques ; *Meta Holdenis* est plein d'une fine ironie ; un *Cheval de Phidias* est une fantaisie d'archéologie artistique. Il est l'auteur de plusieurs essais sur l'art ; quand il traite la politique, il se sert du pseudonyme de Valbert.

Theuriet (André, 1833) commença sa carrière par un recueil de vers, le *Chemin des bois,* qui fut couronné par l'Académie ; mais c'est dans le roman qu'il a conquis la renommée. Il aime à raconter la vie du peuple ; la plupart de ses héros et de ses héroïnes sont pris chez les paysans ou dans la classe ouvrière ; il décrit leurs mœurs et leurs coutumes avec un charme plein de simplicité, et ses caractères sont vivants. Œuvres : les *Enchantements de la forêt;* l'*Abbé Daniel;* le *Mariage de Gérard;* la *Fortune d'Angèle;* l'*Amoureux de la préfète,* etc.

Les Réalistes.

Flaubert (Gustave, 1821–1880) cultiva d'abord la poésie avec ardeur, prenant Victor Hugo et Byron pour modèles. Il abandonna ensuite l'école romantique pour s'attacher, dans le roman, à la peinture minutieusement exacte de la réalité. Le fameux livre de *Mᵐᵉ Bovary,* publié en 1856, son chef-d'œuvre, fut poursuivi comme contraire aux mœurs, mais ne fut pas condamné ; il eut un prompt succès et occupa longtemps la critique.

Après des voyages en Orient, Flaubert écrivit *Salammbo*, qui contient de belles descriptions archéologiques ; l'*Education sentimentale ;* la *Tentation de Saint-Antoine*, roman fantastique.   Le *réalisme*, que M. Hennequin définit : " une tendance à voir dans les objets dénués de beauté, matière à œuvre d'art," est poussé chez Flaubert à ses extrêmes limites.   Sa manière d'envisager le monde est plus souvent sardonique que compatissante ; il est pessimiste, et ses romans donnent de la vie un sentiment d'amère dérision. Cependant, c'est un écrivain hors ligne ; son don d'observation paraît à chaque instant par des traits de nature vifs, profonds ; d'un mot, il jette sur un homme ou une situation la cynique lumière dans laquelle il se complaît.   Ses récits sont fortement noués, les caractères vrais et frappants.   Sa phrase est belle de la beauté et de la justesse des mots, de leur tenace liaison et de l'éclat net des images.   Sa correspondance est un des documents littéraires les plus intéressants du siècle.   Une sincère amitié unit pendant douze ans le réaliste Flaubert à l'idéaliste George Sand.

Daudet (Alphonse, 1840–97) nous a retracé dans un livre attendrissant et plein de poésie, le *Petit Chose*, ses pénibles débuts dans la vie.   Son premier ouvrage littéraire fut un volume de poésies, les *Amoureuses*, qui lui ouvrit le chemin de la fortune ; mais il abandonna bientôt la muse pour prendre la formule étroite du conte dans les *Lettres de mon moulin ; Lettres d'un absent; Contes du lundi ;* ce sont des légendes provençales, des tableaux de Paris, des fantaisies, véritables petits poèmes en prose traités avec un art exquis.   Il prouva ensuite son talent de romancier dans *Fromont jeune et Risler aîné ; Jack;* les *Rois en exil; Numa Roumestan;* l'*Evangéliste ;* l'*Immortel*, violente satire contre l'Académie et qui n'ajoute rien à la gloire de M. Daudet.   *Tartarin de Tarascon, Tartarin sur les Alpes*, et *Port Tarascon* sont des livres spirituels et amusants.

L'originalité de M. Daudet, est d'unir étroitement l'observation

et la fantaisie, de dégager du vrai tout ce qu'il contient d'invraisemblable et de surprenant ; il ne tombe jamais dans la banalité.
Une marque particulière de son talent, c'est la facilité avec laquelle il passe, et nous fait passer, d'une impression à l'autre :
scrupuleuse production du réel, fantaisie, esprit, tendresse, gaîté,
mélancolie, tout se marie avec aisance. C'est de cette absence d'effort, de cette rapidité à sentir, de cette légèreté ailée
que résulte son puissant attrait. Une autre partie du charme de
ses récits est dans le choix merveilleux des détails, des traits ;
des mots pittoresques et lyriques, de ceux qui résument un caractère en fixant une situation dans la mémoire et qui rendent visi-
ble une attitude. Son style est leste, souple ; sa phrase déliée
court et brille. Il invente peut-être trop de mots, mais qu'importe, il invente en artiste. Il touche, il plaît, et possède ce don
d'attendrir qui est si grand.

LES NATURALISTES.

Edmond et **Jules de Goncourt.** Les frères Edmond (1822)
et Jules (1830–1870) de Goncourt se firent connaître par des
études sur l'art et la société du XVIIIᵉ siècle. Ils sont avant tout
peintres ; ils le sont avec passion, avec subtilité, et à la fois avec
exubérance, comme s'ils recevaient des objets une sensation trop
forte, et ils s'évertuent à rendre leur style adéquat à leurs sentiments
et à leurs sensations en enrichissant audacieusement la langue de
vocables nouveaux et imprévus. Ils n'ont vraiment souci que de
peindre, les scrupules de grammaire comme de morale les embar-
rassent peu. Avec cela ce sont cependant de grands artistes.
Œuvres : *Sœur Philomène ; Rénée Mauperin ; Germinie Lacer-
teux*, etc. Edmond de Goncourt à écrit *Chérie ;* les *Frères Zem-
ganno ;* la *Faustin.*

Zola (Emile, 1840), que M. Lemaître appelle un "vigoureux
outrancier," n'est pas un romancier véridique ; la proportion
qu'il fait à l'ignoble dans ses livres est certainement plus forte que

dans la réalité.   M. Zola est un pessimiste outré.   Il ne regarde
l'humanité que par ses plus vilains côtés, et il la peint avec un pinceau surchargé de noir.   Sa prédilection pour les choses flétris-
santes n'est surpassée que par la verdeur de l'expression ; "parle-
t-il de boue, il en salit la page."   Nul n'a plus puissamment et
plus tragiquement exprimé les instincts, les misères, la vie extérieure de la basse humanité.   "Jamais homme, dit M. Anatole
France, n'a fait un pareil effort pour avilir l'humanité, insulter à
toutes les images de la beauté et de l'amour, nier tout ce
qui est bon et tout ce qui est bien.   Jamais homme n'avait
à ce point méconnu l'idéal des hommes."   M. Zola n'est
pas non plus un psychologue.   Il ne voit que le monde extérieur, l'intérieur lui échappe ; il retire l'âme à ses personnages
pour les réduire à une vie presque animale.   Et pourtant,
ses créatures vivent toutes ; elles vivent parce qu'il sait animer
les groupes, mettre les masses en mouvement et en dégager
une impression de vie profonde.   Il donne à tout une saillie
nette et forte par l'accumulation des petits faits et des petits détails.   On peut refuser bien des choses à M. Zola, mais on ne
peut lui refuser la simplicité de l'invention, l'ampleur, la puissance
créatrice, et ce sont ces qualités qui ont fait sa vogue avec les
masses.   Le titre "d'épopée pessimiste" qu'un critique donne à
la série de romans où se déroule l'histoire des *Rougon-Macquart,*
peut aussi définir la plupart de ses livres, car dans tous et toujours il déploie avec sa brutalité morne, sa largeur d'évoca-
tion, une série de vastes et lamentables tableaux dont la lecture
laisse une impression puissante et une mélancolie affreuse qui ac-
cable et fait mal.   M. Zola a rendu le mot *naturalisme* synonyme de grossièreté ; mais tel qu'il le représente encore, et ses
rares disciples avec lui, le *naturalisme* a fini sa journée.

M. Zola a fait des ouvrages de critique et de polémique qui
naturellement diffèrent entièrement de ses romans : *le Roman
expérimental ; Mes Haines ; Nos auteurs dramatiques.*

Maupassant (Guy de, 1850–94) est plus artiste que Zola ; il a beaucoup d'originalité et de finesse psychologique, et possède à un haut degré l'art de la composition.   Il a été un des premiers à faire renaître le genre des histoires courtes où nul ne l'a surpassé ; il est varié dans ses types, riche dans ses sujets ; sa langue est excellente, elle a la rapidité, la clarté, la netteté qui plaisent.   Œuvres : *Pierre et Jean ; Sur l'eau* qui contient des pages d'une poésie exquise ; *Notre cœur*, etc.   *La Horla*, son dernier ouvrage, contient une étude de la folie qui laisse une impression pénible quand on songe que le malheureux auteur est devenu fou en 1892.

Parmi les écrivains des diverses écoles distinguons encore :

Loti (Pierre, 1850), officier de marine et auteur du *Mariage de Loti ; Mon frère Yves ; Pêcheur d'Islande ; Mme Chrysanthème*, etc.   Ses romans sont assez mal composés, mais le style est neuf, souple, entraînant, ses personnages vivent d'une vie réelle, intense, non point par l'effet de détails accumulés, mais par le choix, la force et la netteté du trait.   Il décrit avec une justesse et une sincérité remarquables ; il a des scènes d'une grande force de sentiment et d'une belle simplicité d'action. " Il a reçu le don d'exprimer exactement ce qu'il sent, de rendre l'infini détail de sa pensée, de peindre les plus subtiles, les plus fugitives nuances de ses impressions d'art et de ses mouvements d'âme." Dans son discours de réception à l'Académie il s'est posé en adversaire du naturalisme.

Gustave Droz (1832), spirituel auteur de *Monsieur, Madame et Bébé ; Entre nous ; Autour d'une source*, etc., montre dans ses écrits un curieux mélange de scepticisme et de sentiment, de gaîté et de tristesse, de malice et de bonté.

Bourget (Paul, 1852), auteur de l'*Irréparable ; Cruelle énigme : André Cornélius ; Mensonges ; le Disciple*, etc., a une grande puissance d'analyse psychologique ; et ce qui vivifie ses analyses, c'est le sentiment, le souci de la vie morale.   Ses romans, à l'exception d'*André Cornélius*, sont des drames de la conscience. M. Bourget est critique et poète aussi bien que romancier.

Mentionnons encore **Ferdinand Fabre** qui a si bien fait la peinture du clergé catholique contemporain dans les *Courbezon, Julien Savignac*; **Jean Richepin** et **Henri de Bornier** qui se sont essayé avec succès dans la poésie et le théâtre comme dans le roman; **Paul Arène** qui dit si agréablement les contes et les nouvelles; **Jules Claretie, Edouard Rod, Anatole France, Marcel Prévost, Paul** et **Victor Margueritte**, etc., etc.

Philosophes, Moralistes et Publicistes.

Leroux (Pierre, 1798–1871) a répandu ses idées philosophiques et ses vastes connaissances dans l'*Encyclopédie nouvelle* et dans plusieurs revues. *De l'humanité* est son principal ouvrage. Il est à la fois rêveur, mystique et panthéiste; rien de positif et de défini dans sa doctrine.

Rémusat (Charles, de, 1797–1875) suivit l'école de Cousin et se met à côté de lui par ses travaux philosophiques. Il a des vues fines, ingénieuses, et une grande clarté d'exposition. Œuvres: *Saint-Anselme de Cantorbéry;* l'*Angleterre au XVIIIe siècle; Essais de philosophie;* la *Philosophie allemande.*

Simon (Jules, 1814). Le rôle politique qu'il a joué après la chute de l'empire, aussi bien que ses enseignements philosophiques, lui ont créé une grande réputation. Œuvres: *Histoire de l'Ecole d'Alexandrie;* le *Devoir;* la *Liberté de Conscience*, etc. Les *Mémoires des autres* sont des récits vifs et spirituels.

Janet (Paul, 1823) représente le spiritualisme universitaire qu'il cherche à concilier avec la liberté des recherches scientifiques. Œuvres: *La Famille;* l'*Histoire de la science politique;* le *Matérialisme contemporain en Allemagne;* les *Passions et les caractères dans la littérature du XVIIe siècle*, une étude sur *Fénelon* qui fait partie de la *Collection des grands Ecrivains français.*

Caro (Elme, 1826–1887) fut un des professeurs les plus écoutés à la Sorbonne où il a défendu le spiritualisme avec talent. Œuvres : le *Mysticisme au XVIIIe siècle ;* l'*Idée de Dieu, le Matérialisme et la Science ;* la *Fin du XVIIIe siècle.*

Prévost-Paradol (1829–1870) a la veine facile, le trait fin, la simplicité de bon goût, et une érudition sûre. On a de lui : *Du rôle de la famille dans l'éducation; De la liberté des cultes en France ; Etudes sur les moralistes français ;* la *France nouvelle.*

Emile de Girardin (1806–1881), journaliste d'une grande fertilité, a beaucoup contribué au progrès de l'instruction publique en France par ses articles publiés dans le *Journal des connaissances utiles* fondé par lui, le *Musée des familles ;* l'*Almanac de France*, etc. Il fonda la *Presse*, la dirigea pendant vingt ans et prit une part des plus actives à toutes les discussions politiques du jour.

Léon Say (1826), économiste renommé, a écrit l'*Histoire de la Caisse en Espagne ;* la *Ville de Paris et le crédit foncier*, etc., il contribue nombre d'articles aux journaux et revues, et fait la critique du théâtre avec un goût sûr et fin.

LES HISTORIENS.

Les historiens ont continué, dans la seconde moitié du siècle, les traditions des grands historiens qui avaient illustré la première. Bornons-nous aux noms de :

Duruy (Victor, 1811–95), historien éminent, d'un savoir profond, qui joint à la solidité de la critique l'élévation des vues et la sobriété du style. Il a publié de nombreux ouvrages de géographie et d'histoire, surtout destinés aux études universitaires. Ses principaux ouvrages sont : l'*Histoire de France ;* l'*Histoire des Grecs; Abrégé d'Histoire universelle jusqu'en* 1848 ; L'*Histoire des Romains* en sept volumes est son œuvre capitale.

Blanc (Louis, 1811–1882) fit connaître ses tendances socia-

listes dans son livre *De l'organisation du travail* qui parut en
1840. L'*Histoire de dix ans* est un véritable réquisitoire contre
la dynastie de Juillet et en prépara la chute. Son *Histoire de la
Révolution française* montre des convictions ardentes et de grandes recherches. Une exposition claire et saisissante des faits, un
récit vif et passionné, l'art du portrait que l'auteur excelle à gra-
ver, se trouvent dans toutes ses œuvres.

Le duc Albert de Broglie (1821) joint une haute raison à une
érudition solide ; il sait démêler d'une main légère les fils enche-
vêtrés de la politique dans l'histoire ; son style a une grande
variété de ton, de l'ampleur et une aisance tout à fait supérieure.
Œuvres : l'*Eglise et l'Empire romain ;* le *Secret du roi ; Frédéric
et Marie Thérèse ; Frédéric II et Louis XV.*

Laboulaye (Edouard, 1811–1883) qui a fait la satire du second
empire dans deux ouvrages de fantaisie : *Paris en Amérique,* et
le *Prince Caniche,* a écrit, entre autres ouvrages sérieux, une
excellente *Histoire des Etats-Unis,* mais qui s'arrête à 1789.

Rousset (Camille, 1821–1892) a fait l'*Histoire de Louvois* et
une admirable *Histoire de la Guerre de Crimée.*

Fustel de Coulanges (1830–1889) a laissé des œuvres qui dureront dans la *Cité antique ; Histoire des institutions politiques de
l'ancienne France.*

Le duc d'Aumale (1822) a écrit avec un grand charme de style
une *Histoire des Princes de Condé pendant les XVIe et XVIIe
siècles.*

Histoire Littéraire et Philologie.

Littré (Emile, 1801–1881), disciple de Comte, écrivit d'a-
bord des ouvrages philosophiques. En 1862, il publia une *Histoire de la langue française* qui est d'une lecture aussi attrayante
qu'instructive. Son grand ouvrage, le *Dictionnaire de la langue
française,* qui parut de 1863 à 1872, se distingue surtout par son
caractère scientifique ; chaque mot est non seulement défini,

mais il a son histoire et son étymologie ; il est accompagné de citations et de textes. L'ouvrage devient ainsi un *thesaurus* semblable à ceux que nous possédons pour les langues latine et grecque, et il rend par là de véritables services à l'étude littéraire. Il avait donné beaucoup de temps à l'étude des langues, et cette étude le conduisit à des travaux d'histoire littéraire qu'il a publiés sur les auteurs anciens et modernes.

Renan (Ernest, 1823–1892), philosophe, historien, critique et philologue, est assez difficile à classer ; pourtant sa place semble être ici. C'est un des talents les plus beaux de notre temps. A une grande érudition, il joint de la finesse, du goût, du calme ; sa manière d'écrire est incomparable, on n'a jamais plus que lui réuni la solidité, le piquant, la grâce.

M. Renan, né à Treguier (Bretagne) d'une mère gasconne d'origine, avait été destiné à l'état ecclésiastique dès son enfance ; trouvant plus tard qu'il n'avait pas de vocation pour le sacerdoce, il le quitta et embrassa la carrière de l'enseignement et des lettres. De bonne heure il se dévoua à l'étude des langues sémitiques et apprit l'hébreu, l'arabe et le syriaque.

Les questions religieuses ont avant tout éveillé sa curiosité et attiré son attention : il les a traitées dans nombre d'écrits, mais sans jamais laisser voir clairement le fond de sa pensée. Il a des affirmations auxquelles au bout d'un instant il n'a plus l'air de croire ; son ironie affable et séduisante se mêle à tout et il semble se rire de tout. Un de nos meilleurs critiques attribue ce trait ondoyant et insaisissable chez M. Renan, à la complexité des éléments souvent contradictoires dont se compose son génie qu'il laisse transparaître dans son œuvre avec une parfaite sincérité, et il résume ces diverses phases de son esprit en ces mots : "S'il rêve, c'est le Breton qui rêve en lui ; s'il raille, c'est le Gascon qui prend la parole : s'il prie, c'est l'ancien lévite ; s'il se défie, c'est l'historien." M. Renan lui-même, d'ailleurs, nous dit à peu près la même chose dans ses *Souvenirs d'enfance et de jeunesse.*

Ses principales œuvres sont : l'*Histoire des langues sémitiques* qui nous montre un orientaliste de premier ordre ; *Etudes d'histoire religieuse* ; l'*Histoire des Origines du Christianisme* dont le premier volume intitulé : *Vie de Jésus* (1863) fit tant de bruit, et l'empêcha d'occuper au collège de France la chaire d'hébreu à laquelle il venait d'être nommé ; les *Dialogues et fragments philosophiques* ; *Marc-Aurèle* ; l'*Histoire du peuple d'Israël* ; l'*Histoire littéraire au XIV siècle*, écrite en collaboration avec J. V. Leclerc pour la collection de la grande *Histoire littéraire de la France* déjà mentionnée. Il a de plus écrit un grand nombre d'essais religieux et philosophiques, des critiques littéraires, où il montre une grande sûreté de goût, un esprit observateur et pénétrant.

Paulin Paris (1800–1881) a édité en français moderne les *Grandes Chroniques de France*, en six volumes, et cinq tomes de versions en prose des *Romans de la Table ronde*. Ces ouvrages, accompagnés de recherches savantes sur l'origine et le caractère de ces grandes compositions, font sentir l'historien et l'artiste sous le philologue.

Gaston Paris (1839), fils du précédent, possède au plus haut dégré l'esprit scientifique et véridique. La plus belle définition de cet esprit purement scientifique est celle qu'il donnait lui-même dans une conférence au Collège de France, le 8 décembre 1870. " Je professe absolument et sans réserve cette doctrine, que la science n'a d'autre objet que la vérité, pour elle-même. Celui qui par un motif quelconque se permet dans les faits qu'il étudie, dans les conclusions qu'il tire, la plus petite dissimulation, l'altération la plus légère, n'est pas digne d'avoir sa place dans le grand laboratoire où la probité est un titre d'admission plus indispensable que l'habileté." Ses principaux ouvrages sont : *Origines de la langue française* ; la *Poésie française au moyen-âge* ; les *Contes orientaux dans la littérature du moyen-âge* ; l'*Histoire poétique de Charlemagne*.

Albert (Paul, 1827–1880) nous a donné dans *La Poésie* et

La Prose, deux études du plus grand intérêt sur les chefs-d'œuvre des poètes et des prosateurs de tous les temps et de tous les
pays ; il est aussi l'auteur de la *Littérature française des origines
au XIXe siècle*, en cinq volumes.

Gautier (Léon, 1832) nous raconte les origines et l'histoire
de la littérature nationale au moyen-âge dans ses *Epopées françaises ;* **Petit de Julleville,** lui, s'attache surtout à l'histoire de la
littérature dramatique, depuis ses origines jusqu'à nos jours, dans
son *Histoire du théâtre en France ; la Comédie et les mœurs en
France au moyen-âge ;* et **Darmstetter** et **Hatzfeld** s'occupent du
XVIe siècle dans un excellent ouvrage sur la langue et la littérature de cette époque en France.

LA CRITIQUE.

La critique littéraire d'aujourd'hui s'est presque confondue
avec l'histoire, et par sa méthode et par l'objet qu'elle se propose.
Elle veut expliquer les livres comme les faits, par les circonstances dont ils sont nés. Sainte-Beuve, il y a cinquante ans, avait
déjà donné le modèle de cette critique nouvelle, mais lui au
moins, tout en expliquant en nous beaucoup de choses par des
causes physiologiques, laissait encore une place à l'individualité
humaine. Ses disciples, plus rigoureux, réduisent souvent à
néant le génie personnel.

Taine (Hippolyte, 1828–93) n'a pas toujours échappé à ce défaut ; toujours il expose la *théorie des milieux,* demontrant que
les hommes et leurs œuvres sont les produits des conditions variables du temps, du lieu, du sol, du climat, de la race, de la
société où ils ont vécu. Quoiqu'on puisse ne pas toujours être
de l'avis de M. Taine sur ce point, on ne peut s'empêcher de
rendre un juste hommage à la beauté savante, sévère, solide et
durable, à la grandeur et à la vigoureuse originalité de son œuvre.

La puissance et la fécondité de l'imagination chez M. Taine

sont unies à la force de la pensée.   Peu d'écrivains ont jeté dans
la circulation, sur l'histoire de la littérature et de l'art, plus d'i-
dées nouvelles, fortes ou profondes ; et pour traduire ces idées,
il s'est fait un style d'une précision, d'un éclat extraordinaire.
Son *Histoire de la littérature anglaise*, publiée en 1864, est un
ouvrage fortement conçu, où il a apporté la conscience de l'érudit
et le sentiment de l'artiste.   M. Taine avait commencé par ne
vouloir considérer que la formation et les transformations du
génie anglais, en nous faisant assister aux grands évènements qui
ont modifié l'Angleterre ; mais séduit par les puissants génies
dans lesquels il n'avait d'abord voulu voir que les exemplaires
d'une race, il s'est laissé aller à les considérer comme des écrivains, des poètes, à décrire leurs procédés, à caractériser leur
style.   De là deux histoires dans une histoire.

Dans ses *Origines de la France contemporaine*, on peut lui re-
procher un manque d'impartialité pour les hommes de 1789.   Il
n'y tient compte ni des idées élevées, ni des aspirations généreuses des novateurs, ni des griefs légitimes du peuple ; il ne
donne que quelques lignes à l'œuvre législative durable de la
Constituante.   Parmi ses nombreux ouvrages mentionnons encore *Essai sur Tite-Live ; La Fontaine et ses fables ;* les *Philosophes du XIXe siècle ;* la *Philosophie de l'art en Italie,* dans les
Pays-Bas, en *Grèce.*

Saint-Victor (Paul, 1827–1881) est un artiste en style.   "On
écrirait un livre rien que pour vous faire écrire une page " ; c'est
le remerciement que lui adressait Victor Hugo après avoir lu son
article sur les *Travailleurs de la mer ;* et Lamartine de son côté
disait : " Quand je lis Saint-Victor je mets des lunettes bleues."
C'est que son style est rayonnant, plein de coloris.   Intelligence vive et ouverte, il a étudié de près une foule de choses,
l'antiquité grecque, la Renaissance, l'histoire et l'art, les littératures du midi de l'Europe.   Œuvres : les *Deux masques,* une
étude du théâtre grec et du théâtre moderne ; *Barbares et Ban-*

dits; Hommes et Dieux. Il est à regretter que ses analyses d'ouvrages d'art ou de littérature, publiées dans les journaux, n'aient pas été recueillies en volumes.

Schérer (Edmond, 1815–1888) s'est fait une position solide et originale comme théologien, investigateur historique, critique et comme écrivain philosophique. Sa place, nous dit Sainte-Beuve, est entre Renan et Taine. Son œuvre principale est un recueil d'*Etudes sur la littérature contemporaine,* en huit volumes.

Janin (Jules, 1804–1874), qui pendant quarante ans écrivit la semaine dramatique du *Journal des débats,* a recueilli la partie la plus sérieuse de ses feuilletons sous le titre d'*Histoire de la littérature dramatique.* Janin a une intelligence originale, d'une souplesse merveilleuse, et une verve intarissable.

Brunetière (Ferdinand). Sous la critique de M. Brunetière, on sent toujours un fond solide et étendu de connaissances multiples et précises. Il a la vigueur, la finesse, un esprit tranchant, souvent subtil et naturellement philosophique. Sa langue riche et son style pur et simple nous ramènent aux XVIIe siècle. Œuvres : *Histoire et littérature ; Nouvelles études de critiques ;* l'*Evolution des genres dans la littérature ;* le *Roman naturaliste* couronné par l'Académie française.

Faguet (Emile) montre dans ses études sur les *Dix-septième, Dix-huitième,* et *Dix-neuvième* siècles, un savoir étendu et solide, une pensée vigoureuse, un penchant pour l'antithèse et le paradoxe.

Gaston Boissier a publié d'excellentes études sur la littérature et l'archéologie romaines ; **Saint-René Taillandier,** et **Alfred Mézières** sur les littératures étrangères ; **Stapfer** a laissé des œuvres durables dans *Rabelais, son génie et son œuvre ; Racine et Victor Hugo.* **Emile Deschanel** s'attache surtout aux écrivains des XVIIe et XVIIIe siècles ; **Jules Lemaître** aux contemporains ; **Emile Hennequin** à la critique scientifique ; **Francisque Sarcey** à la critique théâtrale.

Conclusion.

La littérature du siècle qui s'achève excitera dans l'âge futur, sinon une admiration sans réserve, au moins un intérêt très vif, et une curiosité durable, nous l'espérons.

Notre époque ne fait plus aux lettres pures autant d'honneur qu'elles en ont obtenu dans d'autres temps, qui furent leur âge d'or. La tournure générale des intelligences devenant de plus en plus scientifique et pratique, l'apparition d'un écrit purement littéraire n'est plus un évènement comme il arrivait jadis, et des querelles littéraires comme celles des *anciens* et des *modernes* à la fin du XVIIᵉ siècle, celles des *romantiques* et des *classiques* sous la Restauration, ne seraient plus possibles aujourd'hui. Mais on peut dire aussi que jamais époque ne fut plus ouverte à l'intelligence de toutes les idées, plus disposée à les accueillir et à les juger d'une façon large, impartiale et bienveillante. Il est vrai que le bon et le mauvais se mêlent singulièrement dans notre littérature ; assez pour permettre aux esprits chagrins de croire que notre décadence littéraire est commencée ; aux esprits confiants, de se flatter qu'ils saluent l'aurore d'une littérature nouvelle. La postérité prononcera entre cet extrême dédain et cette complaisance excessive. En attendant, goûtons les œuvres du présent quand elles nous charment ; laissons à l'avenir le soin de les juger définitivement.

TABLE ALPHABÉTIQUE

DES NOMS D'AUTEURS.